# DE GROOTSTE NEDERLANDER

Gert Jan Pos (red.)

Van Gennep

## Over de auteurs

**Bart de Haan** (1971) studeerde journalistiek in Kampen en Zwolle. Hij is freelance journalist voor onder andere *Elsevier* en tekstschrijver. **Mariëlle Hageman** (1971) studeerde kunstgeschiedenis en theaterwetenschap en promoveerde in 2001. Ze werkt als freelance schrijver en redacteur en schreef onder andere *Het Amsterdamboek* en *De Nederlandse architectuur 1000-2005*. **Kerst Huisman** (1940) studeerde geschiedenis in Groningen en werkte als journalist bij de *Leeuwarder Courant*. Hij stelde de bundel *De Friese geschiedenis in meer dan honderd verhalen* samen. Historische geografie en lage veenderijen behoren tot zijn specialisme. **Marco van Kerkhoven** (1969) studeerde biologie in Leiden. Hij werkt in Brussel als correspondent voor KIJK en FEM Business. In 2004 verscheen van hem *Koehandel*, over verleden en toekomst van de Nederlands boer. **Jan van Laar** (1957) is musicus en muziekjournalist. Hij studeerde aan het Arnhems Conservatorium orgel bij Bert Matter en Johan van Dommele en kerkmuziek bij Wim Kloppenburg. Als muziekjournalist schreef hij onder meer voor AVRO, KRO, *NRC Handelsblad* en *Elsevier*. **Tjitske Lingsma** (1960) studeerde Nederlands in Utrecht en Communicatiewetenschap in Amsterdam. Ze werkte als verslaggever voor onder andere *Algemeen Dagblad* en *Elsevier* in Oost-Timor en Indonesië. **Ad van Nieuwpoort** (1966) studeerde theologie aan de UVA en was predikant te Amstelveen. Sinds mei 2004 is hij predikant van de Amsterdamse Thomaskerk. In 1997 verscheen *De kleine Mensengod. De bijbel kan ons nog meer vertellen*. Hij is redacteur van de serie 'Om het levende Woord'. **Gert Jan Pos** (1967) studeerde journalistiek in Kampen en Algemene Letteren in Amsterdam. Hij maakte televisieprogramma's en werkte als redacteur bij het weekblad *Elsevier*. **Ron Rijghard** (1965) is kunstredacteur bij NRC *Handelsblad* en hoofdredacteur van poëzietijdschrift *Awater*. Hij schreef samen met Annette Portegies *De Nederlandse Literatuur in een Notendop*. **Mathijs Smit** (1969) studeerde geschiedenis in Amsterdam en journalistiek in Rotterdam. Hij werkte als freelancer voor Trouw en als redacteur voor NRC *Handelsblad* en *Het Financieele Dagblad*. Tegenwoordig is hij redacteur van het zakenblad FEM Business. **Bert Wiskie** (1958) studeerde geschiedenis in Utrecht. Hij schreef onder meer voor NRC *Handelsblad* en *Oost-Europa Verkenningen*. Hij schreef ook mee aan *Het nationale volkslied*, een boek over alle volksliederen van de wereld.

Uitgeverij Van Gennep heeft rechthebbenden van beeldmateriaal, voor zover bekend, om toestemming verzocht deze te gebruiken. Wie meent rechten te kunnen doen gelden betreffende de beeldmateriaal in dit boek, wordt verzocht contact op te nemen met Uitgeverij Van Gennep.

© 2004 Gert Jan Pos / Van Gennep
Nieuwezijds Voorburgwal 330, 1012 RW Amsterdam
Verzorging binnenwerk Erik Richèl
Omslagontwerp Erik Prinsen
Drukwerk Bariet

# Inhoud

# Inleiding

Veel Nederlanders hebben geleefd zonder een spoor na te laten. Sommigen, zoals de hunebedbouwers, lieten wel sporen na, maar niet hun naam. De allereerste Nederlander in dit boek is het meisje van Yde. Dankzij het veen in Drenthe bleef haar lichaam bijna twintig eeuwen bewaard en dankzij een Engelse wetenschapper kreeg ze opnieuw een gezicht en reisde ze de hele wereld over. Haar gezicht is het eerste gezicht, bij benadering, van een inwoner van Nederland. Maar haar naam kennen we niet.

De eerste grote Nederlander die we bij naam kennen is Gaius Julius Civilis; een naam die de Romeinen hem hebben gegeven nadat hij in hun legioenen diende (niet zijn Bataafse naam). Over zijn gezicht bestaat minder duidelijkheid dan over dat van het meisje van Yde, zo weten we van Civilis uit de Romeinse geschiedschrijving wel dat hij een oog mist, maar niet de kleur van zijn overgebleven oog. Van hem is wel bekend dat hij de eerste is die in de contreien die nu Nederland heten de geschiedenis naar zijn hand probeerde te zetten. In het jaar 69 komt hij in verzet tegen de Romeinse bezetters. Zijn opstand inspireert eeuwenlang de drang naar onafhankelijkheid en vrijheid.

Na Civilis zijn er nog honderden Nederlanders die hun sporen nalaten in de geschiedenis en wiens invloed eeuwen ver reikt. Ze hebben bijgedragen aan de vormgeving van Nederland en verdienen daarom een plaats in dit boek. Hierbij gaat het bijvoorbeeld om Christoph Buys Ballot, die het KNMI oprichtte – een van de eerste meteorologische instituten in de wereld en bovendien een dat na anderhalve eeuw stof biedt voor het meest besproken onderwerp in Nederland: het weer. De erfenis van de historische Nederlanders is echter niet altijd iets om trots op te zijn. De grootste Nederlanders zijn niet per se de beste Nederlanders. Herman Daendels, vertrok aan het begin van de negentiende eeuw naar Nederlands-Indië. In Nederland had hij zich ingezet voor meer vrijheid, gelijkheid en democratie. De Javanen hebben echter weinig van zijn verlichte ideeën mogen merken. Met duizenden tegelijk stierven ze toen gouverneur-generaal Daendels de Grote Postweg liet aanleggen. De weg ligt er nog steeds, en is nog steeds verbonden met het koloniale regime van Nederland.

Elke biografie bevat informatie – voor zover te achterhalen – over de ouders van de grote Nederlanders, hun achtergrond, opleiding, beroep, de belangrijkste wapenfeiten en de geschiedenis van hun tijd. Gezamelijk vormen de hoofdstukken, over de grootste Nederlandse schilders bijvoorbeeld, een korte geschiedenis over de schilderkunst in Nederland. Jheronimus Bosch waarschuwde toeschouwers met zijn werk ervoor om op het rechte pad te blijven en een godvrezend leven te lijden, Rembrandt hield zijn toeschouwers een spiegel voor en Vincent van Gogh schilderde twee eeuwen later voor zichzelf. Zo komen verschillende belangrijke facetten van de (Nederlandse) schilderkunst aan bod. De hoofdstukken over de wetenschappers, de schrijvers en politici passen op eenzelfde manier in elkaar.

Niet alle historische figuren in dit boek zijn Nederlanders of geboren binnen de grenzen van wat nu als Nederland geldt. Willem van Oranje is geboren op de Dillenburg, in Duitsland, maar hij kan desondanks aanspraak maken op de titel 'Vader des Vaderlands'. Johan Rudolf Thorbecke, schrijver van de Grondwet in 1848, is naar huidige maatstaven Duits. Zijn vader en moeder komen net als de hele familie Thorbecke uit Duitsland. Joost van den Vondel wordt geboren in Antwerpen, en dat ligt tegenwoordig in België. Door zijn bijdrage aan de Nederlandse literatuur is hij echter een van de grootste schrijvers ooit in Nederland. Anne Frank is geboren in Frankfurt, maar ze heeft tien jaar in Nederland gewoond. Ze is door haar dagboek, dat ze in het Nederlands schreef, het symbool geworden voor de vervolging van de joodse bevolking van Nederland, en Europa.

Wat de biografische geschiedenis van Nederland duidelijk maakt, is dat de meesten niet hun status bereiken door gewoon te doen, een hoog aangeslagen deugd in Nederland. Zeker voor het aanbreken van de twintigste eeuw excelleren sommige Nederlanders in hun vakgebied – en ze zijn er trots op. Christiaan Huygens vond zijn slingeruurwerk niet uit omdat hij een gewone Nederlander wilde zijn. Net zomin als Hugo de Groot, die de grondslag legde voor het volkenrecht en het oorlogsrecht. Willem Drees, de grootste politicus van de twintigste eeuw, is 's avonds altijd op tijd thuis voor het eten. Maar Pim Fortuyn, politicus aan het begin van de eenentwintigste eeuw, is alweer in alles het tegendeel van Drees.

Door de besprekingen van de meer dan 150 personen met zeer uiteenlopende gaven en karakters en uit zeer verschillende periodes, is dit boek een hinkelspel door de geschiedenis van wat nu Nederland heet.

*Gert Jan Pos*

# Het Meisje van Yde

Het Meisje van Yde is de enige figuur in dit boek van wie de naam nooit bekend zal worden. Toch heeft bijna iedereen haar gezicht gezien. In mei 1994 staat ze voor het eerst in de krant en komt ze op televisie. Ze is de oudste mens in Nederland die een gezicht heeft gekregen. Ze is vele decennia alleen te zien geweest als een onooglijk veenlijk in het Drents Museum in Assen. Maar dankzij de moderne wetenschap kan een betrouwbare reconstructie van haar gelaat worden gemaakt.

Haar stoffelijke resten worden op 12 mei 1897 bij het turfsteken aangetroffen in een klein perceel hoogveen bij een beekje halverwege de Noord-Drentse dorpen Yde en Vries. Waarschijnlijk is een deel van het lijk bloot komen te liggen toen het waterpeil daalde door het werk in het veen. Uit het veen steekt een bos oranje haar. De huid van het gezicht van het meisje is in de eeuwen in het veen goed geconserveerd, maar wel zwart geworden. De twee arbeiders die de ontdekking doen, raken nogal over hun toeren en vluchten naar huis. Pas na enkele dagen komt een bestuurslid van het Drents Museum een kijkje nemen. Al die tijd liggen de resten van het in het veen opgegraven meisje onbeheerd. Er komen mensen kijken en er wordt tamelijk achteloos met de resten omgegaan. Dat verklaart ook dat het lijk incompleet bewaard is gebleven. Het door de turfstekers per ongeluk beschadigde hoofd is aan de linkerkant bedekt met oranjekleurig haar. Verder worden botten van het bovenlichaam, de armen en voeten en stukken huid en resten van kleding geborgen. De onderzoekers die er weldra op af komen vinden vooral een bandje van een kleine anderhalve meter lang dat enkele malen om de hals van de dode is gewikkeld intrigerend.

Aanvankelijk denken de onderzoekers met overblijfselen uit de Middeleeuwen te maken te hebben. Jan Joosting, tijdens de ontdekking van het veenlijk provinciaal archivaris van Drenthe en bestuurslid van het museum, begint een correspondentie met Johanna Mestorf, een veenlijkendeskundige uit Kiel. Zij meent op grond van de bij de in Denemarken en Noord-Duitsland gevonden veenlijken aangetroffen sieraden en kledingresten dat het om mensen uit de derde en vierde eeuw gaat. Joosting raakt er daardoor van overtuigd dat er bij het veenlijk van Yde ook van een

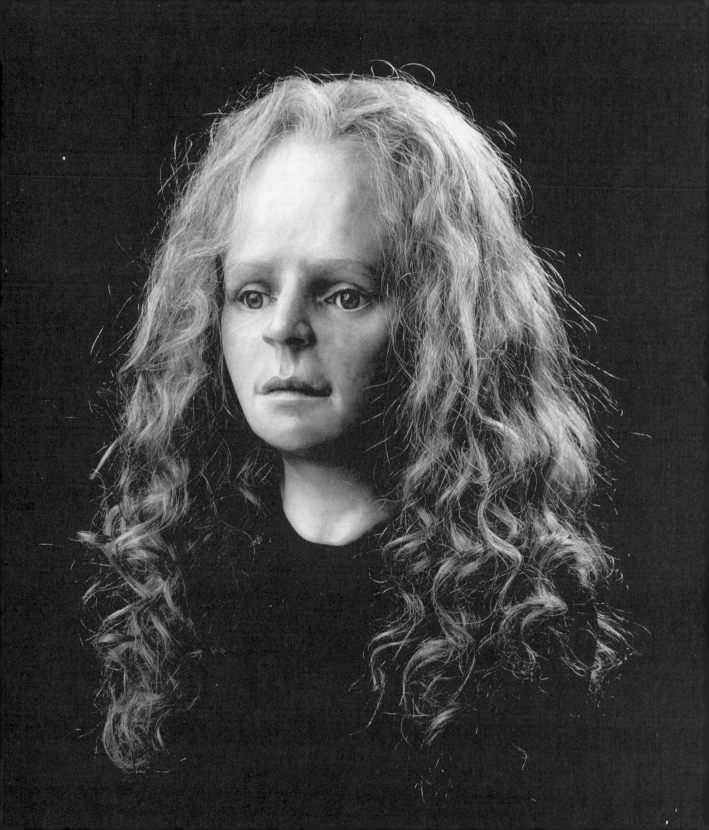

dergelijke ouderdom sprake is. Zijn idee wordt bevestigd bij een stuifmeelkorrelonderzoek dat in 1955 wordt uitgevoerd op resten veen die aan de voeten van het lijk waren blijven zitten. De veenresten worden voorlopig gedateerd tussen 200 en 500 na Christus.

Al direct bij de ontdekking van het veenlijk zien de deskundigen dat het om een vrouw gaat. Maar pas een eeuw na de ontdekking is er veel meer over haar bekend geworden, omdat de kennis en de wetenschappelijke technieken in die tijd grote vorderingen maken. Essentieel is in dit verband de sterk toegenomen expertise met betrekking tot de reconstructie van gezichten. Richard Neave, medewerker van de School of Biological Sciences aan de universiteit van Manchester maakt na 1980 naam met de reconstructie van de gezichten van enkele na vele jaren gevonden moordslachtoffers. Dankzij zijn reconstructie is de Britse politie niet alleen in staat de identiteit van de slachtoffers te achterhalen, maar ook nog hun moordenaars te arresteren. Neave reconstrueert ook de gezichten van beroemde figuren uit de Griekse oudheid, onder wie de vader van Alexander de Grote en koning Midas.

In 1993 maakt hij een reconstructie van het gezicht van het Meisje van Yde. De stoffelijke resten moeten daarvoor naar Manchester. In mei 1994 komen ze terug, met de door Neave en zijn medewerkers gemaakte reconstructie. Tegelijkertijd is er een aantal onderzoekingen op de resten uitgevoerd, waaruit allerlei verrassende details naar voren komen, die een nader licht werpen op het meisje, de wereld waarin ze heeft geleefd en de omstandigheden waaronder ze is gestorven. Met behulp van de moderne koolstof-14-methode worden de resten een stuk nauwkeuriger gedateerd: tussen 54 voor Christus en 128 na Christus. Botonderzoek wijst uit dat de resten toebehoren aan een jonge vrouw, die op het tijdstip van overlijden ongeveer zestien jaar oud was. Ze had bloedgroep A en haar oranjekleurige haar was oorspronkelijk blond (het haar is oranje geworden door de inwerking van de zure veengrond). Ze heeft een wervelkolom die een beetje zijwaarts verkromd is. Uit een verdikking van de huid van haar rechtervoet kan worden opgemaakt dat ze met haar rechtervoet ietwat naar binnen gekeerd heeft gelopen. Ze was dus zeker niet recht van lijf en leden, en liep een beetje mank. Haar gebit is onaangetast. Ze is, gezien de borsten, seksueel volwassen, maar er zijn geen aanwijzingen dat ze ook moeder is geworden. Ze is ongeveer 140 centimeter lang. Dat lijkt erg klein vergeleken met meisjes van zestien van nu, maar de mensen waren vroeger kleiner. Haar lichaamslengte zal niet erg hebben afgeweken van die van haar vrouwelijke leeftijdsgenoten. Ze is geofferd aan de goden; de plaats waar ze is gevonden wijst daarop. In de voorstelling van de prehistorische mens hebben veengebieden, net als bossen, rivier- en beekdalen en andere natte plaatsen, een religieuze betekenis. Daar kunnen zij, zo is het idee, gemakkelijk in contact komen met de godenwereld. Door op die plaatsen een offer te brengen kunnen ze de gunst van de goden afsmeken voor een onderneming, of ze bedanken voor de goede afloop.

Na het Meisje van Yde zijn er in Nederland nog tal van veenlijken gevonden. Het totaal aan voormiddeleeuwse veenlijken uit het Nederlandse gebied bedraagt nu 38. Uit heel Europa zijn er 1800 bekend, waarvan 940 in Duitsland en 441 in Denemarken. Een aanmerkelijk deel hiervan stamt uit de bronstijd, de ijzertijd en de Romeinse tijd. Wat de Nederlandse veenlijken betreft, daarvan dateren de meeste uit de tijd kort voor en na het begin van de jaartelling. Bij de veenlijken zijn vaak veel offergaven gevonden. Het meisje heeft hoogstwaarschijnlijk vlak bij de plaats van haar offerdood gewoond, in een kleine boerennederzetting op de plaats waar nu Yde of Vries liggen. Daar woont ze in een boerderij waarin stal- en woongedeelte in één ruimte zijn ondergebracht, samen met ouders en grootouders. Ze draagt wollen en linnen kleding en leren schoeisel. Misschien behoort ze tot de stam van de Friezen, van wie wordt verteld dat ze in de eerste eeuw tussen Rijn en Eems woonden, of misschien tot een stam waarvan de naam niet door de Romeinen is overgeleverd.

Met het bandje om haar hals is ze gewurgd. Aan de beschadiging van de resten valt ook nog te zien dat ze met een mes in haar keel is gestoken. Degene die haar wurgde, zal naar alle waarschijnlijkheid ook die steek hebben toegebracht. Omdat het om een religieuze rite ging, heeft waarschijnlijk een heidense priester het mes gehanteerd. Haar offerdood is zonder twijfel een belangrijke sociale gebeurtenis geweest. Haar teennagels waren netjes geknipt; dat is waarschijnlijk enkele dagen voor haar dood gebeurd. Dat kan erop wijzen dat ze op haar dood is voorbereid. Ze werd ook niet zomaar gedumpt, maar kreeg bij de begrafenis in het veen een grote gebruikte oude mantel mee, die haar veel te wijd is. De gedachte daarachter zal zijn geweest dat ze in elk geval geen kou hoefde te lijden tijdens haar reis naar de godenwereld. De rechterkant van haar hoofd is kaalgeknipt. Dat zou erop kunnen wijzen dat de wurging misschien de bestraffing van een schanddaad is geweest. Misschien is ze vanwege haar handicap als offer uitgekozen of had ze iets gedaan wat door de gemeenschap werd afgekeurd, of beide. Wellicht heeft ze zich niet aan de strenge seksuele moraal gehouden, waarover de Romein Tacitus bericht in zijn beschrijving van het land en de volkeren van Germanië.

Het staat eigenlijk wel vast dat het groot aantal veenlijken van omstreeks het begin van de jaartelling in verband moet worden gebracht met de ingrijpende maatschappelijke gevolgen die de botsingen tussen de Romeinen en Germanen uit die tijd hebben gehad. Daarbij valt te denken aan de veldtochten van de Romeinen door het Noord-Nederlandse gebied, of de Romeinse nederlagen zoals die tegen de Cherusken in de slag in het Teutoburgerwoud in 9 na Christus of die tegen de Friezen in 28.

Het Drents Museum organiseert in juni 1994 rondom het Meisje van Yde een wedstrijd met de vraag: welke moderne jonge vrouw lijkt het meest op dat meisje? De winnares wordt de dertigjarige Monique Hos uit Haarlem. Haar gezicht vertoont de grootste gelijkenis met het gelaat dat onder door Richard Neave en zijn medewerkers aan de vergetelheid is ontrukt. Het meisje van Yde wordt tentoongesteld in Duitsland en Canada. Na een tentoonstelling in het Drents Museum, tot augustus 2005, reist ze nog zeker tot 2007 de wereld rond en doet onder andere Groot-Brittannië, de Verenigde Staten en Australië aan.

## Hunebedbouwer

Hunebedden zijn zogenoemde megalietgraven, die behalve in Nederland bij duizenden voorkomen in tal van gebieden in Europa: in Noord-Duitsland, Denemarken, Zuid-Zweden, Frankrijk, Spanje en de Keltische streken van Groot-Brittannië. Hunebedden hebben gediend als grafkamer voor families uit de stam-elite en zijn te beschouwen als symbool van een verdwenen Europese godsdienst. In Nederland zijn verreweg de meeste hunebedden of resten daarvan in Drenthe te vinden, maar ze zijn sporadisch ook bekend uit Groningen, Overijssel en Friesland. Nederlandse hunebedden dateren uit de periode 3400-3200 voor Christus.

## De smid van Wageningen

Vroegst bekende smid uit de vroege bronstijd (1800-1700 voor Christus). Dat hij heeft bestaan valt af te leiden uit de in 1844 gedane vondst van enkele van zijn bezittingen bij Wageningen. De man is waarschijnlijk een reizende smid, die heeft moeten vluchten. Zijn bezittingen lijken afkomstig uit verschillende delen van Europa: uit Ierland, Schotland, Zuid-Duitsland, Frankrijk en Spanje. Het is daarom onduidelijk waar hij vandaan komt.

## De vorst van Oss

Niet bij naam bekende regionale koning, van wie de grafheuvel bij Oss in 1932 en 1933 is afgegraven. Het gaat om het bekendste prehistorische graf in Nederland. De grafheuvel was ruim vijftig meter in doorsnee. In het graf zijn rijke bijgaven aangetroffen, zoals een in een spiraal gebogen, met goud ingelegd zwaard. De vorst zelf, een forse man van één meter tachtig lang, leeft omstreeks 700 voor Christus. Hij overlijdt ergens tussen zijn veertigste en zestigste levensjaar. Zijn crematieresten worden in een grote bronzen wijnnemmer gedaan. Het kromgebogen zwaard kan erop duiden dat zijn onderdanen wensen dat hij in het hiernamaals geen schade meer zal aanrichten.

# Gaius Julius Civilis (CA. 25-70)

De opstand die de Bataaf Gaius Julius Civilis in 69 tegen de Romeinen weet te ontketenen, klinkt nog eeuwenlang na in de Nederlandse geschiedenis. De opstandelingen, die in 1568 hun ongelijke strijd tegen de wereldmacht Spanje aanvangen, voelen zich erdoor geïnspireerd en Nederland wordt in 1795, in de Franse tijd, zelfs nog de Bataafse Republiek genoemd, naar het volk van Civilis. Veel historici zien de Nederlanders lange tijd als de rechtstreekse afstammelingen van dat stoere Batavenvolk, maar die visie is inmiddels achterhaald.

De Bataven wonen als de Romeinen in onze streken arriveren in het gebied van Rijn, Waal en Maas. Het land waar ze zich vestigen, is naar hun Batua (tegenwoordig Betuwe) genoemd. De naam Bataven zou zijn afgeleid van een Germaans woord *bata*, dat 'nuttig' betekent. Hoewel er in de Betuwe al sinds 4000 voor Christus sprake is van (sporadische) bewoning, raakt het gebied eigenlijk pas kort voor de komst van de Romeinen dichtbevolkt. Dat heeft te maken met de komst van de Bataven, een pro-Romeinse groep die zich tussen 55 en 12 voor Christus afsplitst van de in Hessen wonende Chatten. Westelijk van de Bataven, tussen de Oude Rijn en het Helinium, de brede mond van de Maas, wonen de Cananefaten. Hun naam kan zijn afgeleid van het woord *kanan*, dat 'boot' betekent. Ze worden van de Bataven gescheiden door het veen van Zuid-Holland. Hoewel de Cananefaten steeds in verband met de Bataven worden genoemd, vormen ze toch een afzonderlijk volk. In het verhaal van de Bataafse opstand spelen nog enkele andere volkeren in en nabij het Nederlandse gebied een rol: de Friezen, de Chauken, de Bructeren en de Marsaten. De Friezen wonen in wat nu Noord-Holland, Flevoland, Friesland en Groningen heet; de Chauken in Noord-Duitsland tussen de Eems en de Elbe; de Bructeren in de Achterhoek en het Duitse gebied zuidoostelijk daarvan; en de Marsaten in het noorden van Zeeland.

Civilis is vermoedelijk omstreeks het jaar 25 geboren. Hij stamt uit een voornaam geslacht, dat mogelijk al eerder koningen leverde. De West-Germanen kennen in de Romeinse tijd geen centraal koningschap. De landschappelijke omstandig-

heden in hun door rivieren en meren doorsneden gebieden zijn daarvoor niet bevorderlijk. Civilis treedt in Romeinse dienst. Hij verliest een oog, waarschijnlijk tijdens een militaire expeditie in Brittannië. Hij krijgt voor zijn verdiensten het Romeinse burgerrecht.

Zijn oorspronkelijke Germaanse naam is niet bekend. De namen waaronder hij bekend zal worden zijn Romeins. *Civilis* betekent: de hoffelijke, de minzame, de vredelievende. De namen Julius en Gaius zijn ontleend aan het Julisch-Claudische keizerhuis – dat tot 69 regeert – en aan keizer Gaius (37-41). Het aannemen van de naam Gaius zou erop kunnen wijzen dat Civilis al als vijftien- of zestienjarige in Romeinse dienst is getreden. De naam Julius kan hij hebben gekregen toen hij het Romeinse burgerrecht kreeg. Als hij vijfentwintig jaar bij de Romeinen heeft gediend, keert hij naar zijn vaderland terug. Er is in het verhaal dat Tacitus heeft geschreven over de opstand van de Bataven ook sprake van een broer van Civilis, Claudius Paulus. Deze is door een Romeinse stadhouder op een valse beschuldiging ter dood gebracht.

Civilis is niet de eerste rebel tegen het Romeinse gezag. In Frankrijk voert Vercingétorix voor de jaartelling met de Galliërs oorlog tegen de legioenen van Julius Caesar. Hij wordt na een eerste overwinning bij Dijon verslagen. Volgens de Romeinse geschiedschrijver Cassius Dio wordt Vercingétorix in 46 voor Christus afgevoerd en terechtgesteld. In 9 na Christus wordt een grote Romeinse legermacht in de slag in het Teutoburgerwoud vernietigd door een Germaanse strijdmacht onder aanvoering van Arminius (Hermann in het Duits). Historici zijn eeuwenlang op zoek naar de exacte plaats van die slag. In 1987 wordt vastgesteld dat die strijd heeft plaatsgevonden bij de Kalkriese, circa. twintig kilometer ten noorden van Osnabrück en ongeveer zeventig kilometer ten oosten van de Nederlandse grens. Arminius is net als Civilis eerst jarenlang in Romeinse dienst geweest. Dan is er nog de opstand van de Friezen van 28 na Christus die uitloopt op de belegering van het Romeinse fort Flevum bij Velsen en de ondergang van een aantal Romeinse cohorten.

De opstand van Civilis begint onder op het eerste gezicht gunstige omstandigheden. In 68 breekt in Gallië een opstand uit tegen Rome. De opstandelingen kiezen Galba, de stadhouder van Spanje, tot tegenkeizer. Galba krijgt steun in Rome, en keizer Nero, die ziet dat hij door iedereen in de steek is gelaten, laat zich door een slaaf doden. Galba verliest echter al snel gezag en wordt gedood. Zijn opvolger is Otho, die echter het onderspit moet delven tegen Vitellius, die door het Romeinse leger aan de Rijn tot tegenkeizer is uitgeroepen. Maar ook Vitellius kan zich niet handhaven tegen de veel kundiger Vespasianus, die door de legioenen in het oosten als tegenkeizer is gekozen. In de oorlog die in 69 uitbreekt, wordt Vitellius gedood. Vespasianus wordt keizer over het hele rijk. Hij krijgt te maken met twee gevaarlijke opstanden: die van de joden in Palestina en die van de Bataven en hun bondgenoten in het westen.

In de zomer van 69 zendt Civilis na een nachtelijke bijeenkomst in een heilig woud gezanten naar de Cananefaten om ze tot opstand te bewegen – die bijeenkomst 'in het Schakerbos' wordt door Rembrandt in 1661 geschilderd voor het stadsbestuur van Amsterdam. De oproep van Civilis wordt beantwoord. De Cananefaten bestormen twee Romeinse forten niet ver van de Noordzee aan de monding van de Rijn en nemen ze in. Nog voor zijn aanval op de Romeinse kwartieren heeft hij de Friezen om steun verzocht. Zij sluiten zich direct bij de opstand aan. Ook de Chauken doen meteen mee. Chauken en Friezen vormen namelijk tijdens de opstand één legereenheid. De Marsaten zijn er ook vanaf het begin bij.

Civilis zelf heeft nog even gewacht. In het geheim spant hij samen met enkele Bataafse leiders, maar naar buiten doet hij alsof hij een medestander van Vespasianus is. Hij stelt de prefecten van de Romeinse forten aan de Rijn gerust met de mededeling dat hij de rebellie wel zal onderdrukken. Maar als de opstand aan de kust succesvol blijkt te zijn, roept hij de Bataven op om ook aan de strijd deel te nemen. De Bataafse roeiers op de Romeinse Rijnvloot saboteren de militaire operaties tegen hun stamgenoten, waardoor de Romeinen vierentwintig schepen verliezen. Bovendien beantwoorden de acht Bataafse cohorten in Romeinse dienst die in Mainz gelegerd zijn de oproep van Civilis en marcheren naar het noorden. Bij Bonn vernietigen ze een Romeins legioen. Inmiddels heeft Civilis de Romeinen uit de Betuwe verjaagd en is opgerukt naar de Romeinse legioenplaats Castra Vetera (bij Xanten).

Diverse Germaanse stammen langs de Rijn sluiten zich nu bij de opstand aan. Mainz wordt bestormd en Keulen valt in handen van de opstandelingen. Civilis breidt zijn invloed uit tot diep in het tegenwoordige België ten noorden van de Maas en Sambre. Bovendien ontstaat onder de Galliërs een geest van opstandigheid. Met name de Treveri, die in de buurt van Trier wonen, treffen voorbereidingen om te komen tot de oprichting van een Gallisch keizerrijk. De Galliërs zullen zich daarbij zeker hebben beroepen op het langdurige verzet tegen Julius Caesar ruim een eeuw eerder onder Vercingétorix. De Romeinse heerschappij aan de noord- en westkant van de Alpen lijkt voorbij.

Maar in Gallië zijn ook grote stammen trouw gebleven aan de Romeinen. Vespasianus, die nu in Rome heer en meester is, zendt zijn bekwame veldheer Petilius Cerialis naar het noorden. In mei 70 neemt hij Mainz in en overwint de Treveri, waarmee ook Trier weer in Romeinse handen is. Vervolgens rukt hij op naar het noorden. De Keltische Ubiërs, die rondom Keulen wonen, verlaten uit vrees voor de naderende Romeinse legermacht direct de coalitie van Civilis. Ze vermoorden iedere Germaan in hun gebied en het in Zülpich gelegerde cohort van de Friezen en Chauken komt geheel om in de vlammen nadat de Ubiërs het fort in brand hebben gestoken. Vanuit het zuidwesten nadert een Romeins leger uit Brittannië, dat het gebied tot aan de Maas herovert. Civilis trekt zich terug op de legerplaats Castra Vetera.

Daar lijdt hij echter een zware nederlaag. Hij wijkt uit naar de Betuwe. De Bataven en Bructeren doen nog wel enkele tegenaanvallen, maar Cerialis, die de Romeinse Rijnvloot weer heeft opgebouwd, weet het Bataveneiland te bezetten. Civilis trek zich terug in het land van de Friezen. De Romeinen verwoesten hierop de nederzettingen van de Bataven. Maar aangezien de herfst inzet en er veel wateroverlast in de Betuwe ontstaat, begint Cerialis onderhandelingen met zijn tegenstander. De Bructeren staken dan hun verzet. Hoe het toen verderging is niet bekend, omdat het vervolghandschrift van Tacitus dat hierover gaat verloren is gegaan. Aangenomen wordt dat Civilis amnestie heeft gekregen en dat de Cananefaten, Friezen en Chauken ook hun verzet hebben opgegeven. Het Romeinse gezag is snel hersteld. Zeker lijkt dat er geen grote Romeinse wraakacties zijn geweest. Uit tal van historische en archeologische onderzoekingen blijkt dat de Romeinen de eerstvolgende twee eeuwen over het algemeen een verzoenende politiek hebben gevoerd.

## Veleda

Priesteres van de Bructeren met helderziende gaven, die geruime tijd voor godin doorgaat. Zij zou de overwinningen van Julius Civilis hebben voorspeld. Haar naam komt van Velahaid, dat in het Oudgermaans 'rijke vrouw vol waardigheid' kan betekenen. Ze voert tijdens de opstand van 69 en 70 de strijders aan – een aanduiding dat vrouwen in de oorlogvoering bij de Germanen een actieve rol spelen. Omstreeks het jaar 80 wordt ze bij een Romeinse veldtocht tegen de Bructeren gevangengenomen en naar Rome gevoerd. Daar is ze de rest van haar leven tempeldienares.

## Verritus en Malorix

Twee Friese leiders, die zich in 58 na Christus met een grote groep kolonisten vestigen aan de oevers van de Rijn. De Romeinen willen in dat gebied om militaire redenen geen bewoning en verbieden die. Ze gelasten de beide Friezen naar Rome te gaan om keizer Nero te verzoeken om daar te mogen blijven wonen. Ze krijgen van de keizer het Romeinse burgerrecht, maar moeten toch het gebied weer verlaten. Als ze dat weigeren, worden ze door het Romeinse leger verdreven.

## Brinno

Edelman en leider van de Cananefaten in de opstand van 69. Hij is een man uit een traditioneel anti-Romeinse familie, die veel gezag heeft onder zijn stamgenoten. Zijn naam wordt in verband gebracht met de Keltische naam Brennus, maar ook met het Gotische woord *brinnan* dat 'branden' betekent.

# Theudechilde (CA. 535-598)

Uit de tijd tussen de periode waarin de Romeinen over Nederland heersten en de komst van de christenpredikers in de zevende en achtste eeuw zijn vrijwel geen geschreven berichten overgeleverd uit het gebied van het latere Nederland. Enkele decennia geleden leerden de geschiedenisboeken nog dat er in de vijfde eeuw drie grote Germaanse stammen in aaneengesloten gebieden op het Nederlandse grondgebied woonden: de Friezen langs de kust, de Franken in het zuiden en de Saksen in het oosten. Die zekerheid bestaat nu niet meer. Wel is er in de geschreven overlevering in elk geval sprake van Franken in het zuiden en Friezen in het westen en noorden; maar van de Franken is nog steeds niet bekend waar ze eigenlijk vandaan kwamen en hoe hun stam tot stand kwam. Evenmin is zeker of de Friezen uit de achtste eeuw wel de rechtstreekse voortzetting zijn van de Friezen die in de Romeinse tijd worden genoemd. Het is de vraag of oostelijk Nederland wel in zijn geheel Saksisch is geweest; het centrum van de Saksische macht lag in elk geval oostelijker, in Duitsland.

Historici zijn door alle onduidelijkheden gaan spreken van de Donkere Eeuwen. Dankzij archeologisch onderzoek en dankzij de weinige berichten die wel zijn overgeleverd, staat vast dat de Donkere Eeuwen bij tijd en wijle een turbulente periode zijn geweest. Illustratief is het verhaal van Theudechilde, die omstreeks 550 korte tijd koningin is van de Warnen, een volk waarvan wordt aangenomen dat het enige tijd in het gebied van de Rijn heeft gewoond. In datzelfde gebied is anderhalve eeuw later alleen nog sprake van Friezen en Franken.

Dat een koningin zo'n belangrijke rol heeft gespeeld, is niet zo vreemd. Vrouwen strijden in die tijd vaak mee om de macht. Fredegrund en Brunhild zijn daarvan bekende voorbeelden bij de Merovingische Franken. Brunhild wordt in 613 door haar mannelijke rivalen uitgeschakeld. Ze laten haar na een mislukte staatsgreep met wilde paarden vierendelen. Ook bij de Friezen zijn er waarschijnlijk koninginnen.

Het koningschap van Theudechilde staat beschreven in het boek *De Gotische oorlog*, dat is geschreven door Procopius van Caesarea. Procopius wordt aan het eind van de vijfde eeuw in Caesarea in Palestina geboren. Hij werkt als juridisch adviseur van een generaal aan het hof van de keizer van Byzantium. Hierdoor beschikt hij over veel informatie over de oorlogen van Byzantium tegen Perzen, Afrikanen en Goten. Hij overlijdt in 562 of 565. Hij zal het verhaal van Theudechilde hebben gehoord van Frankische of Angelse gezanten, die het hof in Byzantium bezochten. Theudechilde is de zuster van Theudebert, die van 533 tot 547 heerst over Austrasië, een van de vier Frankische deelkoninkrijken.

De koningen zijn in die tijd ook al kosmopolitisch ingesteld. Huwelijken tussen vorstelijke en adellijke personen van verschillende volkeren zijn in die tijd een veel benut middel om tot politieke bondgenootschappen te komen. Dat gebeurt ook met Theudechilde. Zij wordt de tweede vrouw van Hermegisclus, de koning van de Warnen. Hermegisclus is kort tevoren weduwnaar geworden en denkt zijn koningschap en de positie van zijn volk te versterken door met Theudechilde te trouwen. Dat gebeurt. De Warnen hebben zo een sterke bondgenoot gekregen. Procopius geeft een summiere beschrijving van hun woongebied: voorbij de Donau, langs de Rijn, die hen van de Franken scheidt, tot aan de Noordzee. Mogelijk omvat het Nederlandse gebied Gelderland, Utrecht en een deel van Zuid-Holland. Het centrum van het rijk der Warnen ligt mogelijk in de buurt van Rhenen, waar een bijzonder rijk vroegmiddeleeuws grafveld is gevonden.

De Franken versterken met het huwelijk van hun Theudechilde met Hermegisclus hun positie bij de mondingen van de Rijn. Zij hebben daar veel belang bij. In 523 heeft in dit gebied namelijk een inval van koning Hygelac van de in Zuid-Zweden wonende Geaten plaatsgevonden. Hij plundert de Hettergouw tussen de Rijn en de Maas ten zuidoosten van Nijmegen, maar wordt door een verenigde strijdmacht van Franken, Hetware (de bewoners van de Hettergouw) en Friezen verdreven. De Frankische strijdmacht staat onder leiding van Theudebert, die in 533 zijn vader Theuderic opvolgt.

Hermegisclus heeft een zoon uit zijn eerste huwelijk, Radagis. Hij heeft voor Radagis een huwelijk gearrangeerd met een Angelse prinses. Haar naam is niet overgeleverd, maar aangenomen wordt dat zij een zuster was van Wuffa, die in de tweede helft van de zesde eeuw koning van East-Anglia was. Het geslacht van Wuffa was vermoedelijk afkomstig uit Zweden. Hermegisclus heeft ook geregeld dat er grote schatten naar het Angelse hof worden gebracht. Een huwelijk met een Angelse zal, zo is de redenering van Hermegisclus, de politieke positie van de Warnen veiligstellen.

Volgens het verhaal van Procopius verandert Hermegisclus echter van mening als hij bij een koninklijke rondrit met hoge adellijke figuren door zijn land een krassende vogel hoort. De koning zegt dat hij het beest kan verstaan en deelt zijn verbaasde gezelschap mee dat de vogel hem zijn dood heeft voorzegd: over veertig dagen zal de koning van de Warnen sterven. Met zijn dood zal diens veiligheidsbeleid op losse schroeven komen te staan. Het belangrijkste is dat dan het bondgenootschap met de Franken vervalt. De Franken worden slechts van de Warnen gescheiden door de Rijn, en de Angelen bevinden zich overzee in wat nu Groot-Brittannië is. Goede betrekkingen met de Franken lijken in deze nieuwe situatie veel verstandiger dan pogingen ook de Angelen te vriend te houden. Hermegisclus adviseert zijn edelen daarom op te houden met pogingen de Angelse prinses te winnen. Beter is het dat Radagis gaat trouwen met zijn weduwe, Theudechilde. De Angelse mag de schatten houden.

Hermegisclus sterft inderdaad veertig dagen later. Radagis volgt hem op, verbreekt de verbintenis met de Angelse en huwt zijn stiefmoeder. Maar de zuster van Wuffa neemt dit niet. Ze stuurt eerst enkele familieleden naar Radagis om hem te vragen waarom hij haar zo heeft beledigd. Zij is immers trouw geweest aan de door haar gedane belofte en ze heeft ook in ander opzicht niets onvriendelijks jegens hem gedaan. Radagis reageert niet. Dan brengt de prinses een enorme legermacht bijeen en steekt daarmee op honderden schepen de Noordzee over. Ze landt bij de Rijnmonding en laat daar een versterking bouwen. Daarin blijft zij achter met een kleine strijdmacht en ze beveelt haar broer met het leger tegen de Warnen op te trekken, die niet ver daarvandaan hun kamp hebben opgeslagen. Ook de naam van die broer is niet overgeleverd; het is echter niet uitgesloten dat het Wuffa is geweest. Het leger van de Warnen lijdt een zware nederlaag en Radagis vlucht. Hij verbergt zich in een dicht woud.

De prinses zendt een expeditie van de dappersten onder haar strijders, die het land door trekken om Radagis levend in handen te krijgen. Na veel moeite slagen ze erin de koning op te sporen. Geboeid wordt hij voor de prinses gebracht. Hij verwacht een gruwelijke dood te zullen sterven, maar zij verwijt hem alleen zijn beledigend optreden. Hij verdedigt zich eerst nog door te wijzen op de wens van zijn vader, maar zinspeelt dan op de mogelijkheid om alsnog met haar te trouwen. Hierop wordt hij uit zijn boeien bevrijd. Hij stuurt Theudechilde weg en trouwt met de Angelse.

Theudechilde gaat bij terugkeer in Austrasië een devoot leven leiden. Ze legt zich toe op het stichten van kloosters en kerken. In 598 sterft ze op hoge leeftijd. In de abdij van Sens, waar ze is begraven, wordt ze in het grafschrift kleindochter, dochter, vrouw en zuster van een koning genoemd.

Het valt niet aan te nemen dat de koning van Austrasië de belediging die hem is aangedaan ongewroken heeft gelaten, maar daarover is nauwelijks iets bekend. Dat het met de Warnen slecht is afgelopen kan worden afgeleid uit het vervolg van de geschiedenis. Na 650 worden ze nergens meer genoemd. Uit de uitkomsten van archeologisch onderzoek valt op te maken dat de invloed van de Franken zich in de zesde eeuw heeft uitgebreid over de Veluwe. Dat zou kunnen wijzen op overvleugeling van de Warnen. Aangenomen wordt dat Childebert II, die van 575 tot 596 over Austrasië regeerde, het koninkrijk der Warnen heeft vernietigd.

# Liudger (742-809)

Liudger uit Zuilen trekt langs de heidense stammen in Nederland. Hij vernietigt heidense heiligdommen en bouwt kerken, kloosters en abdijen. Hij geneest Bernlef de blinde bard die hij in Helwerd in Groningen tegenkomt van zijn blindheid. Bernlef zingt voortaan slechts christelijke psalmen in de volkstaal en volgt Liudger. Hij is een van de weinige Nederlandse heiligen van voor het jaar 1000 die ook echt uit Nederland komen – Bonifatius en Willibrord komen uit Engeland. Zijn naamdag is op 26 maart.

De kerstening is in het latere Nederland aan het eind van de zevende eeuw definitief ingezet met de komst van evangeliepredikers uit Engeland. Al eerder zijn er pogingen gedaan het christendom te brengen. In de vierde eeuw, aan het eind van de Romeinse tijd, is er een christelijke gemeenschap in Maastricht. In het midden van de zevende eeuw predikt Eligius aan de monding van de Schelde, maar tot een verbreiding van het christendom over het hele Nederlandse gebied komt het pas vanaf 678. Die ontwikkeling zet in met de komst van Wilfried, de bisschop van York. Op een reis naar Rome belandt deze aan het hof van de Friese koning Aldgisl. De vriendelijke behandeling die hem daar ten deel valt doet de Engelse geestelijkheid na enige jaren besluiten de kerstening van het gebied aan de overzijde van de Noordzee ter hand te nemen. Dat proces duurt meer dan een eeuw, in een situatie van bijna voortdurende oorlog. De kerstening vindt namelijk plaats in het kielzog van de Frankische verovering van de gebieden van Friezen (in de kustregio's tussen Schelde en Wezer) en de Saksen (in delen van oostelijk Nederland en het daaraan grenzende Duitse gebied tot de Elbe). De vestiging van het christendom heeft daardoor nogal wat slachtoffers geëist. Het bekendste slachtoffer is de Angelsaks Bonifatius, die in 754 door de Friezen wordt gedood. Die gebeurtenis leidt overigens tot een veel minder bekend geworden wraakactie, waarbij de heidenen, zoals de overlevering vermeldt, 'in een geweldig bloedbad' werden neergeslagen.

Liudger wordt in 742 in Friesland geboren. De bronnen vermelden als zijn geboorteplaats Suecsnon – vermoedelijk Zwesen –, een verdwenen nederzetting

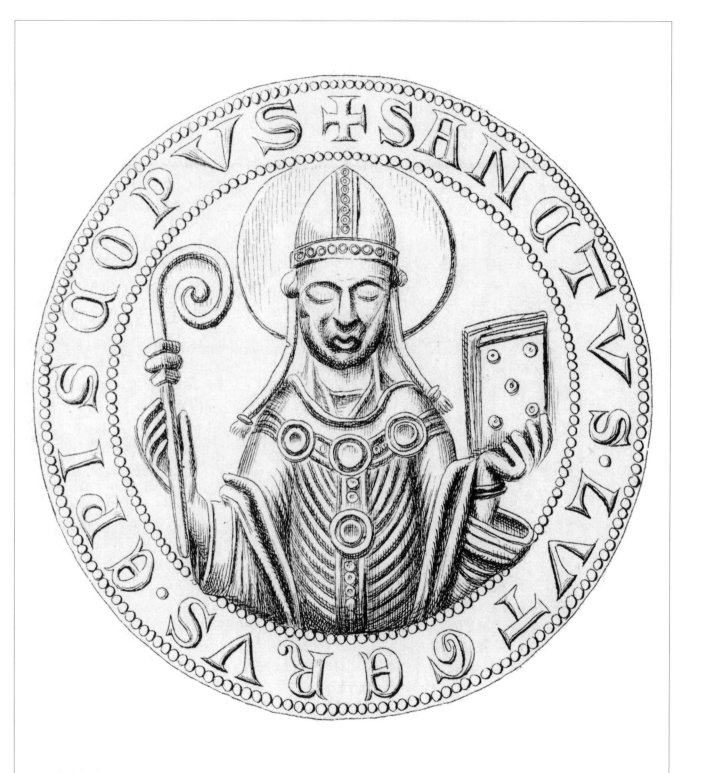

ongeveer op de plaats van het stadsdeel Zuilen in Utrecht. Hij stamt uit een belangrijke adellijke familie. Zijn grootvader Ado Wurssing heeft het aan de stok gekregen met koning Radbod, en is naar de Franken gevlucht. Radbod geldt als een fervent tegenstander van het christendom. Pas nadat Karel Martel, de Frankische leider, de streek rond Utrecht op de Friezen heeft veroverd, keert Ado Wurssing terug. Hij wordt een belangrijke steunpilaar voor de jonge christelijke Kerk in Utrecht. Hij is bevriend met de eerste bisschop van Utrecht, Willibrord. Er is veel bekend over Liudger en zijn familie dankzij de bewaard gebleven levensbeschrijving van Altfried – een zoon van Liudgers zuster Hriatrud en haar man Hemric, heer van Essen en Rellinghausen. Op twaalfjarige leeftijd gaat Liudger naar de kloosterschool in Utrecht. Tijdens zijn eerste studiejaar, in 754, wordt in het noorden Bonifatius vermoord. Dat maakt grote indruk op de jonge Liudger en zijn medeleerlingen, die kort tevoren de grijze evangelist nog op school hebben ontmoet.

Twaalf jaar lang blijft hij op de Utrechtse kloosterschool. In 767 wordt hij in de gelegenheid gesteld om een jaar naar York te gaan. Dat is niet alleen een bisschopsstad, maar vanwege de in wijde omtrek vermaarde kathedraalschool van diaken Alcuinus ook een cultureel en intellectueel centrum. Dat studiejaar bevalt zo goed dat Liudger van 769 tot in de herfst van 772 opnieuw in York verblijft. Deze tweede studieperiode moet plotseling worden afgebroken, nadat een Friese koopman bij een ruzie een edelman heeft gedood. De Friezen die in York verblijven, onder wie Liudger, vertrekken halsoverkop uit vrees voor wraak.

In 776 wordt Liudger door bisschop Alberik naar Deventer gestuurd om daar de door de Saksen verwoeste kerk weer op te bouwen. Bovendien moet hij het graf van de in 773 overleden stichter van de kerk, Lebuinus, weer in ere herstellen. Dat graf is aanvankelijk niet te vinden, maar Liudger heeft een droom, waarin Lebuinus aan hem verschijnt, en hem vertelt dat hij begraven ligt onder de zuidelijke muur van de houten kerk die net is opgetrokken. Dat blijkt te kloppen. Liudger geeft opdracht de muur enkele meters zuidwaarts te verplaatsen, zodat het graf binnen de kerk komt te liggen. Weldra kan het kerkgebouw weer in gebruik worden genomen. Een jaar later wordt Liudger belast met de prediking in het noorden, met als standplaats Dokkum, waar drieëntwintig jaar eerder Bonifatius is gedood. Hij volgt daar Willehad op, die hij tijdens zijn studiejaren in York heeft leren kennen, en die al enkele jaren in de omgeving van Dokkum werkzaam is. Enkele jaren later zal

Willehad beginnen met de prediking oostelijk van de Lauwers. Uiteindelijk wordt hij de stichter en eerste bisschop van het bisdom Bremen.

In 784 moet Liudger vluchten vanwege een opstand van Saksen tegen Karel de Grote onder aanvoering van Widukind, waarbij de Friezen tussen Wezer en Vlie zich aansluiten. Hij maakt van deze gelegenheid gebruik om op pelgrimstocht te gaan naar Rome en Monte Cassino. Hij wordt door paus Hadrianus I op audiëntie ontvangen. Op de terugreis ontmoet hij in Aken Karel de Grote, die hem opdracht geeft met bekeringswerk te gaan beginnen in wat tegenwoordig Groningen en het westelijk deel van Oost-Friesland heet. In 791 reist hij naar Helgoland, waar hij het heiligdom van de heidense god Forsete verwoest en tal van bewoners bekeert.

Hij moet het jaar daarop opnieuw vluchten uit zijn missiegebied, omdat de Saksen en Oost-Friezen weer in opstand komen. Zijn plannen om ergens in het Friese gebied een klooster te stichten laat hij daarom varen. De vrees voor invallen van de Noormannen – waarvan in Engeland met de plundering van het klooster Lindisfarne in 793 al sprake is geweest – heeft ook een rol gespeeld. Niet ver van Essen op een plek aan de Ruhr, vindt hij de goede plaats: daar verrijst in 799 het klooster Werden. Liudger wordt de abt. Dezelfde functie vervult hij vanaf dat moment ook in de abdij van Helmstedt. Inmiddels heeft Karel de Grote hem belast met de kerstening van het westelijke deel van Saksenland met als standplaats Münster. In 805 wordt hij tot bisschop van Münster gewijd. In de vroege lente van 809 overlijdt hij bij het opdragen van de mis in een kerk in de buurt van Münster. Hij is begraven in de abdij van Werden.

Liudger en zijn familieleden zijn van groot belang voor het christendom in de achtste en negende eeuw in Nederland en Duitsland. Liudgers broer Hildegrim is bisschop van Chalôns sur Marne en vanaf 809 abt van Werden en Helmstedt. Zijn zuster Heriburg wordt abdis in Nottuln in Westfalen. Vier neven, zonen van vier van zijn zusters, brengen het eveneens tot bisschop. Gerfrid volgt zijn oom op als bisschop van Münster. Altfried, degene die het leven van Liudger heeft beschreven, volgt Gerfrid na diens overlijden op. Thiadgrim wordt bisschop van Halberstadt, een ambt dat later nog zal worden vervuld door de veel jongere neef Hildegrim.

# Gerulf (CA. 889-CA. 916)

Gerulf is de stamvader van het Hollandse gravenhuis, maar hij blijft in de geschiedschrijving lang op de achtergrond. Dat komt doordat historici teruggrijpen op wat Melis Stoke in zijn *Rijmkroniek* van omstreeks 1290 schrijft: hij noemt daarin Dirk I de stamvader. Stoke gaat daarbij uit van de schriftelijke overlevering zoals hij die kent uit de abdij van Egmond. Daar bevinden zich vier zogenoemde koningsoorkonden, waarin de schenkingen van de koningen van het Oost- en West-Frankenrijk aan de eerste graven staan beschreven. Uit later onderzoek blijkt dat er een fout is gemaakt. De oorkonde waarin Dirk I (of juister: Theoderic) staat vermeld, blijkt niet de oudste te zijn; dat is een stuk uit 889 waarin een graaf Gerulf wordt genoemd. Historici weten eeuwenlang geen raad met deze Gerulf. De oorkonde waarin hij wordt vermeld, is in het bezit van de abdij van Egmond. Hij moet dus wel iets te maken hebben met de stichting van het graafschap, maar hoe dat precies zit is heel lang niet bekend.

Inmiddels staat vast dat Gerulf de vader van Dirk I is geweest. In het Egmondse gravenregister staat namelijk dat Dirk I een oudere broer Waldger heeft. Deze Waldger komt op diverse plaatsen in de bronnen voor. Hij is een graaf met veel bezittingen in de Vechtstreek, de westelijke Betuwe en het gebied tussen Lek en Hollandse IJssel. In een kroniek van het klooster Prüm staat hij vermeld als *Waldgarius Freso, Gerulfi filius* (Waldger de Fries, zoon van Gerulf). Die vermelding is niet zonder reden: hij slaat in 898 tijdens een jachtpartij Everhard, bijgenaamd Saxo, graaf van Hamaland (de Veluwe en omstreken) dood. Everhard behoort tot de rijksaristocratie; zijn schoonzuster Mathilda is de echtgenote van de Duitse koning Hendrik I. De moord die Waldger op hem pleegt moet worden gezien als onderdeel van een strijd om de macht in het rivierengebied. Dat die moord ongewroken blijft, wijst erop dat Waldger en zijn familie als machtige mensen worden beschouwd. Een bewijs voor hun aanzien is ook dat Waldger en Dirk beiden herhaaldelijk optreden als getuigen bij het opstellen van koningsoorkonden.

Hun vader Gerulf heeft zijn machtspositie verworven tijdens het bewind van de Noormannenleider Godfried de Zeekoning. De Noormannen, ook wel bekend als

vikingen, zijn in 810 begonnen met invallen en plundertochten in het Karolingische rijk. De koningen die regeren na 843 (dan wordt het rijk van Karel de Grote en zijn opvolger Lodewijk verdeeld) zijn niet bij machte hiertegen effectief op te treden. Ze zien soms geen andere oplossing dan zelf belangrijke hoofdmannen van de vikingen in dienst te nemen, die krijgen als opdracht strategische plaatsen te beschermen. Dat helpt echter nauwelijks. Voortdurend volgen nieuwe invallen, waarbij de handelsplaatsen Dorestad (bij Wijk bij Duurstede) en Witla (aan de Maasmond in Zuid-Holland; de exacte ligging is nog steeds onbekend) ten onder gaan. Het gevolg is dat de Noormannen steeds driester worden. Tussen 879 en 885 vestigt Godfried de Zeekoning zich met een grote legermacht in Limburg, van waaruit hij gemakkelijk nederzettingen aan Rijn en Maas kan bereiken en plunderen. De broers Gerulf en Gardulf, twee Friese graven, behoren tot zijn belangrijkste volgelingen. Gerulf is graaf van Kennemerland. Van Gardulf is verder niets bekend.

Aan het schrikbewind van Godfried komt in 885 dankzij Gerulf een einde. Hij weet de gevreesde Noormannenleider te vermoorden tijdens een in scène gezette samenspraak te Spijk bij Lobith. Daarna staat Gerulf in hoog aanzien. Daarvan maakt hij gebruik. Tijdens het gezagsvacuüm na de dood van Godfried maakt hij zich in 889 meester van een aantal domeingoederen die de Noormannenhoofdman van de Duitse koning had gekregen. Die goederen liggen tussen de (Oude) Rijn en Swithardeshaga (een niet nader bekende grensscheiding, mogelijk een met een haag beplante grenswal in de Noordwijkerhout), in Boekel bij Alkmaar en in de omgeving van Tiel. Het is aannemelijk dat de goederen tussen Oude Rijn en Boekel na het overlijden van Gerulf zijn overgegaan op Dirk I en die in de omgeving van Tiel op Waldger.

Het voorgeslacht van Gerulf komt uit het noorden van Nederland. Eerder worden daar namelijk al graven genoemd met de namen Diederik en Gerulf. Deze Diederik is degene die omstreeks 800 land schenkt aan het door Bonifatius gestichte klooster te Fulda. Die bezittingen liggen in het noordwesten van Groningen. Diederik wordt in een andere bron leider van een Fries leger genoemd dat voor Karel de Grote strijdt. In 839 herstelt keizer Lodewijk de Vrome zijn 'getrouwe Gerulf' in het bezit van goederen die eerder door de keizer zijn geconfisqueerd. Die goederen liggen in de gouw Westergo, ten noordwesten van Leeuwarden. Gezien de overeenkomst in namen en status is het zeer aannemelijk dat tussen de eerste graaf van

Holland en die personen uit het begin van de negende eeuw een nauwe familiebetrekking heeft bestaan.

Gerulfs opvolger, Dirk I, wordt in het gravenregister van Egmond 'een roemrijk man, God in alle dingen lief' genoemd. Hij komt uit een familie die klaarblijkelijk als een grote steunpilaar van de Kerk wordt beschouwd. Een neef van Dirk is de Utrechtse bisschop Radbod, van wie bekend is dat hij van moederszijde afstamt van de zo door de Franken gevreesde Friese koning Radbod die in 719 is overleden. Er wordt daarom aangenomen dat ook Gerulf van die koning afstamt. De afstammelingen van Radbod worden naar de gewoonte van die dagen ingeschakeld bij het bestuur van de door de Franken ingelijfde Friese gebieden. Uit die gebieden is in het begin van de negende eeuw het hertogdom Friesland gevormd, waar inheemse graven de militaire verdediging tegen de invallen van de Noormannen organiseren. Aan die afstamming van de Friese koningen ontlenen de latere Hollandse graven een deel van hun prestige. In de *Rijmkroniek* van Melis Stoke is daar vier eeuwen na Gerulf nog de enigszins cryptische weerslag van te lezen. Stoke zegt over de eerste graaf van Holland dat 'hi gheboren was sonder waen, in manieren ende bi ghelike vanden gheslachte van Vrancrike'. Stoke schrijft zijn *Rijmkroniek* op een moment dat de Hollandse graaf verwikkeld is in een bittere strijd met de West-Friezen; vandaar dat hij niet zover kan gaan om dat koningsgeslacht waaruit de Hollandse graaf stamt ook te benoemen.

Gerulf wordt in het kustgebied opgevolgd door Dirk I. Het is niet bekend wanneer Gerulf is overleden en wanneer Dirk hem opvolgt, maar het is met zekerheid al voor 916 geweest. In dat jaar komen Gerulfs zonen Dirk en Waldger namelijk voor als getuigen bij het opstellen van de oorkonde waarin de West-Frankische koning Karel de Eenvoudige wordt bevestigd in zijn rechten op Lotharingen. Dirk verleent in de hieropvolgende jaren zijn diensten aan de koning in zijn strijd tegen opstandige vazallen. In 922 schenkt Karel hem daarom uit dank de Sint-Adelbertskerk van Egmond met de daarbij horende goederen. Die goederen bevinden zich tussen de al genoemde Swithardeshaga en Kinnem op Terschelling. Deze goederen liggen voor een belangrijk deel ten noorden van het graafschap, dat zijn vader reeds heeft verworven. Enkele jaren later sticht Dirk I in het vlak bij Egmond gelegen Hallum een nonnenklooster, dat ook bedoeld is als familieklooster, waar voor het zielenheil van de stichter en zijn familie kan worden gebeden. Het is het begin van de abdij van Egmond.

Het graafschap van Gerulf en zijn eerste opvolgers heet in hun tijd nog niet Holland. Deze naam komt voor het eerst voor in 1101. Het kustgebied tussen Vlie en Schelde heet tot in de twaalfde eeuw West-Friesland. De graven die daar regeren, noemden zichzelf Fries. Als Melis Stoke zijn *Rijmkroniek* maakt, leeft die herinnering nog volop. Hij schrijft: 'Sijt des seker ende ghewes, dat de graefscap van Hollant es een stic van Vrieslant ghenomen.' Het oorspronkelijk Friese karakter van het graaf- schap verdwijnt geleidelijk, doordat de graven contacten aanknopen met Vlaan- deren en door de ontginningen van de grote hoogveengebieden in wat nu het Groene Hart van de Randstad heet. De naam Holland raakt in gebruik in de jaren tachtig van de elfde eeuw. Na het uitbreken van de oorlogen met de niet onder het grafelijk gezag vallende Friezen wordt het begrip West-Friesland verengd tot het gebied tussen Alkmaar en Enkhuizen.

### Dirk III (993-1039)

Graaf die bekend wordt door zijn overwinning in 1018 op een Duits rijks-leger in het Merwedewoud (de streek rond Ridderkerk). Als zijn vader Arnulf in 993 bij een opstand in zijn graafschap sneuvelt, is Dirk nog te jong om hem op te volgen. Zijn bewind wordt tot zijn twaalfde jaar waargenomen door zijn moeder Liutgarde. In 1024 is Dirk actief betrokken bij de troon-strijd in Duitsland. Hij steunt Koenraad II, die spoedig werd erkend. Hij maakt een pelgrimstocht naar Palestina, het Heilige Land.

### Willem II (1234-1256)

Hollandse graaf die het tot Rooms koning brengt. Hij wordt in 1247 in die functie verkozen, maar moet eerst nog Aken op de tegenpartij veroveren, voor hij algemeen wordt erkend. Hij betoont zich in het rijk een voorstander van de emancipatie van de steden tegen de macht van de Duitse vorsten. In zijn eigen graafschap verleent hij stadsrechten aan Haarlem, Delft en Alkmaar. Dankzij zijn gestegen aanzien nodigt de paus hem uit zich tot keizer te laten kronen. In afwachting daarvan valt hij in 1256 het land van de West-Friezen binnen, waarbij hij sneuvelt.

### Floris V (1256-1296)

De opgave waarvoor Floris zich gesteld ziet, is het wreken van de dood van zijn vader Willem II. Dat lukt hem in 1282 met de verovering van West-Fries-land. Zijn belangrijkste daad is het verbeteren van de administratieve en finan-ciële organisatie door het instellen van baljuwschappen. Door zijn aanspraken op de Schotse troon wekt hij de toorn op van de Engelse koning die Hollandse edelen weet te bewegen de graaf naar Engeland te ontvoeren. Bij de poging daartoe wordt Floris doodgeslagen. Zijn zoon Jan is dan twaalf. Hij overlijdt drie jaar later. De graventitel van Holland komt in het bezit van het Huis van Henegouwen, daarna het Beierse Huis en uiteindelijk het Bourgondische Huis. De laatste Bourgondisch-Hollandse graaf is Filips II, de koning van Spanje, die in 1581 wordt afgezworen.

# Jacob van Maerlant (CA. 1230-1296)

'Degene die de wereld voor het eerste 'werrelt' noemde, zat er niet zo ver naast.' Jacob van Maerlant begint in 1282 aan zijn belangrijkste werk, de geschiedenis van de wereld, de *Spiegel Historiael*. Hij baseert zich zoals het in zijn tijd gebruikelijk is op een buitenlandse (Latijnse) bron, maar zijn eerste zinnen staan daar niet in. De wereld heet volgens Maerlant werrelt, omdat ze door de zonde van de eerste mens in de war is – aan het warrelen/werrelen. 'Wie nu wil weten hoe ernstig de wereld in de war is en hoe het bergafwaarts gaat, vanaf het moment dat de eerste mens uit aardse klei is geschapen, die moet mijn verhaal maar eens gaan lezen.' De woordgrap, wereld en werrelt, heeft hij niet uit het Latijn. Maerlant is ook zonder Latijns voorbeeld prima in staat om zijn adellijke gehoor te boeien.

Jacob van Maerlant is een van de oudste Nederlandse schrijvers die met naam bekend is. De oudst bewaarde Nederlandse tekst wordt omstreeks 1100 geschreven, door een man of een vrouw: 'Hebban olla vogala nestas hagunnan hinase hic enda thu wat unbidan we nu.' In modern Nederlands: 'Alle vogels zijn al aan het nestelen, behalve jij en ik, waar wachten we nog op.' De flard uit een liefdesliedje is het begin van de Nederlandse literatuurgeschiedenis en staat achterin een Oudengels handschrift. De schrijver heeft op de laatste bladzijde even geprobeerd, na het slijpen, of zijn veer scherp genoeg was om te schrijven. In het heiligenleven van prediker Liudger komt een schrijver voor, de bard Bernlef, die hij van zijn blindheid geneest, maar van deze blinde dichter is geen enkel vers bewaard. Hendrik van Veldeke is de oudst bekende dichter in de Nederlandse literatuur, waarvan nog wel werk is bewaard. Maar hij wordt ook tot de Duitse literatuur gerekend. Van Veldeke schrijft in 1174 *Eneïde*, de oudste roman van de Nederlandse literatuur, over de Trojaanse held Aeneas. Van Veldeke baseert zijn tekst op een Frans voorbeeld. De meeste literatuur in Middeleeuws Nederland is een vertaling of bewerking van buitenlandse voorbeelden – zoals *Floris ende Blancefloer*, *Ferguut*, *Reynaert de Vos* en *Tristan en Isolde*. Rond 1250 verschijnt *Karel ende Elegast*, driehonderd jaar lang een van de populairste ridderromans en een van de weinige romans die van Nederlandse

oorsprong is. Er wordt wel tegen gewaarschuwd. Jan van Boendale, de stadssecretaris van Antwerpen, schrijft dat het hele verhaal over keizer Karel die uit stelen gaat, op kwalijke verzinsels berust. Jacob van Maerlant baseert zich ook op buitenlandse voorbeelden voor zijn grootste werk, maar de *Spiegel Historiael* is zeker niet gebaseerd op verzinsels. Het is allemaal waar, schrijft hij. De geschiedenis van de wereld begint bij de schepping en eindigt in 1250. Nog nooit is er zo'n omvangrijk geschiedwerk, 91.000 verzen, in het Nederlands verschenen. De *Spiegel* is net niet de helft van Maerlants omvangrijke oeuvre. Hij laat in totaal meer dan tweehonderdduizend verzen na. Hij is productiever dan zijn Middeleeuwse collega's Chrétien de Troyes, de vernieuwer van de ridderroman, en de Italiaan – *sommo poeta* – Dante Alighieri.

Over het leven van de 'vader der Dietse dichtren algader' (de vader van alle Nederlandse dichters) is weinig zeker. Hij is aan het begin van de dertiende eeuw geboren, ergens tussen 1220 en 1230, waarschijnlijk in de buurt van Brugge. Hij volgt onderwijs in Sint Donaas, een kerk waarin ook de gerenommeerde kapittelschool zit midden in Brugge die eind 1799, begin 1800 door de Fransen wordt gesloopt. Vermoed wordt dat hij van gewone, nederige komaf is. Neerlandicus Frits van Oostrom suggereert in *Maerlants wereld* uit 1996 dat Maerlant toegang krijgt tot de school, omdat hij misschien 'als verboden vrucht van een of andere hoge heer (priester of edelman) ter wereld kwam'. In 1261 werkt hij als koster van de Sint Pieterskerk in het gehucht Maerlant op het Zeeuwse eiland Voorne, waar hij zijn eerste werken schrijft. Maar ook dat is niet helemaal zeker.

Zijn literaire debuut is zijn bewerking van *Alexandreïs* van Gauthier de Châtillon. Maerlant zet de Latijnse verzen over leven en werken van Alexander de Grote om in toegankelijk (middel)Nederlands. Châtillon is niet zijn enige bron. Bovendien verlegt hij de nadruk in *Alexanders geesten* (Alexanders daden) naar de wonderbaarlijke gebeurtenissen in het leven van Alexander zoals pratende bomen. In 1260 schrijft hij voor heer Albrecht van Voorne over Merlijn, de tovenaar aan het hof van de Engelse koning Arthur – *Merlijns boek*. Hij schrijft romans en gedichten maar hij lijkt niet zo ingenomen met zijn voorbeelden, de Franse schrijvers: 'Ze dichten meer dan ze weten.' In de jaren op Voorne zou hij leraar zijn geweest van de jonge graaf van Holland en Zeeland Floris V. Diens vader Willem II is in 1254 overleden, als Floris anderhalf jaar oud is. Maerlants werk *Heimelijkheid der heimelijk-*

*heden* (Topgeheim) uit 1266 is een verhandeling voor de jonge graaf over de bestuurskunst.

Maerlant schrijft ook wetenschappelijke werken over de kracht van stenen *Lapidariis* en een droomverklaring *Sompniariis*. Maar die zijn grotendeels verloren gegaan. *Der naturen bloeme* of *Het boek der natuur* is een beschrijving van al het leven op aarde. Van het uitgebreide biologieboek zijn elf handschriften overgeleverd. Het is gebaseerd op een groot aantal bronnen. Maerlant ontleent zijn kennis aan klassieke schrijvers als Aristoteles, aan kerkvaders als Augustinus en contemporaine schrijvers als de dominicaan Thomas de Cantimpré. De laatste is zijn belangrijkste bron. Verwijzingen naar klassieke auteurs verlenen de tekst in Maerlants tijd gezag. Dat Aristoteles beweert dat de tanden van baby's sneller groeien als de moedermelk warmer is, klinkt nu echter als flauwekul. Maar er staat ook genoeg in wat na acht eeuwen nog steeds interessant is: 'Als de mens de grens van het zeventigste levensjaar gepasseerd is, vermindert zijn helderheid van geest. Hij vindt de hele wereld dwaas, alles wat hij ziet is slecht. (...) Al zijn vermogens verdwijnen, behalve zijn spraakvermogen: wat anderen zeggen vindt hij onnozel, terwijl zijn eigen woorden hem van grote wijsheid lijken te getuigen.'

In *Het boek der natuur* komen fabelachtige mensen- en dierenrassen voor. Een ras van mensen zonder hoofd, mensen bij wie de voeten achterstevoren staan en mensen met een been die heel hard kunnen lopen. Wonderlijke wezens als de griffioen, de draak en de zeemonnik die niets liever eet dan mensenvlees. Zijn verzen vermanen het gehoor. Bijvoorbeeld om zich net zo kuis te gedragen als de gracocendrieon, een vogel uit het Oosten die slechts één keer per jaar paart. De mens doet het zo veel en zo vaak mogelijk en dat is natuurlijk een geweldige zonde. 'Schaam je daarom, jij weldenkend mens: zonder na te denken ben je altijd geneigd tot onkuisheid en je kunt geen maat houden zoals de gracocendrieon.'

Van Maerlant laat passages over seks liever weg of hij past ze aan. Hij vermeldt dat komijn zwangere vrouwen helpt bij de bevalling, maar hij laat weg dat komijn, volgens zijn bron, de aanmaak van sperma bevordert. Maerlant boekstaaft ook verhalen die ten grondslag liggen aan uitdrukkingen die nog steeds worden gebruikt. De krokodil huilt als hij een mens heeft gegeten krokodillentranen. Een beer heeft bij geboorte nog geen vorm, de moederbeer likt hem in de goede vorm. En een zwaan zingt vlak voordat hij sterft vol overgave zijn zwanenzang. De verhalen beschrijven de Middeleeuwse wereld en ze gaan mee als geestelijke bagage met de ontdekkingsreizigers. De zeelui vrezen dat ze de monsters en bizarre wezens zullen ontmoeten. Draken komen ze niet tegen.

In 1266 is Jacob van Maerlant teruggekeerd naar Vlaanderen. Hij woont in Damme, de haven van Brugge. Daar schrijft hij naast *Het boek der natuur* ook in 1271 de *Rijmbijbel*. Het is een vertaling in rijmvorm van de bijbel in het Middelnederlands, maar hij is bij lange na niet compleet. Maerlant laat veel boeken weg. Pas in 1477 verschijnt de Nederlandse vertaling van het Oude Testament (de *Delftse bijbel*). In 1284 begint Van Maerlant in opdracht van Floris V – 'grave Florens, coninc Willems sone' – aan zijn magnum opus: de geschiedenis van de wereld, te beginnen bij de schepping. Het voorbeeld van de *Spiegel* is de *Speculum historiale* van de domincaanse geleerde Vincent de Beauvais, maar opnieuw volgt Van Maerlant het origineel niet klakkeloos. Hij schrapt ongeveer de helft en voegt er zelf tienduizend versregels aan toe. Van Maerlant denkt bij het schrijven steeds aan zijn publiek. Hij leeft zich uit in de bloederige passages waarin bijvoorbeeld dappere kruisridders de heidenen in tweeën klieven. Maar het werk is te veel. Maerlant is inmiddels ook op leeftijd. Zijn conditie is niet goed genoeg meer om door te werken. Het is onwaarschijnlijk dat hij de eerste schrijver is in Nederland die wordt geplaagd door een *writers block*. Als hij bij deel vier is, stopt hij met schrijven tot 'God hem weer in staat stelt verder te dichten'. Zover komt het niet. Het boek wordt pas aan het begin van de veertiende eeuw door Lodewijk van Velthem en Philip Utenbroeke voltooid.

Eeuwen na zijn dood wordt hij in de negentiende eeuw ontdekt door aanhangers van (nationalistische) Vlaamse Beweging. Zijn taal is nog steeds herkenbaar voor Vlamingen. Bovendien zet hij zich af tegen Franse dichters. Sinds 1860 staat er een standbeeld voor hem in Damme. In Vlaanderen is een Maerlant-fietsroute van 52 kilometer.

### Hendrik van Veldeke

Oudste met naam én werk bekende Nederlandse dichter. Woont in het Maasland, trefpunt van Duitse en Middelnederlandse cultuur, in de buurt van Hasselt. Van Veldeke schrijft in het Middelnederlands en in het Middelhoogduits. Hij schrijft de *Servaaslegende*, in 1170. En in 1174 begint hij aan de oudste roman in de Nederlandse literatuur, de *Eneide*, naar een Frans voorbeeld *Roman d'Enéas*. Hoogtepunt in zijn oeuvre zijn de minneliederen. 'Ez tuont diu vogelin schin/ Daz siu die boume sehent gebluot.' De vogels laten weten/ Dat ze de bomen in bloei zien staan. Geboorte- en sterfdatum zijn onbekend.

### Willem die Madocke maecte

Een van de hoogtepunten van de Middeleeuwse literatuur is *Van den vos Reynaerde*. Het verschijnt in de dertiende eeuw in het Middelnederlands en het is een vrije bewerking van de Franse *Roman de Renart*. De vos neemt met iedereen een loopje en kletst zich overal uit. Zelfs de leeuw, de koning der dieren, wordt zo verblind door zijn hebzucht dat hij zijn trouwste dienaren afvalt. Van de schrijver is niet meer bekend dan hoe hij zich in de eerste regel voorstelt: Willem die Madocke maecte. Zijn achternaam wordt niet vermeld; van Madocke is nooit een snipper gevonden.

### Hadewijch

Dertiende-eeuwse dichteres en mystica. Ze woont en werkt in een of begijnhof. Ze schrijft in het Middelnederlands poëzie, verhalen en ook mystieke visoenen waarin ze één wordt met God en tot diepere inzichten komt. In brieven aan vriendinnen schrijft ze hoe die ook mystieke ervaringen kunnen krijgen. De visoenen eindigen altijd met een kater. Na het innige contact met God, moet Hadewijch weer terug, de wereld in. De toewijding van de begijnen heeft in de ogen van de katholieke kerk, de inquisitie, gevaarlijke want ketterse aspecten. In sommige (satirische) geschriften worden begijnen afgeschilderd als zeer losbandige nonnen.

# Jheronimus Bosch (CA. 1450-1516)

Jheronimus of Jeroen Bosch heet eigenlijk Jheronimus van Aken en was schilder, net als zijn vader Anthonius en zijn grootvader Jan. Maar hij onderscheidt zich van zijn (groot)ouders door zijn naam – hij vernoemt zichzelf naar zijn woonplaats 's-Hertogenbosch – en door zijn schilderijen, die al bij zijn leven beroemd zijn in heel Europa. Ze vinden hun weg naar paleizen en kerken. Hij heeft bewonderaars in de hoogste kringen. Zijn werken hangen later ook bij Willem van Oranje in Brussel aan de muur. Filips II, de koning van Spanje en heer der Nederlanden, is een groot bewonderaar. Bosch' grootvader en vader Anthonius en Jan van Aken waren ambachtslieden, net als zoveel schilders in die tijd; hun (klein)zoon Jheronimus Bosch is een kunstenaar. En een moralist – een van de redenen waarom zijn werk zo in de smaak valt bij Filips.

Religie en kunst zijn in de Middeleeuwen nauw verbonden. Religie is de belangrijkste inspiratiebron voor kunstenaars. Tijdens het leven van Jheronimus Bosch ontstaat binnen de katholieke Kerk een nieuwe beweging: de Moderne Devotie, die is gericht op een persoonlijker beleving van het geloof. De mens moet zelf tussen goed en kwaad kiezen. In de stukken van Bosch wordt de toeschouwer voorgehouden wat goed, maar vooral wat slecht is – een vraag die de schilder voortdurend moet hebben beziggehouden. Hij is bovendien de eerste Nederlandse kunstenaar die in zijn werk sociale onderwerpen behandelt. De wereld die de schilder laat zien, stemt niet vrolijk. De mens is redeloos en immer geneigd tot zonde – tot hebzucht, vraatzucht, drankzucht, losbandigheid en dwaasheid. Zijn oeuvre is een parade van de zonde, die hand in hand gaat met de waanwezens die zijn schilderijen bevolken. Ze verbeelden de schepping van de hemel en de aarde, de eerste zonde van de mens, het laatste oordeel en heiligenlevens. Wat de duivels, monsters en andere gedrochten (onder andere vogels op schaatsen en wandelende vissen) precies betekenen, moet – gezien zijn populariteit – voor zijn publiek in die dagen duidelijk zijn geweest, al is niet iedereen binnen de geestelijkheid gecharmeerd van het uitbundige gedrag van de gevederde en geschubde fantasiewezens. Vooral zijn

drie beroemdste drieluiken – *De hooiwagen, De Tuin der Lusten* en *Het Laatste Oordeel* – zien sommigen als ketters. Maar bij elkaar vormen de drie drieluiken (of triptieken) een essentiële christelijke boodschap voor – of liever vermaning aan – de geloofsgemeente. In het *Hooiwagen*-drieluik staat op het centrale paneel een hooiwagen die wordt getrokken door duivels. De mensen vechten met elkaar om het hooi. Ze hebben geen oog voor Jezus Christus, die boven de wagen neerkijkt op de woelige menigte. De mens is verblind door zijn driften, laat Bosch zien. Bij elkaar hameren de triptieken op één boodschap: er hoeft niet veel te gebeuren of je komt in de hel. Verzoeking loert overal. Bosch hekelt asociaal gedrag. Hij ziet het bedelvolk en andere armoedzaaiers het liefst buiten de stadsmuren. Hij staat net als de meeste burgers voor strenge straffen voor het overtreden van de regels. De uitbundige taferelen die hij schildert, zijn nu juist de dingen die hij afwijst. Geen feestgewoel, geen geweld en vooral niet toegeven aan seksuele driften, want dat is een gevaar dat al sinds het begin der tijden het zielenheil van de mensheid bedreigt. Vrouwen zijn bij Bosch bijna altijd hoeren, verleidsters en kenaus. Slechts eenmaal beeldt hij een onbekende vrouwelijke martelares af – en dat doet hij in opdracht.

Hij kan die zondige neigingen alleen door goed om zich heen te kijken hebben vertaald in schilderijen. Hij doet dat bijzonder goed, want zijn buitensporige beeld-idioom is al bij zijn leven populair en het is door veel kunstenaars overgenomen. In het werk van Pieter Bruegel de Oudere (ca. 1525-ca. 1565) zijn de invloeden van Bosch terug te vinden, maar ook in het werk van schilders in de twintigste eeuw als Salvador Dalí, James Ensor en Max Beckmann. De duivels van Bosch zijn eeuwenlang aanleiding geweest voor gefantaseer, niet alleen door kunsthistorici, maar ook door psychiaters en spiritisten, wat een enorme hoeveelheid onzinnige literatuur heeft opgeleverd. Het is ook nu nog nauwelijks voor te stellen hoe Bosch zonder duidelijk aanwijsbare voorbeelden zo'n stoet aan gedrochten kon bedenken. In de uithoeken van zijn fantasie moet een duistere wereld hebben gelegen die ten grondslag lag aan zijn oeuvre.

Maar helaas is het ingewikkeld om met zekerheid het werk van Jheronimus Bosch te duiden. Veel van de betekenis van zijn beeldtaal is verloren gegaan. Onderzoek levert voortdurend nieuwe interpretaties op. In de afgelopen jaren veranderden de titels van schilderijen door vernieuwde inzichten. *De verloren zoon* in het Boijmans van Beuningen in Rotterdam werd bijvoorbeeld *De Marskramer*. Een moeilijkheid bij de studie naar Bosch is dat geen van de panelen is gedateerd. Ze zijn wel ondertekend, maar daarbij is het niet altijd zeker dat ze door Bosch zijn geschilderd. Tussen de schilderingen zitten grote kwaliteitsverschillen. Door onderzoek naar het hout – Bosch schildert nog op hout en niet op doek – is wel een vrij nauwkeurige volgorde aan te brengen in zijn werk, maar het onderzoek biedt geen waterdichte garantie. Bovendien is een deel van zijn oeuvre zoekgeraakt, waardoor onderlinge verbanden moeilijker zijn aan te tonen. Bosch schildert voor de Sint-Jan in 's-Hertogenbosch zes bijbels taferelen, waaronder *Abigaïl bij Salomo*, *Aanbidding der Koningen*, *Beleg van Bethulia* en *Moord op Holofernes*. Voordat Frederik Hendrik in 1629 de stad verovert, staat hij het de geestelijkheid toe de schilderijen mee te nemen. Daarna is nooit meer iets van deze stukken vernomen. Er zijn veel meer originelen verdwenen – in totaal hebben er nog geen dertig panelen de eeuwen overleefd. De ontbrekende doeken kunnen cruciaal zijn voor het begrip van Bosch gedachtewereld, maar ze zijn alleen bekend als kopieën, soms in de vorm van tapijten of gravures.

Wat wel met zekerheid te zeggen is over Bosch komt uit (notariële) aktes. In 1474 komt hij voor het eerst voor in een akte, samen met zijn vader, zuster en broers. Maar uit geen enkel stuk valt zijn exacte geboorte- of sterfdatum op te maken. In juni 1481 trouwt hij met Aleid Goyarts van de Meervenne. Hij verhuist van Sint-Thoenis, aan de oostzijde van de Markt, naar Inden Salvatoer aan de noordzijde van het plein. Zijn nieuwe huis is vijfenhalve meter breed – kleiner dan de andere huizen aan de noordkant, maar groter dan zijn oude huis. Zijn vrouw komt uit een familie van kooplieden en Bosch verbetert zijn maatschappelijke positie door het huwelijk. Na zijn dood behoudt Aleid van de Meervenne haar bezittingen; het werk van haar man geeft ze aan zijn familie. Bosch wordt in 1486 of 1487 lid van de Lieve-Vrouwen Broederschap. Deze vereniging van Maria-vereerders telt bijna vijftienduizend leden. Zij zoeken speciale bescherming van de heilige maagd. De top van de vereniging bestaat uit 'gezworenen' en 'zwanenbroeders'. Bosch behoort tot de gezworenen, de elitaire kern. De club komt zo'n tien keer per jaar bijeen om samen te eten, meestal in hun broederschapshuis, maar soms ook bij een van de leden thuis. Bosch ontvangt zijn broers tweemaal thuis. Tijdens de maaltijd eten zij zwaan. Bij zijn dood in 1516 houdt de Broederschap een uitvaartdienst voor Bosch. De broers nemen ook de kosten, 27 stuivers, voor onder anderen de deken, de diaken, de grafdelvers en de orgelblazers, voor hun rekening.

Het einde van de vijftiende eeuw is een tijd van verandering. Columbus ontdekt in 1492 Amerika. 's-Hertogenbosch profiteert daar ook van, net als veel andere steden in Nederland en België, want de handel krijgt door de ontdekking van Amerika een enorme impuls. De middeleeuwse wereld wordt plotseling een stuk groter en de aarde is niet langer plat. Maar Bosch schildert hem nog wel zo, precies volgens de middeleeuwse conventies. De andere kant van de wereld is ook niet de eerste zorg als (pest)epidemieën en oorlogen grote delen van de bevolking het leven kosten. Die onzekerheid kan in de ogen van de middeleeuwers slechts op één manier worden bestreden: door herstel van oude normen en waarden, door een terugkeer naar het 'ware' geloof en daarmee een terugkeer naar God. Maar zoals altijd gebeurt het tegenovergestelde. Het Habsburgse koningshuis maakt onder leiding van Karel V een einde aan de middeleeuwse privileges van de lokale adel. Ook dat is een belangrijke maatschappelijke verandering.

In zijn stad 's-Hertogenbosch wordt aan de Markt waar hij woont gebouwd aan een nieuwe kathedraal, de Sint Jan, maar Bosch heeft het begin van de bouw, noch de voltooiing gezien. 's-Hertogenbosch telt in zijn tijd ongeveer twintigduizend inwoners, waarmee het op dat moment een van de grootste steden in de Lage Landen is, naast Brussel, Antwerpen en Utrecht. De belangrijkste activiteit in de stad is textielfabricage. De stad is zeer religieus en heeft als bijnaam 'klein Rome'. Er staan dertig tot veertig kerken en kapellen, en op elke tien inwoners is er een kloosterling. Toch blijft het morele gezag van de katholieke Kerk niet onbetwist. In Duitsland begint Maarten Luther zijn werk als kerkhervormer, al tijdens het leven van Bosch. Ook Desiderius Erasmus zet zich aan het begin van de zestiende eeuw af tegen middeleeuwse geloofsopvattingen. Die twee denkers, plus zeevaarder Colombus, betekenen een ernstige aantasting van eeuwenoude waarden. Van een terugkeer naar die waarden zoals Bosch dat in zijn werk voorstaat, kan geen sprake zijn. Maar dat weten de burgers dan nog niet. In hun veranderende wereld fungeert het werk van Jheronimus Bosch als wegwijzer voor de middeleeuwse burgerij. Het is een wegwijzer die na vijfhonderd jaar nog steeds een richting aangeeft.

### Jan van Eyck (CA. 1390 - 1441)

Jan van Eyck is een van de eerste hoogtepunten van de Nederlandse schilderkunst. Hij wordt gerekend tot de Vlaamse primitieven en hij is waarschijnlijk geboren in Limburg. Hij woont en werkt in België, na een korte periode aan het hof in Den Haag. Zijn gebruik van olieverf is zo virtuoos dat hij lange tijd voor de uitvinder van het olieverfschilderij wordt gehouden. Tot zijn belangrijkste stukken hoort het altaarstuk *De aanbidding van het Lam Gods*, dat hij in 1432 voor Sint Baafskathedraal in Gent schildert. In 1934 worden hiervan twee panelen gestolen. Een ervan, *Rechtvaardige rechters*, is tot op heden spoorloos.

### Geertgen tot Sint-Jans (CA. 1465 - CA. 1495)

Evenals het werk van zijn tijdgenoten Lucas van Leyden en Jan van Scorel is ook het werk van Geertgen tot Sint Jans of Geertgen van Haarlem niet ongeschonden door de Beeldenstorm in 1566 gekomen. Op zijn schilderij *Johannes de Doper* is de dorre woestijn waarin de heilige Johannes zich terugtrok een herkenbaar groen landschap geworden met paardebloemen, akelei, eksters en konijntjes. Op *De geschiedenis van het gebeente van Johannes de Doper* portretteert hij zijn opdrachtgevers, de leden van de Haarlemse Sint Jansorde. Daarmee is het schilderij ook een van de eerste groepsportretten.

### Pieter Bruegel de Oudere (CA. 1525 - CA. 1569)

Bruegel is misschien wel in Nederland geboren, maar hij volgt een opleiding in Antwerpen en wordt dan ook vooral als Vlaamse kunstschilder gezien. Hij heeft in zijn schilderijen een scherp oog voor het menselijk tekort en laat zich als een van de eersten inspireren door het leven om zich heen – zoals op *De boerenbruiloft* – en niet door buitenlandse voorbeelden. Zijn landschappen behoren tot de beste die de Nederlandse (Vlaamse) schilderkunst heeft voortgebracht. Zijn zonen Pieter en Jan worden ook schilder, en hun zonen worden ook weer schilder.

# Desiderius Erasmus (1466-1536)

'Maar de man die de vergeten kennis weer in ere herstelt (hetgeen bijna nog moeilijker is dan ze als eerste voort te brengen) bouwt aan iets heiligs en onsterfelijks, en dient niet slechts een natie, maar alle volkeren en alle generaties.' Humanist Desiderius Erasmus geldt als een van de briljantste denkers van zijn tijd. Rond 1500 brokkelt het Middeleeuwse wereldbeeld af onder invloed van ontdekkingsreizen en wetenschappelijke vooruitgang. Erasmus zet zich af tegen middeleeuws bijgeloof, maar ook tegen haarkloverijen en metafysische discussies over bijvoorbeeld de vraag hoeveel veren er in de vleugels van een engel zitten. Hij is gefascineerd door de Griekse en Romeinse klassieken en daagt de kerkelijke en wereldlijke elite uit tot een nieuwe vorm van kritisch denken. Erasmus is een fakkeldrager van het nieuwe kritische denken op de grens van de Middeleeuwen en de Moderne Tijd.

Erasmus wordt in 1466 in Rotterdam geboren als kind van Gerard, een inwoner van Gouda, en Margareta Rogers. Van zijn vader is nauwelijks iets bekend. Zijn moeder voedt hem op tot hij negen jaar is waarna de getalenteerde jongeman voor een opleiding naar Deventer vertrekt. Dat is bijzonder in een tijd waarin regulier onderwijs slechts voor weinigen is weggelegd. Hanzestad Deventer is een belangrijk intellectueel centrum in de Lage Landen, nadat Geert Groote daar de Moderne Devotie predikt. Erasmus komt onder de hoede van humanist Hegius. Na de dood van zijn ouders enige jaren later wordt Erasmus in de kloosterschool van 's Hertogenbosch opgenomen. Vandaar wordt hij in 1486 naar het klooster van Emmaus in Steyn vlakbij Gouda geplaatst.

Erasmus kijkt zowel op de periode in Den Bosch als in Steyn met gemengde gevoelens terug. De klassieke Griekse en Romeinse auteurs, die erg modieus zijn in die tijd, fascineren hem. Het religieus onderricht daarentegen helemaal niet. De discipline van het kloosterleven kan hem evenmin bekoren. In 1491 ziet Erasmus zijn kans schoon om aan dit geïsoleerde bestaan te ontsnappen. Hij accepteert een uitnodiging van de bisschop van Cambrai om met hem naar Italië te reizen. Hoewel de reis niet doorgaat, blijft Erasmus vijf jaar in dienst van de kerkelijke magistraat.

De bisschop geeft hem toestemming naar Parijs te vertrekken, zodat Erasmus daar zijn studies kan afronden.

Ondanks het onwrikbare beeld van Erasmus als de typische kamergeleerde en wereldvreemde intellectueel is hij bepaald geen ideale leerling. Sterker nog, hij vindt het onderwijs van die dagen maar niks. Liever gaat hij op reis door Frankrijk of naar de Nederlanden. In die tijd is dat geen sinecure. Reizen is weinig comfortabel, struikrovers liggen overal op de loer, en het kost enorm veel tijd. Erasmus blijft voortdurend onderweg. Opvallend is dat hij zijn leven lang vaste, zelfs zeer prestigieuze betrekkingen weigert. Van zijn inkomsten uit zijn privéleraarschap bekostigt hij in 1498 een eenjarig verblijf in Engeland. In Oxford ontmoet hij onder meer de grote humanistische filosoof Thomas More, schrijver van *Utopia*, met wie hij zijn leven lang bevriend blijft. Geïnspireerd door dit intellectuele milieu raakt Erasmus steeds meer in de ban van de discussies over de Bijbel en de Kerk. In die tijd kennen slechts weinigen de letterlijke inhoud van de Heilige Schrift. Om de oorspronkelijke tekst van de bijbel te lezen stort Erasmus zich op het Grieks. Zijn leven lang blijft hij gegrepen door de bijbel.

Na terugkeer op het Europese vasteland vestigt hij zich in het Brabantse Leuven. Vanaf zijn Leuvense tijd publiceert Erasmus zowel voor deskundigen als voor een veel breder publiek. Hij debuteert in 1500 met *Adagia*, een verzameling van antieke spreekwoorden. Bijvoorbeeld: 'De buik heeft geen oren.' Als het om eten gaat, wordt er niet meer geluisterd naar kwesties van goed en kwaad. Honger duldt geen tegenspraak. Of: 'Slechte gewoonten leveren goede wetten op.' Als er niemand ziek wordt, komen er ook geen goede dokters en medicijnen, net zomin als er wetten nodig zijn als niemand er een verdorven levensstijl op na houdt. Erasmus is de eerste die de uitdrukkingen van uitleg voorziet. Het is een populair geschrift dat vaak wordt herdrukt. Bij elke nieuwe druk voegt hij spreekwoorden toe, bij de laatste druk tijdens zijn leven zijn dat er drieduizend.

In een normen-en-waardenboek met de titel *Enchiridion militis christiani* (Handboek voor een christensoldaat) uit 1502 levert Erasmus bijtende kritiek op de uiterlijke praal van de Kerk. Het contrast tussen de kerkelijke rijkdom en de armoede van brede lagen van de bevolking is ook veel kerkhervormers een doorn in het oog. Erasmus ziet het geloof veel meer als een innerlijke beleving. Maar ondanks zijn kritiek wordt hij in Italië, waar hij inmiddels ook beroemd is, in 1506 met veel enthousiasme begroet. Zelfs Giovanni de Medici, de latere Paus Leo X, ontvangt de kritische denker in Rome. En dat terwijl Erasmus eerder het celibaat een 'perversiteit' had genoemd, kloosterorden 'overbodig' vindt en pelgrimages afwijst.

In Italië weigert Erasmus opnieuw prestigieuze banen. Zijn voorkeur gaat uit naar Engeland. Onderweg van Italië naar Engeland of daar net aangekomen, in 1509, schrijft hij *De lof der zotheid (Laus stultitiae* of *Moriae encomium)*. Binnen een jaar publiceert de uitgever liefst zeven edities. Erasmus hanteert als verteller de Zot, de middeleeuwse hofnar, en houdt de lezers een spiegel voor: alles wat de mens doet, het goede en het slechte, komt voort uit dwaasheid. Lezers verkneukelen zich bij zijn kritiek op de kerkelijke clerus. Anderen op hun beurt menen dat het geschrift 'door de duivel aan Erasmus is gedicteerd'. Erasmus reageert verbaasd op alle ophef. Hij had het boek geschreven als een tussendoortje, 'een beuzeling'. Met zijn scherpe kritiek en stilistische gaven wordt Erasmus een beroemdheid. Die aandacht laat hem niet koud en hij cultiveert deze door zich veelvuldig te laten portretteren, zoals door de Zuid-Duitse schilder Hans Holbein. Met zijn groeiende status maakt een vreemde combinatie van arrogantie en onderdanigheid zich van hem meester (de Erasmiaanse bescheidenheid). Hij klaagt als een hypochonder voortdurend over allerlei kwaaltjes, hij is enorm op de centen en betweterig. Over zijn intieme leven is weinig meer bekend dan dat hij volgens sommige bronnen 'nooit Venus heeft gediend'.

Erasmus' ideeën wijken aanvankelijk nauwelijks af van die van de hervormer Maarten Luther. In zijn voorwoord bij de vertaling van het Nieuwe Testament, de zogenaamde *Annotationes* uit 1516, bepleit hij een nieuwe bijbelvertaling die ook in de volkstaal moet verschijnen: 'eenvoudige vrouwen, Turken en Saracenen' hebben volgens hem ook recht op toegang tot de Heilige Schrift. Erasmus noemt de *Annotationes* zijn belangrijkste werk. Het wordt dankzij de toepassing van de recent uitgevonden boekdrukkunst een enorme bestseller. In Leuven waar hij zich na zijn Engelse jaar heeft gevestigd, groeit intussen de kritiek op zijn weigering om openlijk afstand van Luthers ideeën te nemen. Maar hoe sarcastisch hij ook over de misstanden binnen de kerk schrijft en hoewel hij misschien wel een voorloper is van de Reformatie; hij kiest nooit openlijk partij voor de hervormers. Hij vertrekt opnieuw naar Engeland en logeert bij More in Bucklersbury, maar de hoop op een prestigieuze baan onder de nieuwe koning, Hendrik VIII, blijkt ijdel. Wel geeft hij college Grieks in Cambrige. Bij zijn terugkeer in Brabant krijgt hij werk aan het hof van aartshertog Karel, de latere keizer Karel V. Erasmus draagt zijn handboek voor bestuurders, *Institutio principes christiani*, aan hem op. In 1521 wordt de groeiende kritiek ook in Leuven hem teveel en vertrekt hij naar Basel.

Deze Zwitserse stad is aan het begin van de zestiende eeuw een toevluchtsoord voor moderne denkers. Belangrijker nog is dat de drukker Froben de distributie van zijn werk garandeert. In 1518 publiceert Erasmus een leerboek voor Latijn dat uitmunt in geestigheid en humor, de *Colloquia* (Samenspraken). Ook in dit laatste werk spaart Erasmus de katholieke kerk niet. Tijdgenoten vragen zich af waarom de zeer kritische Erasmus überhaupt in de kerk blijft. In karakter en stijl is de christelijk-humanist Erasmus anders dan Luther altijd gericht op het compromis en gelooft hij in de hervormingsbereidheid van de kerkelijke elite. Luthers visie op de mens staat haaks op Erasmus' humanistische uitgangspunten. In een geschrift waarin Erasmus allerlei grove beschuldigingen van een andere kerkhervormer, Ulrich von Hutten, weerlegt, formuleert hij zijn positie als volgt: 'Ik heb ernaar gestreefd om afstand tot alle partijen te houden, en ik heb de kerk en haar misstanden aangevallen, maar de pauselijke stoel en zijn geloofsleer ben ik trouw gebleven.' Die positie maakt hem kwetsbaar voor zijn critici.

Naarmate Erasmus op leeftijd komt, neemt hij afstand van de felle theogische debatten. Geschrokken door een kleinschalige beeldenstorm in Basel vestigt hij zich buiten de stad aan de Rijn in Breisgau. Ondanks dat theologen, zoals aan de Sorbonne in Parijs, zijn werk censureren, blijft de door ziekte sterk verzwakte Erasmus alle pauselijke steun behouden. Vlak voordat hij vanuit Basel naar Brabant wil verhuizen om daar onder het patronage van de regente Maria van Oostenrijk zijn laatste dagen te slijten, overlijdt hij op 11 april 1536 aan een aanval van dysenterie. Hij ontvangt niet de laatste sacramenten, maar wordt als grote denker wel in de kathedraal van Basel bijgezet. Zijn vriend Thomas More is in Engeland onthoofd omdat hij het gezag van de Roomse kerk niet wil loochenen – paus Leo XIII verklaart hem in 1886 zalig en in 1935 wordt More zelfs heilig. Erasmus krijgt in 1973 een universiteit in Rotterdam.

## Geert Grote (1340-1384)

Geert Grote is de grondlegger van een in Deventer ontstane kerkelijke vernieuwingsbeweging in de late Middeleeuwen. In 1350 verliest hij beide ouders aan de pest. Na de voltooiing van zijn school-opleiding vertrekt hij naar Parijs om daar te studeren. Na een zware ziekte komt hij tot inkeer en de laatste jaren van zijn leven trekt hij rond als boeteprediker. De door hem gestichte beweging wordt bekend onder de naam 'Moderne Devotie'. Deze stroming, de Broederschap des Gemenen Levens, staat voor een persoonlijke en sobere beleving van het geloof en wil vanuit een rooms-katholieke visie door mentaliteitsverandering komen tot een herbezinning op mens en maatschappij.

## Adrianus VI (1459-1523)

Op 9 januari 1522 wordt Adriaan Florensz Boeyens tot de eerste niet-Itali-aanse en enige Nederlandse paus gekozen. Boeyens studeert theologie in Leuven en wordt daar kanselier van de universiteit. Hij geeft les aan de latere keizer Karel V en overtuigt koning Ferdinand om deze kleinzoon tot diens erfgenaam te benoemen. Hij blijft in Spanje en wordt in 1517 kardinaal. Terwijl Karel V als keizer rondreist, neemt Adriaan het bestuur over Spanje op zich. Zijn sobere levensstijl in het 'verdorven' Rome, inzet van studie-vrienden en pogingen de curie te hervormen, vervreemden hem van zijn omgeving.

## Menno Simons (CA. 1496-1561)

Stichter van de doopsgezinde kerk. Hij gaat als pastoor in Witmarsum door lezing van de bijbel en door terechtstellingen van ketters twijfelen aan de juistheid van sommige rooms-katholieke dogma's. Als in 1535 enkele van zijn volgelingen (mennonieten of doopsgezinden) die deelnemen aan de opstand der wederdopers worden terechtgesteld, treedt hij uit de katholieke kerk en wordt voorstander van de volwassenendoop. Hij leidt een zwervend leven, preekt in het geheim in Friesland, Groningen, en het noordelijk gedeelte van Duitsland. Overal wordt hij achtervolgd want er staat een prijs op zijn hoofd. In 1554 vindt hij een veilig onderkomen op een Duits land-goed in Oldesloe, waar hij tot het einde van zijn leven blijft.

# Willem van Oranje (1533-1584)

Op dinsdagmorgen 10 juli 1584 schiet de Fransman Balthasar Gerards prins Willem van Oranje dood in het Prinsenhof in Delft. De prins stamelt volgens de overlevering nog net de woorden – in het Frans: 'Heer, heb medelijden met mij en mijn arme volk.' De moordenaar wordt meteen na de aanslag aangehouden. Aan Balthasar Gerards zijn 25.000 dukaten, een adellijke titel en het eeuwige leven in het vooruitzicht gesteld als hij de prins zou vermoorden. Hij wordt op 14 juli terechtgesteld, waarbij de beulen zijn ingewanden uit zijn lichaam trekken.

Willem van Oranje is de bezieling en belichaming van de opstand van de Nederlandse gewesten tegen hun soeverein, Filips II koning van Spanje en heer der Nederlanden. De oppositie tegen Filips is een proces van decennia dat culmineert in het in 1581 gepresenteerde *Plakkaat van Verlatinghe*, een voor die dagen spectaculair document waarin vertegenwoordigers van de Nederlandse provincieën hun vorst ontslaan. Al sinds het aantreden van Filips proberen lokale machthebbers invloed uit te oefenen op zijn beleid. Daarbij gaat het om godsdienst, maar ook om belasting, handel en macht. De adel in de Nederlandse provincies heeft weinig in te brengen. De Spaanse vorst bestuurt zijn wereldrijk vanaf zijn hof in Spanje.

Willem van Nassau wordt op 24 april 1533 geboren op het slot de Dillenburg in Duitsland. Hij is de oudste zoon van Willem de Rijke, de graaf van Nassau-Dillenburg; zijn moeder is Juliana, gravin van Stolberg. De familie is protestants. Als oudste zoon is Willem de eerste die de belangen van zijn familie moet vertegenwoordigen in de adellijke baantjescarrousel. Titels en bijbehorende landgoederen plus bevolking verwisselen door trouwpartijen en erfenissen voortdurend van eigenaar. Als zijn neef René van Chalon in 1544 overlijdt en hem zijn bezittingen nalaat, betekent dat een enorme verbetering van de positie van Willem en de familie Van Nassau. Het is dan ook nauwelijks een bezwaar dat hij overstapt naar de katholieke Kerk. Karel V, keizer van het Heilige Roomse (Duitse) Rijk, koning van Spanje en heer der Nederlanden, stelt de overstap naar de katholieke Kerk als eis, anders mag Willem de erfenis niet aannemen. Een van de landgoederen die zijn neef hem nalaat

is het vorstendom Orange in Frankrijk, waardoor hij prins Willem van Oranje wordt. Hij vertrekt voor zijn opleiding naar Breda en Brussel. Hij heeft talent voor het hofleven. Hij is innemend, maakt makkelijk vrienden (én vriendinnen) en geeft veel geld uit. Als Karel in 1555 in Brussel afstand doet van zijn troon, krijgt zijn zoon Filips II Spanje en de Nederlandse (Belgische) provincies; Karels broer Ferdinand erft de keizerlijke waardigheid (voor Duitsland). Willem van Oranje wordt benoemd tot de Raad van State en is daarmee een van de belangrijkste adviseurs van de koning. Als Filips in 1559 naar Spanje vertrekt, benoemt hij Willem van Oranje tot stadhouder van Holland, Zeeland en Utrecht.

Van Oranje is nog lang niet de aanvoerder van de provinciën die godsdienstvrijheid bepleit. Hij noch andere Nederlandse edellieden dringen bij de koning in Spanje aan op verlichting van de vervolging van de protestantse 'ketters' die achterna worden gezeten door de inquisitie. Hij voert wel oppositie tegen Filips' belangrijkste man in Nederland, Antoine Perrenot, beter bekend als kardinaal Granvelle. Hij staat landvoogdes Margaretha van Parma bij – ze is verwekt door Karel bij een dienstbode. Granvelle heeft bezwaar tegen Oranjes tweede huwelijk met de protestantse Anna van Saksen, hoewel hij belooft dat zij zich (uiterlijk) katholiek zal gedragen. De kardinaal adviseert Filips om Van Oranje tot onderkoning in Italië te benoemen. De prins krijgt in deze periode zijn bijnaam 'de Zwijger', want zijn tegenstanders vinden hem maar een huichelaar die nooit precies zegt wat hij vindt en wat hij weet.

Pas in 1564 spreekt Willem van Oranje zich uit tegen het te strenge optreden tegen de andersgelovigen. Hij vindt dat vorsten de gewetensvrijheid van hun onderdanen moeten respecteren. Maar hij belijdt, ondanks zijn huwelijk, nog steeds het katholieke geloof. Als de Nederlandse adel – verenigd in het Verbond der Edelen – zich op 5 april aan het hof van de landvoogdes in Brussel meldt met de vraag om meer inspraak op het landsbestuur, worden de heren uitgemaakt voor bedelaars: *gueux* op z'n Frans, 'geus' in het Nederlands. Willem van Oranje, die niet bij het aanbieden van het verzoekschrift aanwezig is, vindt het bepaald niet prettig om tot de geuzen te worden gerekend. Als hij Antwerpen bezoekt en de omstanders vrolijk 'Leve de geuzen!' naar hem roepen, gebaart hij dat ze daarmee moeten ophouden. De landvoogdes stuurt hem in juli 1566 naar Antwerpen om te onderhandelen met de calvinisten, maar de verhoudingen zijn ernstig verstoord door de Beeldenstorm, die in augustus van dat jaar begint in het zuiden, in het Vlaamse Steenvoorde, en die zich als een olievlek over de Nederlanden verspreidt. Tijdens de georkestreerde rebellie worden kerken, en dan vooral het interieur, vernield. De belangrijkste kracht achter de revolte is de calvinistische tak van de protestantse beweging. Deze variant van het protestantisme baseert zich op de leerstellingen van Jean Cauvin (in het Nederlands bekend als Johannes Calvijn) en is een van de rechtzinnigste en daarmee ook onverdraagzaamste stromingen. De landvoogdes heeft op aanraden van Willem van Oranje de geloofsvervolging door de inquisitie afgeschaft en ze verleent calvinisten het recht in het openbaar te preken. Geloofsvervolging is niet de enige reden voor onvrede in Nederland. In de winter van 1565-1566 heerst er hongersnood, en door oorlogen op de Oostzee stokt in 1566 de graanimport. In Vlaanderen, waar de Beeldenstorm begint, sterven mensen van de honger.

Maar Filips in Spanje kan een dergelijke revolte niet zomaar laten passeren. Hij stuurt zijn krijgsheer Fernando Alvarez de Toledo, hertog van Alva, om de orde te herstellen. Willem van Oranje weet meteen uit welke hoek de wind waait en trekt zich in 1567 terug op de Dillenburg in Duitsland. Daar hoort hij hoe de twee belangrijkste edelen, de graven Van Horne en Van Egmont, worden gearresteerd. De Raad van Beroerten (of bloedraad) van Alva veroordeelt hen ter dood. Willem van Oranje raakt zijn bezittingen kwijt. Zijn zoon Filips Willem, petekind van Filips II, wordt naar Spanje gebracht, waar hij studeert en wordt opgevoed tot hoveling – pas in 1596 mag hij naar Nederland terug. Bij de eerste militaire expeditie van Willem van Oranje sneuvelt zijn broer Adolf. De slag bij Heiligerlee in 1568 geldt als het officiële begin van de Tachtigjarige Oorlog. Tegenwoordig is dat begrip in onbruik en wordt het tijdvak 1568-1648 aangeduid als 'de (Nederlandse) Opstand'.

In Duitsland loopt Willems tweede huwelijk met de steeds weerbarstiger Anna van Saksen stuk. Het huwelijk was een vergeefse poging om betere relaties te krijgen met Duitse vorstenhoven – Saksen en Hessen. Hij trouwt na zijn scheiding met Charlotte de Bourbon, om de relaties met Frankrijk te verbeteren. Die opzet slaagt niet, maar Charlotte schenkt hem wel zes dochters.

In 1572 heeft Willem van Oranje genoeg geld geleend voor een nieuw offensief tegen de troepen van Alva. De watergeuzen veroveren Brielle (Den Briel) zonder veel moeite en een groot aantal steden sluit zich bij de opstand aan. De prins vestigt zich in Holland om van daaruit de opstand te leiden. Alva trekt het land door en herovert de rebellerende steden. Dat gaat gepaard met een enorme hoeveelheid geweld. De bevolking van Naarden wordt uitgemoord nadat die zich heeft overgegeven aan de belegeraars. Alva schrijft tevreden: 'Niet één kind is er ontkomen.' Dat niet alle steden zwichten voor het Spaanse geweld en zich overgeven en de opstand in een mislukking eindigt, is voor een belangrijk deel toe te schrijven aan Willem van Oranje. Zijn organisatietalent en inspirerend leiderschap voorkomen dat Alva het pleit wint. Willem van Oranje wint ook door een betere publiciteitscampagne. In plakkaten wordt hij geportretteerd als de 'Vader des Vaderlands' die alles opoffert voor het welzijn van de inwoners van de Nederlanden. De propagandaslag is ook gemakkelijk te winnen, aangezien Alva's soldaten moordend en plunderend door het land trekken – de Spaanse terreur is heftiger dan de geuzenterreur die de katholieken in Holland treft. In 1574 leveren de legers van Willem van Oranje op de Mokerheide slag met die van Alva, waarbij Willems broers Lodewijk en Hendrik sneuvelen. Jan van Nassau, die zich diep in de schulden steekt voor de militaire campagnes van zijn oudste broer, wordt voor korte tijd stadhouder van Gelderland. Hij is minder verdraagzaam dan Willem en hij is een uitgesproken calvinist in een overwegend katholieke provincie. Hij legt zijn ambt in 1580 alweer neer. Hij heeft nog wel hard gewerkt aan de oprichting van de Unie van Utrecht in 1579. Hierin verzamelen zich aanvankelijk Holland, Zeeland, Gelderland en Groningen (en later steeds meer steden en gewesten) tegen hun Spaanse soeverein. De Unie vormt de basis van de Republiek van de Verenigde Nederlanden.

Nederland blijft het familiebedrijf van Van Nassau. Jan is de stamvader in de mannelijke lijn van het huidige Nederlandse vorstenhuis. Zijn zoon Willem Lodewijk wordt in 1584 stadhouder van Friesland – en in 1596 ook stadhouder van Groningen en Drenthe – en via die Friese tak komt er aan het begin van de achttiende eeuw een opvolger voor stadhouder Willem III die kinderloos sterft. Jans andere zonen vechten mee in de Staatse legers; drie van hen sneuvelen.

De strijd tegen de Spaanse troepen verloopt steeds slechter. Zijn pogingen Franse hulp aan te zoeken vallen slecht bij de Staten-Generaal.

 De vergadering van steden en gewesten profiteert optimaal van Willems politiek. Zijn macht en invloed groeien. Regenten maken de dienst uit en zullen later volledig onafhankelijk van welke soeverein dan ook de Republiek stichten. Dat zou zonder de inspanningen van Willem van Oranje ondenkbaar zijn geweest.

## Maurits van Nassau (1567-1625)

Maurits wordt stadhouder van Holland en Zeeland na de dood van zijn vader, Willem van Oranje, ook omdat zijn halfbroer (de eerstgeboren zoon) in Spanje zit. Hij wordt tevens, in 1590, stadhouder van Utrecht, Gelderland en Overijssel. Hij behaalt met een beroeps- in plaats van een huurlingenleger grote successen tijdens de Opstand. Samenwerking tussen infanterie, cavalerie en artillerie is nog steeds de heersende doctrine bij grootschalige conflicten. Hij laat zijn landsadvocaat Johan van Oldenbarnevelt onthoofden om een einde te maken aan godsdiensttwisten tussen de arminianen en gomaristen. Maurits sterft in 1625 zonder te zijn getrouwd.

## Frederik Hendrik (1584-1647)

Frederik Hendrik wordt enkele maanden voor zijn vaders dood geboren. Hij volgt zijn halfbroer Maurits in 1625 op als stadhouder en legeraanvoerder. Hij treedt al op zijn negende in dienst en verovert (later) een aantal steden, wat hem de bijnaam 'Stedendwinger' bezorgt. Hecht meer dan Maurits aan een rijk hofleven en stelt ook prijs op de erkenning van zijn dynastieke ambities. Op initiatief van de Franse koning worden hij en zijn nageslacht aangeduid met 'zijne hoogheid' in plaats van met 'zijne excellentie'. Hij overschaduwt de raadpensionarissen en de Staten-Generaal. Een jaar na zijn dood vindt de Opstand in 1648 een einde met de Vrede van Münster.

## Willem III (1650-1702)

Hij verliest zijn vader Willem II – de minst populaire Oranje ooit – als hij acht dagen oud is. Willem III groeit op in een tijd waarin vijf van de zeven gewesten geen stadhouder hebben benoemd: het stadhouderloze tijdperk (behalve voor Friesland en Groningen). Daaraan komt een einde in het rampjaar 1672. Door zijn huwelijk met nicht Mary Stuart wordt hij in 1689 aangezocht de katholieke vorst Jacobus II uit Engeland te verjagen. Als koning (van Engeland, Schotland en Ierland) is hij de eerste gekroonde Oranje. Zijn huwelijk blijft kinderloos. Zijn neef Johan Willem Friso van Nassau-Dietz (stadhouder van Friesland en Groningen) is zijn erfgenaam.

# Johan van Oldenbarnevelt (1547-1619)

Als juridisch adviseur van Holland, de machtigste provincie van de Nederlandse Republiek, geeft Johan van Oldenbarnevelt in 1587 de opdracht tot het opstellen van de *Corte Verthooninge*. In dit manifest wordt uiteengezet dat de macht over de Nederlanden ligt bij de Staten-Generaal, de vergadering van de steden en gewesten. Als de landsheer niet handelt in het belang van het land, hebben de Staten-Generaal de plicht om de vrijheden en privileges van de ridderschap en de steden te verdedigen.

De in opdracht van Oldenbarnevelt geschreven justificatie is van levensbelang voor de staatskundige ontwikkeling van de jonge Republiek. De opstand van de Nederlandse gewesten tegen de Spaanse landheer Filips II woedt al zestien jaar in alle hevigheid. Na de moord, in 1584, op stadhouder Willem van Oranje hebben de Staten-Generaal de macht in handen gegeven van een nieuwe landvoogd, de Engelse Robert Dudley, graaf van Leicester. Die flirt met een nieuw centraal gezag bevalt slecht. Dankzij de politieke en juridische machinaties van de getalenteerde Oldenbarnevelt druipt Leicester in 1587 af naar Engeland. De *Corte Verthoonige* biedt niet alleen juridische bescherming tegen pogingen de Nederlandse gewesten ooit nog onder centraal gezag te brengen; het document legt de politieke macht in de Republiek in handen van de elite van rijke kooplieden en lokale bestuurders. Met zoveel politieke macht staat de regentenklasse niets in de weg om de Republiek uit te bouwen tot de machtigste handelsnatie ter wereld. De staatkundige hervormingen van Oldenbarnevelt leggen de basis voor een succesvol staatsbestel en een eeuw van ongekende voorspoed, de Gouden Eeuw. Daarmee kan de staatsman en advocaat evenveel aanspraak maken op de titel 'VADER DES VADERLANDS' als de leider van de Opstand, Willem van Oranje.

Oldenbarnevelt wordt op 14 september 1547 geboren in Amersfoort. Hij behoort tot een niet-onbemiddelde, maar weinig invloedrijke familie. Zijn vader doet niets om het prestige van de familie te verhogen. Integendeel, volgens sommige bronnen komt hij zelfs enkele malen in aanraking met justitie – wegens doodslag. Oldenbarnevelt is verre van representatief voor de bestuurlijke elite in Nederland aan

het einde van de zestiende eeuw, die bestaat uit een groep van edelen en rijke, vooral Hollandse, kooplieden met zeer nauwe banden met de politieke elite. Maar in het machtsvacuüm dat is ontstaan nadat de Nederlandse gewesten hun Spaanse landheer hebben afgezworen, stijgt de ster van de relatieve *outsider* Oldenbarnevelt opmerkelijk snel. Op zijn zestiende gaat hij in de leer bij een Haagse advocaat. Vervolgens reist hij langs Europese universiteiten in Leuven, Bourges, Keulen, Heidelberg en in Italië om rechten te studeren. Bij terugkomst in de Nederlandse gewesten in 1570 wordt hij advocaat bij het Hof van Holland.

Als jonge advocaat ziet Oldenbarnevelt het verzet in de Nederlanden tegen het bewind van de Spaanse koning groeien. Begin jaren zeventig sluit hij zich in Delft aan bij de leider van de Opstand, Willem van Oranje. Zijn ondubbelzinnige keuze voor de opstand is een belangrijke stap op weg naar de maatschappelijke positie die hij later bekleedt.

Van Oldenbarnevelt neemt in 1575 een tweede belangrijke stap. Hij huwt de rijke Maria van Utrecht, die beschikt over een aantal aanzienlijke landgoederen en over familiebanden met de regentenklasse in Delft. Dankzij die verbintenis stijgt Oldenbarnevelts sociale status naar een vergelijkbaar niveau als die van de elite van kooplieden en bestuurders die de touwtjes in de Republiek in handen hebben. Maar hij wijkt als grondbezitter in plaats van koopman nog steeds af van de typische Hollandse regent. Een jaar na zijn huwelijk gaat Oldenbarnevelt werken voor de stad Rotterdam als pensionaris, de belangrijkste juridisch adviseur. Hij is dertig jaar oud en bemoeit zich in Rotterdam met de uitbreiding van de haven. Rotterdam wordt een van de rijkste steden in Holland. Als pensionaris van Rotterdam treedt Oldenbarnevelt ook op als woordvoerder van de stad in de Staten van Holland, die uitgroeien tot het machtigste bestuursorgaan in de Republiek. In 1586 vragen de Staten van Holland hem als hun juridisch adviseur, de landsadvocaat. Oldenbarnevelt weet binnen tien jaar dankzij zijn grote werklust en intelligentie, maar zonder veel inspraak, zijn nieuwe positie uit te bouwen tot de belangrijkste politieke functie in Holland en daarmee in de Republiek. Hij is als landsadvocaat, een post die hij drieëndertig jaar bekleedt, een soort minister-president van de Republiek der Nederlanden. Bij de gratie van de kooplieden is hij de machtigste man van Nederland.

Oldenbarnevelt kan zoveel macht uitoefenen omdat de opvolger van Willem van Oranje, zijn zoon Maurits van Nassau, zich vooral richt op zijn taak als bevelhebber van het Staatse leger. Als stadhouder van Holland en Zeeland bouwt de jonge Maurits (1567-1625) met een reeks klinkende militaire overwinningen op de Spanjaarden een Europese reputatie op als veldheer. De vorming van een werkbaar politiek bestuur laat Maurits over aan de landsadvocaat. Oldenbarnevelt creëert een nieuw machtsevenwicht tussen de bestaande bestuursorganen, waarbij de steden en provincies een grote mate van soevereiniteit krijgen. Als pleitbezorger en ijveraar voor deze decentrale staatsinrichting is hij te beschouwen als een voorvechter van het oer-Hollandse poldermodel, gebaseerd op consensus tussen verschillende belangengroepen. Tegelijk zorgt Oldenbarnevelt er als landsadvocaat van Holland voor dat die provincie uiteindelijk de grootste macht krijgt in het bestuur van de Republiek als geheel. De jurist begrijpt dat de rijke Hollandse regenten nooit zullen toestaan dat de wensen van de andere provincies botsen met de eigen (handels)belangen.

Hoezeer Oldenbarnevelt oog heeft voor de commerciële belangen van de Republiek blijkt ook aan het begin van de zeventiende eeuw. Nederlandse kooplieden hebben altijd al goed geld verdiend aan de Europese handel – vooral met hout- en graanhandel uit Scandinavië. Rond de eeuwwisseling komt daar de handel in exotische producten als peper, specerijen, thee en porselein uit Azië bij. In de eerste jaren drukt hevige onderlinge concurrentie van Nederlandse kooplieden op de Aziatische markten echter de winstgevendheid. Oldenbarnevelt weet de kooplieden ervan te overtuigen hun krachten te bundelen in een onderneming, de Verenigde Oostindische Compagnie (voc). Het handelsbedrijf, dat op 20 maart 1602 wordt opgericht, krijgt van de Staten-Generaal het monopolie op de handel met Azië en de oostkust van Afrika. Daarmee is Oldenbarnevelt niet alleen de grondlegger van de Nederlandse staat, maar ook van de eerste Nederlandse multinational. De voorlopers van de voc waren gelegenheidsondernemingen, die hun schepen aan het einde van de reis weer verkochten. Met de oprichting van de voc verzekert Oldenbarnevelt de continuïteit van de Aziatische handel. De onderneming groeit mede daardoor uit tot een machtig economisch en militair wapen in de Tachtigjarige Oorlog.

Ondanks al hun rijkdom en politieke invloed – belangen die door Oldenbarnevelt als landsadvocaat worden verdedigd – is de machtspositie van de Hollandse regenten geen blijvende zekerheid in de Republiek. Mede dankzij zijn militaire successen en zijn afstamming kan stadhouder Maurits van Nassau – die in feite niet meer is dan een ambtenaar in dienst van de provincie – een effectief tegenwicht bieden tegen de politieke macht van de steden en de gewesten. Oldenbarnevelts aanvankelijk succesvolle samenwerking met Maurits begint in de eerste jaren van de zeventiende eeuw scheuren te vertonen. In 1609 brengt Oldenbarnevelt een tijdelijke wapenstilstand met Spanje tot stand, die een einde maakt aan de kostbare oorlogs-handelingen en de handelsbeperkingen. Oldenbarnevelt maakt met het verdrag ook een einde aan buitenlandse (Franse en Engelse) aanspraken op de Nederlanden. Maurits ziet zijn aanzien door de vrede, bij gebrek aan militaire overwinningen, afnemen.

Door het (tijdelijk) wegvallen van de gemeenschappelijke vijand tijdens het Twaalfjarig Bestand komen de onderlinge tegenstellingen in de Republiek aan het licht. Met de geslaagde opstand tegen de Spanjaarden heeft de protestantse (calvinis-tische) Kerk gezegevierd op de katholieke Kerk. Na 1609 brengt een breuk binnen de protestante Kerk de jonge Republiek op de rand van een burgeroorlog. Aanleiding is een theologische discussie tussen de remonstranten en de contraremonstranten, de zogenoemde 'rekkelijke' en de 'precieze' partij. De remonstranten geloven niet dat God alle gebeurtenissen op aarde heeft voorbestemd; de contraremonstranten geloven wel in de predestinatie. Als het conflict escaleert en de eenheid van de Repu-bliek bedreigt, schaart Oldenbarnevelt zich in het kamp van de remonstranten. Maurits, die voor de contraremonstranten kiest, wordt zijn belangrijkste opponent.

Oldenbarnevelt delft het onderspit. In 1617 laat Oldenbarnevelt de Staten van Holland de *Scherpe Resolutie* aannemen, die de Hollandse steden toestemming heeft om zelf troepen in te huren om de orde te handhaven (waardgelders). Legerleider Maurits beschouwt de resolutie als een nieuwe poging om zijn gezag te ondermijnen en pleegt een jaar later een staatsgreep. Zo verbiedt hij de inhuur van waardgelders en laat hij in de belangrijkste remonstrantse steden het bestuur afzetten. Daartoe is hij wettelijk gemachtigd, omdat tijdens de Dordtse Synode de remonstrantse leer is verworpen. Oldenbarnevelt behoort met de Rotterdamse pensionaris Hugo de Groot tot de belangrijkste politiek leiders van de remonstranten die door Maurits gevangen worden gezet. Hugo de Groot ontsnapt uit zijn gevangenschap in Slot Loevestein. Oldenbarnevelt wordt een jaar later veroordeeld wegens hoogverraad. Op 13 mei 1619 wordt Oldenbarnevelt op eenenzeventigjarige leeftijd op het Binnenhof in Den Haag onthoofd. Zijn laatste woorden, tot de beul: 'Maak het kort. Maak het kort.'

### Paulus Buys (1531-1594)

Pensionaris van Leiden en hoogheemraad van Rijnland. Buys wordt in 1572 benoemd tot landsadvocaat van de Staten van Holland. Hij is de eerste die die functie bekleedt. Hij verzet zich tegen de nieuwe belastingen van de hertog van Alva, de tiende penning, en haalt Leiden over om geen Spaans garnizoen binnen zijn muren toe te staan. In 1574, tijdens de Spaanse belegering van Leiden, laat hij de dijken doorsteken. Hij is plaatsvervanger van Willem van Oranje, mocht die sneuvelen. Maar na diens dood in 1584 gaat het bergafwaarts met zijn carrière. Hij wordt door de Engelse graaf van Leicester, die in Nederland een greep naar de macht doet, gevangengezet. Zijn bestuursloopbaan is na zijn vrijlating voorbij.

### Willem Usselincx (1567-1647)

Zuid-Nederlandse koopman en initiatiefnemer voor de Westindische Compagnie. De in Antwerpen geboren Usselincx vestigt zich in 1591 in Amsterdam als religieus vluchteling. Na jaren tegenwerking richt hij in 1621 Westindische Compagnie (WIC) op, een handelscompagnie voor Amerika. De onderneming moet handelen, maar ook nederzettingen stichten. Tot zijn frustratie wordt de WIC echter vooral een handelsbedrijf. Belangrijke inkomsten zijn de kaapvaart en slavenhandel. Usselincx vertrekt naar Zweden, waar hij koning Gustaaf Adolf beweegt tot de oprichting van een handelsbedrijf op de West. Ook deze plannen komen nooit helemaal van de grond. Usselincx sterft berooid.

### Andries Bicker (1586-1652)

Koopman en stadsbestuurder uit een Amsterdamse ondernemersfamilie. Bicker is representatief voor de zeventiende-eeuwse regentenklasse, die zowel de handel als het bestuur van de stad en de Republiek domineert. Bicker handelt in Rusland en heeft belangen in de Aziatische handel via de Verenigde Oostindische Compagnie, waarvan hij ook bewindhebber is. Zijn politieke macht komt tot uitdrukking in zijn burgemeesterschap van Amsterdam, een ambt dat hij tussen 1627 en 1649 tienmaal vervult – zijn broers Cornelis en Jan zijn ook een paar termijnen burgemeester in Amsterdam. Daarnaast heeft hij enkele jaren zitting in de Staten-Generaal en is hij actief als ambassadeur in de Oostzee-landen. Zijn nicht Wendela trouwt met Johan de Witt.

# Jan Pieterszoon Sweelinck (1562-1621)

Jan Pieterszoon Sweelinck is de grootste Nederlandse componist en organist. Hij maakt vooral naam als *Deutsche Organistenmacher*. Een complete generatie briljante Duitse organisten gaat bij de 'Orpheus van Amsterdam' in de leer – de meest spraakmakenden onder hen zijn Jacob Praetorius der Jüngere (1586-1651), Samuel Scheidt (1587-1654), Melchior Schildt (ca. 1593-1667) en Heinrich Scheidemann (ca. 1596-1663), die later zelf belangrijke muziek schrijven. Bovendien nemen zij in eigen handschrift de orgelwerken van Sweelinck mee naar huis en zo kan de Hollander richting geven aan een Noord-Duitse orgelschool, waar later de grote Johann Sebastian Bach (1685-1750) uit voortkomt.

Jan Pieterszoon Sweelinck wordt in 1562 geboren in Deventer, waar zijn vader Pieter Swybbertszoon organist is. Sweelincks achternaam stamt van moeders zijde, van Elsgen Zweling. Het gezin verhuist naar Amsterdam, wanneer de vader daar twee jaar na de geboorte van de zoon het organistschap van de Oude Kerk aanvaardt. De naam Sweelinck raakt vervolgens als geen andere aan de Amsterdamse Oude Kerk verbonden. In 1577 of 1580 – veel blijft onzeker in Sweelincks biografie – volgt Pieterszoon zijn in 1573 gestorven vader op als organist. Later zal Jan op zijn beurt weer worden opgevolgd door zoon Dirck – Dirck Janszoon Sweelinck – die volgens tijdgenoten als organist de evenknie is van zijn vader, maar aan de nalatenschap te oordelen een veel mindere componist.

De roem van Jan Pieterszoon Sweelinck reikt als hij zijn ambt heeft aanvaard al gauw over de grenzen. Hoogwaardigheidsbekleders van over de hele wereld worden door het stadsbestuur van Amsterdam meegetroond naar – soms speciale, besloten – recitals van de fameuze musicus, op orgel of op klavecimbel, al dan niet aangevuld met een vocaal ensemble. Niet alleen leergierigen uit Duitsland, ook gevierde collega's uit andere contreien komen bij hem hun licht opsteken. De uit Engeland afkomstige virginalist Peter Philips bezoekt Amsterdam 'onely to sie and heare Sweelinck: an excellent man of his faculties'.

Sweelinck dient de stad, niet de kerk. De kerk – in zijn tijd nog op en top staats-

kerk – is namelijk hervormd, de Reformatie is er hardhandig doorheen gegaan. In Amsterdam grijpt de alteratie plaats in het jaar 1578. Voortaan zetten de calvinisten de toon. Dus wordt in kerkdiensten alleen het onbegeleide zingen toegestaan van berijmde *Psalmen*, op *Enige* streng gekeurde *Gezangen* na. Stadsbesturen blijven pronken met hun geweldige orgels, ook al zijn deze dure, opgesmukte instrumenten inmiddels in de eredienst overbodig geworden. De organisten van de stad moeten regelmatig voor de burgerij concerteren, om deze 'temeer uyt herbergen ende tavernen' te houden. Zeker de stadsconcerten van Sweelinck zijn drukbezocht.

Rooms-katholicisme is officieel verboden, maar het celebreren van de paapse mis in schuilkerken, zoals *Ons' lieve Heer op Solder* op de Amsterdamse Oudezijds Voorburgwal, wordt opzichtig getolereerd. Vooraanstaande intellectuelen als Maria Tesselschade en Joost van den Vondel bekeren zich op volwassen leeftijd tot het rooms-katholicisme. Van Sweelinck is met geen mogelijkheid te zeggen welk geloof hij aanhangt. Hij is katholiek opgevoed, maar laat ten minste drie van zijn zes kinderen protestants dopen. Hij componeert calvinistische, lutherse, roomse en wereldse muziek met evenveel overgave. Zijn Duitse studenten zijn luthers, maar zijn invloedrijke leerling en weldoener, de dichter en jurist Cornelis Gijsbertszoon Plemp, is rooms-katholiek. Met Plemp samen is Sweelinck bevriend met de gebroeders Joost en Willem van den Vondel, en met de libertijnse schrijver Pieter Corneliszoon Hooft. Het nichtje van Plemp, de lieftallige Christina van Erp, is Hoofts eerste vrouw (sinds 1610) en – volgens velen – Sweelincks beste klavecimbelleerling. Hooft is in het Muiderslot gastheer van kunstenaars, staatslieden, letterkundigen en geleerden. De bloeitijd van de zogenaamde Muiderkring valt overigens pas na Hoofts tweede huwelijk (1627), dus vijf jaar na Sweelinks dood. Het is vooral Dirck Janszoon Sweelinck die met de kring wordt geassocieerd.

Jan Pieterszoon Sweelinck is de George Gershwin van zijn tijd. Net als de twintigste-eeuwse- componist uit de Verenigde Staten is hij iemand die het in gezelschap niet kan laten alle aanwezige klavieren aan te raken om voor hoogwaardig vertier te zorgen. In 1616 blijft Sweelinck op orgelreis in zijn geboorteplaats Deventer met een aantal notabelen nog wat napraten. Een van hen – dominee Willem Baudartius uit Kampen – herinnert zich: 'Als wij opstonden ende onsen afscheyt wilden nemen, so badt hy ons, wy souden doch dit stuck noch hooren, dan dat stuck, niet cunnende ophouden, also hy in een seer soet humeur was, vermaeckende ons zyne vrienden, vermaeckende oock hem selven.' Wat voor muziek laat Sweelinck daar in Deventer horen? Het is volop voorjaar, dus besluit de componist op het liedje *Den lustelicken Mey is nu in zijnen tijdt* (vermoedelijk) te improviseren – hij speelt het 'wel op vijf-entwintigerley wijsen, dan sus, dan soo'. Variatiereeksen zijn Sweelincks lust en leven – en alle soorten van publiek lijken dat zeer te waarderen. Sweelinck varieert voor verschillende gelegenheden populaire, wereldse wijsjes als *Mein junges Leben hat ein End* en *Onder een Linde groen*, calvinistische psalmen en (enige) gezangen als *Des boosdoenders wille seer quaet* (Psalm 36), *Ik heb den Heer lief* (Psalm 116) en *Wij gelooven in eenen Godt allein* (de 12 artikelen), lutherse liederen als *Erbarm dich mein, o herre Gott* en *Allein Gott in der Höh sei Ehr* en roomse hymnes en antifonen als *Christe qui lux et et dies* en *Da pacem Domine in diebus nostris*.

In Amsterdam circuleren thema's, liedjes en dansvormen uit alle windstreken. Ook in zijn 'vrije' klavierwerken – fantasieën, echofantasieën en toccata's, net als de variaties soms voor orgel bedoeld, soms voor klavecimbel, soms voor allebei – laat Sweelinck zich internationaal inspireren. In Sweelincks oeuvre komt een veelheid aan stijlen, technieken en invloedssferen tot een hoogtepunt. Net als later – in de Barok – bij Bach. Dat Sweelinck zijn enthousiasme over mooie, bruikbare melodieën niet onder stoelen of banken steekt, wordt in een brief van Hooft bewezen. Bijna negen jaar na Sweelincks dood refereert hij aan: 'Een deuntjen zo fraej (plagh mr. Pietersz. Sweeling te zeggen) als over twee voeten gaen magh' – dit is de zegswijze die er van Sweelinck overblijft, dankzij deze literator. Aan lieren trouwens geen gebrek in Sweelincks omgeving. Zo is daar de jonge, vrome, rechtzinnige dominee Jacobus Revius (van huis uit Reefsen) een uitermate groot dichter en later zelfs revisor van het Oude Testament in de onvolprezen Statenvertaling (1637). Hij is, net als de door hem bewonderde Sweelinck, in Deventer geboren. Bij een portret van zijn – dan inmiddels overleden – oudere vriend, zal Revius schrijven: 'Laet Swelincx beeltenis aentrecken uwe oogen,/ De ooren heeft hy self, noch leevende, getogen./ En weett', hoewel hy leefd' en stierf tot Amsterdam,/ Van Deventer nochtans dien grooten sanger quam.'

Revius en de zijnen – bovengenoemde Baudartius werkt ook mee – maken de Bijbel in de Statenvertaling tot de fraaiste literatuur die er in het Nederlandse taal-gebied ooit is voortgebracht. Sweelinck doet hetzelfde muzikaal, met de berijmde psalmen. Sweelincks meest monumentale meesterwerk – waarschijnlijk de belangrijkste muziek ooit door een Nederlander gecomponeerd – zijn de vier- tot acht-stemmige *Pseaumes de David* – anno 1604, 1613, 1614 en 1621, in vier boeken uitge-geven. De eerste twee bundels draagt hij expliciet op aan het Amsterdamse Collegium musicum, dat hij traint en dat uitgelezen, geletterde, muziekliefhebbers bevat. Het gaat hier dan ook niet om kerkmuziek, Sweelinck maakt deze composi-ties voor de connoisseurs.

Dat hij de best versies van de psalmen gebruikt, die er maar te vinden zijn is typerend voor Sweelincks renaissancistische grootheid. Hij kiest niet de kreupele, indirecte Nederlandse rijmvertaling van Petrus Datheen, zoals die onbegeleid in de kerk wordt gezongen, maar de superieure, dichterlijke, oorspronkelijke Franse psal-menpoëzie van Clément Marot en Théodore de Bèze – zoals door de grote refor-mator Johannes Calvijn zelf bij hen werd besteld. Ook gebruikt Sweelinck de melodieën die daar in het Geneefse psalter door grootmeesters als Loys Bourgeois bij zijn gecomponeerd. Dit zijn weliswaar dezelfde wijzen, die in de kerk tot op de dag van vandaag alom worden *zersungen*, maar Sweelinck handhaaft hun oorspron-kelijke luister, en laat er zijn kunstigste variatietechnieken op los. Ook op het gebied van de vocale muziek blijkt Sweelincks sublieme evenwichtigheid. Niet alleen voor calvinisten schept hij kunstzinnige vormen van bevindelijk vermaak, in 1619 verschijnt er van zijn hand een verzameling *Cantiones sacrae* voor de rooms-katho-lieke markt: 37 ritmisch verfijnde, vijf-stemmige Latijnse motetten, die hij opdraagt aan Cornelis Plemp. Daarnaast componeert Sweelinck ook puur wereldse chansons en madrigalen.

Als Sweelinck op 16 oktober 1621 sterft, schrijft Hooft een grafschrift: 'Hier lejdt die stelde wijz den Coninclijken woorde / En Sion galmen deed, dat men 't in Hollandt hoorde.' Alleen in Hollandt? Sweelinck wordt overal ter wereld steeds vaker en beter gespeeld. Dat komt omdat meer oude instrumenten beschikbaar zijn door restauratie, door reconstructie of als kopie. Bovendien groeit de wetenschap van oude stemmingen, vingerzettingen en andere elementen uit de Renaissancisti-sche uitvoeringspraktijk. Steeds meer krijgt Sweelinck de glans van de superieure componist die hij is.

### Hendrik Niehoff (CA.1495-1561)

Hendrik Niehoff, van Friese afkomst, is leerling en opvolger van de beroemde Amsterdamse orgelbouwer Jan van Covelen. In 1538 verhuist hij zijn bedrijf naar Den Bosch, van waaruit hij Nederlandse en Noord-Duitse kerken van historisch belangrijke orgels voorziet. In 1545 voltooit hij in de Amsterdamse Oude Kerk de orgels die Sweelinck daar (later) bespeelt: een hoofdorgel en een transeptorgel, allebei volgens de overlevering van grote klasse. Van het transeptorgel is de karakteristieke orgelkas nog over, van het hoofdorgel resten slechts afbeeldingen, naast – van beide instrumenten – de papieren details.

### Cornelis Floriszoon Schuyt (1557-1616)

Cornelis Schuyt is de Sweelinck van Leiden. Hij trekt veel met zijn vader Floris op – samen reizen ze naar Italië en vanaf 1593 zijn ze samen stadsorganist van Leiden, waarbij ze elkaar in de Hooglandse Kerk en de Pieterskerk afwisselen om het volk te vermaken. Vader Floris sterft in 1601, Cornelis 1616 – allebei liggen ze in de Pieterskerk. Orgelwerk is er van de Schuyten niet meer te vinden, Cornelis leeft vooral voort in vaardig geschreven madrigalen – zoals de bundel uit 1611 *Hymeneo, overo Madrigali nuptiali, et altri amorosi, a sei voci; con un Echo doppio a dodeci.*

### Jacob van Eyk (CA.1590-1657)

Van Eyk, neef van Constantijn Huygens, wordt de 'Stichtse Orpheus' genoemd. Sinds 1625 is de blinde Brabander namelijk beiaardier van de Utrechtse Domkerk, vanaf 1628 zelfs Directeur van alle Klokwerken in de stad. Van Eyk kan ook betoverend mooi (blok)fluitspelen – hem wordt in 1649 door het Kapittel van Sint Jan een salarisverhoging toegezegd 'mits dat hij de wandelende luijden opt kerckhoff somwijlen savons met het geluijt van sijn fluijtien vermaecke'. Zijn beroemdste verzameling *Der Fluyten Lust-hof* stamt uit datzelfde jaar en bevat variatie-reeksen op (Geneefse) psalmen, (Enige) gezangen en wereldse wijsjes.

# Hugo de Groot (1583-1645)

Op 22 maart 1622 vindt de meest tot de verbeelding sprekende ontsnapping uit de Nederlandse geschiedenis plaats wanneer Hugo de Groot in een boekenkist uit Slot Loevestein wordt gesmokkeld. De briljante staatsman, politicus, wetenschapper, historicus, rechtsgeleerde, theoloog, dichter en diplomaat heeft op dat moment drie jaar van zijn levenslange gevangenisstraf uitgezeten. Zijn weigering om gratie te vragen betekent dat De Groot het merendeel van zijn leven in het buitenland doorbrengt. Alleen in 1631-1632 is hij even terug in de Republiek.

Op 10 april 1583 wordt Hugo de Groot in Delft geboren. Zijn vader, Jan de Groot, verkeert met de wetenschappelijke elite van de Republiek. Acht jaar oud schrijft de hoogbegaafde De Groot al gedichten in het Latijn, in die tijd de taal van de wetenschap in Europa. Drie jaar later schrijft hij zich in aan de universiteit van Leiden. Overeenkomstig de mores van zijn tijd latiniseert zijn achternaam tot Grotius. In 1598 neemt hij als vijftienjarige deel aan een gezantschap dat onder leiding van landsadvocaat Johan van Oldenbarnevelt de Franse koning Hendrik IV bezoekt om een verdrag af te sluiten tegen Spanje. De verraste koning noemt de jonge jurist 'Het wonder van Holland'.

Van 1599 tot 1607 heeft Grotius in Den Haag een advocatenpraktijk. Daarnaast schrijft hij. Samen met Daniel Heinsius (1580-1655) streeft hij naar een wederopstanding van de klassieke tragedie. In 1601 publiceert hij zijn eerste stuk: *Adamus exul*, dat later door Vondel wordt gebruikt in *Adam in ballingschap*. Grotius put uit zijn ervaringen als pleiter en produceert voor het stuk een aantal briljante dialogen en redeneringen. Als de Verenigde Oostindische Compagnie (VOC) hem in 1604 benadert met het verzoek een rechtvaardiging van het kapen van schepen van Portugal, de belangrijkste concurrent in de Oost, te formuleren schrijft Grotius *De jure praedae*. Met het enige hoofdstuk uit *De jure praedae* dat tijdens zijn leven wordt gepubliceerd - *mare liberum* - vestigt hij de aandacht op zich. Hij schrijft als eerste dat niemand exclusief aanspraak kan maken op de open zee. Ook nu nog staat de kerngedachte van *mare liberum* overeind. De zeeën zijn vrij, afgezien natuurlijk van

de territoriale wateren langs de kusten. Voor de ontwikkeling van zijn geschriften en zijn persoonlijk leven is zijn correspondentie, die ongeveer 7740 brieven omvat, de belangrijkste bron van kennis.

In 1607 wordt hij op voorspraak van landsadvocaat Oldenbarnevelt advocaat-fiscaal (openbaar aanklager) bij het Hof van Holland en de Hoge Raad. Met '*De anti-quitate republicae Batavicae*' (1610), voedt hij de Bataafse mythe rond de opstand tegen de Romeinse overheersers. Het is een historisch argument dat pleit voor een Republiek die zelf zijn leiders mag kiezen. Ook Oldenbarnevelt schrijft in 1607 een hervormingsplan voor de Unie, waarin hij pleit voor leiding zonder 'eminent hoofd'. De Groot bereikt met zijn geschiedenis een internationaal publiek. Het boek wordt ook vertaald in het Nederlands: *Tractaet van de oudheyt van de Batavische nu Hollandsche Republique*. In 1613 wordt Grotius benoemd tot pensionaris (stadsju-rist) van Rotterdam.

Intussen dreigt het conflict tussen de beide ambitieuze leiders van de Repu-bliek, de politicus Oldenbarnevelt, aan wiens carrière die van De Groot is verbonden, en de militaire aanvoerder prins Maurits, de Republiek in een burger-oorlog te storten. Al sinds de slag bij Nieuwpoort in 1600 is zijn de betrekkingen, die aanvankelijk zo succesvol leken, bekoeld. Het Bestand (1609-1621) dat Oldenbarne-velt met de Spanjaarden sluit, wekt de onvrede van legerleider Maurits, die voor-stander is van voortzetting van de strijd tegen de verzwakte Spanjaarden.

In het godsdienstig conflict tussen de Leidse hoogleraren Gomarus en Armi-nius over onder meer de leer van de predestinatie (de goddelijke voorbestemming) kiezen Oldenbarnevelt en Maurits respectievelijk voor de remonstranten en de con-traremonstranten. De tegenstellingen blijken onoverbrugbaar. Maurits pleegt een staatsgreep. Op last van de prins worden Oldenbarnevelt, Grotius, die optreedt als pleiter van de Staten van Holland, en enkele medestanders op 29 augustus 1618 gearresteerd. De aanklacht is de zwaarst denkbare: hoogverraad.

In mei 1619 wordt Oldenbarnevelt na zijn weigering gratie te vragen, op eenen-zeventigjarige leeftijd onthoofd. Er gaat een schok door de Republiek. Grotius wordt tot levenslange gevangenisstraf veroordeeld en in Slot Loevestein vastgezet. In afzon-dering verdiept hij zich in de theologie en bestudeert de internationale orde van zijn tijd. Zo schrijft hij zijn *Bewys van den waren godsdienst* (1622), een rechtvaardiging van de remonstrantse opvattingen.

Grotius' echtgenote Maria van Reigersberch (1589-1653), regentendochter uit Zeeland en moeder van zijn vier kinderen, schaart zich vrijwillig bij haar man in het slot. Als zij bemerkt dat de controle op de kist boeken die Grotius regelmatig ontvangt verslapt, bedenken zij het ontsnappingsplan. Grotius vlucht en vestigt zich in Parijs. Hij loopt, opnieuw om godsdienstige redenen, een aanstelling aan de universiteit mis. Hij weigert katholiek te worden.

In 1625 schrijft hij daar zijn beroemdste werk: *De jure belli ac pacis* (Over het recht van oorlog en vrede). Grotius is geen pacifist en wijst oorlog als middel om de internationale orde te herstellen niet af, maar poneert de stelling dat oorlog aan rechtsnormen getoetst moet worden. Grotius haalt bovendien het natuurrecht uit de moraaltheologische sfeer en kadert dit in binnen de rechtswetenschap. Het vormt de grondslag voor het moderne natuur- en volkenrecht. Zijn humanistische ideaal is een permanente vrede tussen individuen en staten, gebaseerd op een juridisch-wetenschappelijke basis en niet op basis van religie. Hij is voorstander van religieuze verdraagzaamheid en om die te vergroten zou de eenheid van de kerk in Europa moeten worden hersteld. Maar dat is in zijn tijd een nogal controversiële opvatting. Europa wordt beheerst door godsdienstconflicten en -oorlogen. Grotius is in veler ogen verdacht. In 1631 keert hij even terug naar de Republiek om zich in Amsterdam te vestigen. Daar pakt hij zijn werk als advocaat weer op. Maar als Grotius net als Oldenbarnevelt, in 1619, weigert een gratieverzoek in te dienen moet hij weer – en nu voorgoed – vluchten. Hij vestigt zich in Hamburg.

Vanaf 1634 leeft hij weer in Parijs. Tien jaar lang is hij daar ambassadeur voor Zweden. Na te zijn ontslagen door de Zweedse koningin, omdag hij weigerde Luthers te worden, lijdt het schip waarop hij de terugreis uit Zweden aanvaardt schipbreuk.

Op 28 augustus 1645 overlijdt hij in het Noord-Duitse Rostock. Zijn stoffelijk overschot wordt op 3 oktober 1645 in de Nieuwe Kerk te Delft begraven. Twaalf jaar na zijn dood verschijnt een van zijn beroemdste boeken *Annales et historiae de rebus belgicis*, de geschiedenis van de Nederlanden van 1559 tot 1609. Het is een hoogtepunt van humanistische geschiedschrijving.

# Jan Pieterszoon Coen (1587-1629)

Op 30 april 1618 ontvangt Jan Pieterszoon Coen in Indië een brief waarin zijn benoeming tot gouverneur-generaal wordt meegedeeld. Daarmee is Coen de hoogste bestuurder van de Verenigde Oost-Indische Compagnie (VOC) in Azië. Al enige tijd ergert het hem dat de handelsonderneming geen sterk hoofdkwartier heeft. Voor dat doel heeft hij Jacatra, een havenplaats in West-Java, op het oog. De VOC heeft er al een vestiging, maar tot Coens grote woede besluiten de Engelsen precies tegenover de Nederlanders een eigen handelspost in te richten. Zonder de lokale vorst om toestemming te vragen, besluit Coen zijn pakhuizen om te bouwen tot fort. Het duurt niet lang of hij opent de aanval op de Engelsen. Het offensief lijkt goed te verlopen tot de Engelsen versterking krijgen. Om hulp te halen vertrekt Coen naar de Molukken, waar de VOC sinds 1605 over een flinke basis beschikt.

Op 28 mei 1619 is Coen terug met duizend manschappen, die in Jacatra als een furie tekeer gaan. De stad wordt in de as gelegd, de bevolking verdreven en de Engelsen slaan op de vlucht. In twee dagen wordt Jacatra door de VOC-troepen ingenomen. Maar dan wacht Coen een teleurstelling. Hij had zijn verovering Nieuw Hoorn willen noemen – naar zijn geboortestad –, maar de VOC laat weten de voorkeur te geven aan Batavia – als eerbetoon aan de voorouders. Batavia groeit uit tot het centrum van het Nederlands handelsimperium, dat kantoren heeft in onder andere Indië, Japan, China, Kaap de Goede Hoop, Maleisië, India en Ceylon.

Jan Pieterszoon Coen wordt op 8 januari 1587 in de Grote Kerk in Hoorn gedoopt. Zijn vader Pieter Janszoon is vanuit Twiske verhuisd naar Hoorn, dat een economische opleving doormaakt. De haven profiteert als knooppunt van de handel met Scandinavië, de Oostzee en het Middellandse Zeegebied. Wanneer Nederlandse koopmannen steeds vaker uitgesloten worden van de uiterst lucratieve handel in Aziatische producten, die onder controle van de Portugezen staat, besluiten ze om de kostbare specerijen zelf te gaan halen. In 1595 vertrekt de eerste vloot onder leiding van Cornelis de Houtman en Gerrit van Beuningen naar Indië. Na twee jaar keren ze terug. De 'eerste schipvaart' is commercieel nauwelijks een succes, maar het

toont in ieder geval aan dat de Nederlanders zelf de gevaarlijke reis naar de onbekende wereld kunnen maken.

In verschillende steden, waaronder Hoorn, komen kooplieden bijeen om compagnieën op te richten, geld in te zamelen en schepen uit te rusten. Ze hebben hun zinnen voornamelijk gezet op peper en fijne specerijen – producten die in de Indonesische archipel te vinden zijn. Een van de belangrijkste promotors van de handelsreizen is de ambitieuze Zuid-Nederlandse Petrus Plancius, die niet alleen dominee, maar ook cartograaf is. Met zijn kaarten worden de eerste reizen naar Azië ondernomen. In deze spannende tijd wordt Coen op dertienjarige leeftijd door zijn vader naar kennissen in Rome gestuurd waar hij een commerciële opleiding krijgt en zich de nieuwste boekhoudmethodes eigen maakt.

Vanuit de Republiek rukt de ene vloot na de andere uit. Tot 1602 vertrekken er 65 schepen (in 15 reizen) naar Azië. Door de moordende concurrentie dalen de winsten op de specerijen dramatisch. Op 20 maart 1602 wordt de Verenigde Oostindische Compagnie opgericht. Voor een periode van 21 jaar krijgt de VOC van de overheid het monopolie op de vaart in een gebied van de Afrikaanse Oostkust tot Azië. De handelsonderneming wordt geleid door een hoofddirectie – de Heren Zeventien. In het buitenland mag de VOC verdragen sluiten, oorlog verklaren, forten bouwen, gouverneurs aanstellen en soldaten legeren. Nieuw is dat het kapitaal in aandelen is verdeeld. Daarom wordt de VOC wel de eerste naamloze vennootschap genoemd. De participanten brengen 6,4 miljoen gulden bijeen. De helft wordt ingebracht door Amsterdam, waar ook de hoofdvestiging van de VOC is. In vijf andere steden, waaronder Hoorn, komen vestigingen (kamers).

Als de goed opgeleide Coen uit Rome terugkeert, is het niet moeilijk voor hem om werk te vinden. In december 1607 stapt hij als onderkoopman aan boord van De Hoorn dat met een vloot van dertien schepen naar Azië vertrekt. Op zijn schip bevinden zich 110 zeelieden en 30 soldaten. Doorgaans is de bemanning gerekruteerd uit de grote groepen ongeschoolde werkers, zwervers, misdadigers, werkloze boeren en avonturiers die zich in de steden ophouden. Veel Nederlanders halen hun neus op voor dit werk, zodat bijna de helft van de bemanning wordt gevormd door buitenlanders uit Duitsland of Scandinavië. Terwijl de scheepsleiding achter de mast eigen hutten heeft, leeft het gewone scheepsvolk voor de grote mast. In het donkere ruim slapen ze in hangmatten naast elkaar. De hygiëne is slecht, besmettelijke ziektes grijpen snel om zich heen. Vaak zijn het drinkwater en het eenzijdige voedsel al snel bedorven. Volgens schatting sterft gemiddeld 15 procent van de opvarenden tijdens de heenreis, en nog eens 10 procent op de terugreis.

Het doel van de reis is Banda, waar de schepen in april 1609 arriveren. Deze minuscule archipel is destijds de enige plek ter wereld waar nootmuskaat groeit. Admiraal Pieter Willemszoon Verhoeff heeft de opdracht om het alleenrecht op de nootmuskaathandel te verkrijgen. Hij heeft een brief bij zich van stadhouder Maurits waarin de prins vraagt een fort op Banda te mogen bouwen. Omdat een antwoord op zich laat wachten, besluit Verhoeff met de bouw te beginnen. Tot de Bandanezen laten weten alsnog een gesprek te willen. Als Verhoeff zich naar de afgesproken plek begeeft, loopt hij in een hinderlaag en wordt vermoord. De manschappen die hem te hulp schieten, worden gedood. De Nederlanders nemen bloedig wraak. Uiteindelijk wordt een verdrag getekend. Voor de eeuwigheid zal Banda zijn nootmuskaat en foelie uitsluitend aan de VOC leveren. Op 28 juni 1611 is Coen – die getuige is geweest van de moordpartij en verteerd wordt door haat jegens de Bandanezen – terug in Hoorn.

Een jaar later vertrekt hij als opperkoopman opnieuw naar Indië. Zijn bestemming is Bantam, op de westpunt van Java, een van de belangrijkste stapelmarkten van de regio. Bijna alle Europese en Aziatische handelspartijen zijn er te vinden. Maar als Coen in Bantam arriveert, blijkt de Nederlandse handelspost in deplorabele staat te verkeren. Hij vindt dat er naar een andere plek moet worden uitgekeken. In zijn rapporten aan de Heren Zeventien klaagt hij voortdurend dat de VOC te weinig geld, schepen en manschappen stuurt. Ondanks zijn gefoeter, wordt hij in 1613 tot directeur-generaal benoemd: Coen heeft wel felle kritiek, maar geldt ook als een sobere, hardwerkende man die bovendien als een van de weinige VOC-bestuurders niet corrupt is.

Na de verwoesting van Jacatra wordt op de puinhopen van de oude Javaanse stad Batavia opgebouwd. Compleet met grachten, poorten, wallen en bruggen doet Batavia aan als een Hollandse stad in de tropen. Ook hier regeert Coen met straffe hand. Hij deelt fikse straffen uit aan mensen die op overtredingen betrapt worden. Het zijn vooral de Europeanen in Batavia (waar verder ook slaven, krijgsgevangenen, Japanners en Chinezen wonen) die zich misdragen. Herhaaldelijk dringt hij er bij de Heren Zeventien op aan om meer mensen te sturen voor volksplantingen – voor de lokale bevolking heeft hij geen enkel respect. Coen droomt van een koloniaal rijk, waar hij met de stichting van Batavia de basis voor legt. Ook pleit hij voor het sturen van goedopgevoede ongetrouwde meisjes en weeskinderen die in Indië kunnen opgroeien en trouwen. Zijn verzoeken worden niet gehonoreerd. Coen zet zich in voor de verspreiding van het protestantse geloof, maar van de dominees die de voc stuurt heeft hij meestal geen hoge dunk.

In 1621 rukt Coen met een enorme oorlogsvloot op naar de Banda-eilanden. Als Coen met zijn manschappen arriveert, slaan de Bandanezen op de vlucht. Maar bijna niemand ontkomt. Dorpen worden platgebrand, schepen vernield. In een paar weken tijd wordt de bevolking van de archipel nagenoeg uitgemoord. Aan dit bloedbad heeft Coen zijn bijnaam 'De Slachter van Banda' te danken. Slechts een paar honderd van de naar schatting 15.000 Bandanezen overleeft de massaslachting. Zij hebben op tijd weten te vluchten of zijn als slaven gevangengenomen. Aangezien op de ontvolkte eilanden niemand meer is om de specerijbomen te verzorgen, laat Coen slaven naar Banda brengen om de nootmuskaatbomen te verzorgen. De grond wordt verdeeld onder Nederlanders die de perken (plantages) als perkeniers zullen runnen. Coens pogingen om China te onderwerpen mislukken. In 1623 wordt op Ambon een groep Engelsen – die van een complot tegen de Nederlanders worden verdacht – opgepakt, op gruwelijke wijze gemarteld en vermoord. Slechts twee Engelsen worden vrijgelaten. De Amboyna Massacre leidt in Europa tot een diplomatieke rel. De Engelse koning ontsteekt in woede over Coens optreden.

Op het moment van de Ambonse Moord is Coen al niet meer niet in Indië. Hij is op eigen verzoek vertrokken naar Nederland, waar hij met alle egards wordt onthaald door de Staten Generaal en Prins Maurits. Voor de verovering van Batavia en Banda wordt hij fors beloond. Coen, die 38 jaar en een vermogende vrijgezel is, trouwt in 1625 met Eva Ment, een dochter van een verarmde Amsterdamse regentenfamilie. Opnieuw in de functie van gouverneur-generaal vertrekt hij samen met zijn vrouw en schoonzus in 1627 naar Batavia. De Javaanse *soesoehoenan* (keizer) wil Bantam veroveren en eist hulp van de Nederlanders. Als Coen weigert, besluit de Javaanse vorst Batavia tot twee maal toe aan te vallen. Tijdens het tweede beleg bevalt Eva van een dochtertje, dat echter snel na de geboorte sterft. Coen sterft drie dagen later op 21 september 1629 – waarschijnlijk aan cholera. Een week later verslaan de voc-troepen het leger van Mataram.

### Willem Barentsz (CA. 1550-1597)

In een poging via het noorden van Europa en Azië een route naar Indië te vinden, onderneemt zeevaarder Willem Barentsz drie tochten. Bij de laatste expeditie in 1596 ontdekt hij Spitsbergen en Bereneiland. Nadat zijn schip is vastgelopen in het ijs, overwinteren de zeelieden (winter 1596-1597) op Nova Zembla, waar ze het Behouden Huys bouwen. In de lente vertrekken ze met twee sloepen richting Nederland. Willem Barentsz sterft onderweg. Vanaf dat moment zijn expedities om een noordelijke doorvaart te vinden van de baan. De Barentszee is vernoemd naar de zeevaarder van Terschelling.

### Abel Jansz Tasman (1603-1659)

In dienst van de VOC verkent zeevaarder Tasman handels- en vaarroutes en potentiële rijke gebieden in Azië (rond Indonesië, Japan, Filippijnen, China, Korea, Siberië, Formosa, Cambodja). hij voert ook patrouilles uit ter bescherming van de koloniale handel. In 1642 krijgt Tasman de opdracht om de zeeroute naar Zuid-Amerika te vinden. Hij ontdekt het eiland bezuiden Australië (tegenwoordig Tasmanië) waar hij sporen van een menselijke beschaving aantreft. Ook verkent Tasman de westkust van Nieuw-Zeeland (dat hij Statenland noemt). Via Tonga, Fiji en de Salomon-eilanden vaart hij terug naar Batavia. Tasman is de eerste zeevaarder die om het zuiden van Australië heen vaart. Hij wordt beloond met hoge VOC-posities in Batavia, maar raakt vanwege gewelddadig gedrag uit de gratie.

### Jan Anthonisz van Riebeeck (1619-1677)

Van Riebeeck werkt als onderchirurgijn voor de VOC in gebieden als Formosa, maar wordt in 1648 ontslagen. Als opperkoopman wordt hij in 1651 opnieuw uitgezonden met de opdracht een verversingsstation te stichten aan de Kaap de Goede Hoop. Hij wordt gezien als de grondlegger van de Nederlandse volksplanting waar de latere blanke boerenbevolking van Zuid-Afrika uit voortkomt. Van Riebeeck keert terug naar Azië waar hij hoge VOC-bestuursfuncties bekleedt. Zijn zoon wordt later gouverneur-generaal van de VOC in Batavia.

# Joost van den Vondel (1587-1679)

'Het hemelsche gerecht heeft zich ten lange lesten/ Erbarremt over my, en mijn benaeuwde vesten.' Joost van den Vondel schrijft in 1637 *Gijsbreght van Aemstel*, het beroemdste toneelstuk uit de Nederlandse literatuurgeschiedenis. Eeuwenlang wordt het elk jaar in de eerste week van het nieuwe jaar in Amsterdam uitgevoerd. Vondel is een vernieuwer van het toneel, zijn werk behoort in de zeventiende eeuw tot de avant garde. Hij stapt af van bestaande conventies in het theater en hij introduceert bijbelse personages als tragische helden. Ze spreken in een sprankelend en oorspronkelijk Nederlands.

Joost van den Vondel wordt geboren op 17 november 1787 in Keulen. Hij is de oudste van zeven kinderen. Zijn doopsgezinde ouders Joost van den Vondel en Sara Cranen zijn uit angst voor godsdienstige twisten uit Antwerpen vertrokken. Maar in Duitsland kunnen ze ook niet blijven. In 1595 trekt het gezin verder, eerst naar Utrecht, in 1595, en twee jaar later naar Amsterdam. Vondel gaat in Utrecht naar school, maar hij leert pas later Latijn. Op de Warmoesstraat opent Vondel senior een syde-winkel, het belangrijkste product: kousen. Na het overlijden van zijn vader werkt Vondel junior als compagnon in de zaak. Maar zijn moeder is niet onder de indruk van zijn zakelijke instincten. Bij haar dood, in 1637, heeft ze hem gedeeltelijk onterfd. Joost trouwt in 1610 met Maeyken Wolff – drie jaar eerder is zijn zus getrouwd met de broer van Maeyken. In 1612 krijgen ze hun eerste kind, Joost. Er komen nog twee dochters, Anna en Sara, en een zoon, Constantijn.

In 1605 debuteert Vondel met een gedicht ter gelegenheid van de bruiloft van zijn buurvrouw en een jaar later wordt hij lid van een literaire club, de rederijkerskamer Het wit lavendel. In 1610 schrijft hij zijn eerste grote toneelstuk, *Het Pascha ofte de Verlossinge Israels wt Egytpten, tragecomedischer wyse eenyeder tot leeringh op tonneel gestelt*. Het is het verhaal van de vlucht van het joodse volk uit de Egyptische slavernij. In de zeventiende eeuw ondergaat de literatuur in Europa ingrijpende veranderingen. In Engeland moderniseert William Shakespeare het toneel. Hij overlijdt op 23 april 1616 (zes jaar na Vondels eerste toneelstuk). Op precies dezelfde dag overlijdt in

Madrid Miguel Cervantes Saavedra die met zijn *Don Quijote* de Europese roman vernieuwt. Literatuur maakt zich langzaam los van de slaafse navolging van de klassieken, conventionele retorica en voorgeschreven stijlfiguren.

In de eerste jaren van de zeventiende eeuw zijn de vijandelijkheden tussen Spanje en Nederland opgeschort door het Twaalfjarig bestand dat in 1609 wordt gesloten. Dat betekent economische voorspoed, maar de vrede brengt ook de onderlinge godsdienstige meningsverschillen boven. De religieuze onverdraagzaamheid neemt toe. Vondel zet zijn woede over het gedrijf van de calvinisten op papier. Net als veel Nederlanders is Joost van den Vondel in 1619 verontwaardigd over de manier waarop stadhouder Maurits de godsdiensttwist tussen de remonstranten en de contra-remonstranten beslecht. De prins laat landsadvocaat Johan van Oldenbarnevelt onthoofden en zet andere prominenten gevangen, onder wie Vondels latere vriend Hugo de Groot. Hij zet zijn verontwaardiging om in het hekeldicht *Geusevesper*. Maar als Vondel wordt gesuggereerd om een treurspel te maken over Oldenbarnevelt, antwoordt hij dat het daarvoor nog geen tijd is. Hij zet zich in 1625 toch aan het stuk *Palamedes oft vermoorden onnooselheyd*. Het is het eerste stuk dat hem in problemen brengt met de autoriteiten. In de klassieke held *Palamedes* herkent het publiek de landsadvocaat. In de voorrede schrijft Vondel: 'Immers ook onder de ambtsdragers bewandelen slechts weinigen het moeilijke pad der deugd. Degenen die het doen, verwerven zich de liefde van hun volk. Maar zij maken zich ook vele vijanden.' Vondel citeert in de voorrede uit het werk van Griekse en Latijnse schrijvers om te onderstrepen dat het gaat om een klassieke tragedie, met een klassieke held. Maar het stadsbestuur is niet overtuigd. Als zijn zaak voorkomt bij de schout en de schepenen van Amsterdam, pleiten zijn advocaten voor de vrijheid van de poëzie en het toneel. Overeenkomsten met bestaande personen zijn toevallig: 'Dewyl elk een uitlegger was van zyn eige woorde.' Dat pleidooi maakt weinig indruk. Het boek wordt verboden, maar het blijft wel ondergronds in omloop. Vondel duikt onder, maar dat blijkt niet nodig te zijn. Hij krijgt alleen een boete van driehonderd gulden.

*Palamedes* speelt in Troje. Zijn beroemdste toneelstuk *Gijsbreght van Aemstel* verwijst ernaar. Maar het stuk is ook een verwijzing naar de geschiedenis van Amsterdam en de geboorte van Jezus Christus in Bethlehem. *Gijsbreght* speelt in de kerstnacht, als de belegering van Amsterdam door de Kennemers en de Waterlanders ten einde lijkt. De belegeraars zijn vertrokken en hebben een schip gevuld met rijshout achtergelaten. De Amsterdammers halen het schip binnen en gaan opgetogen kerstfeest vieren. In het schip met hout zitten soldaten – net zoals er soldaten in het paard van Troje zaten – die de Haarlemmerpoort veroveren zodat de belegeraars binnen de muren kunnen komen.

Vondel schrijft het toneelstuk in 1637 ter gelegenheid van de opening van de nieuwe schouwburg aan de Keizersgracht op 26 december. Vondels grote voorbeelden zijn klassieke dichters als Vergilius en Seneca. Jarenlang werkt hij aan de vertaling van de *Aeneis* van Vergilius en hij is gefascineerd door het verhaal over de val van het trotse Troje dat zich de woede van de Grieken op de hals heeft gehaald door de schaking van Helena, echtgenote van de koning van Sparta. Troje weerstaat haar belegeraars en moet dat duur bekopen. Gijsbreght is de trotse held van Amsterdam. Hij heeft gecomplotteerd tegen Floris V, de graaf van Holland. De belegeraars komen wraak nemen voor de dood van graaf Floris. Gijsbreght is hoogmoedig en zegt liever te sterven dan te vluchten of zich over te geven. 'Ick ben met eenen dood voor al mijn leven vry.' En als hij dan toch dood moet, neemt hij zoveel mogelijk vijanden mee naar de hemel. Uiteindelijk daalt engel Rafaël af uit de hemel om Gijsbreght te overtuigen en verlaat Gijsbreght de stad. 'Vaer wel, mijn Aemsterland: verwacht een andren heer.'

De meningen over het toneelstuk zijn verdeeld. Niet omdat Vondel losjes is omgesprongen met de historische feiten – de verovering van Amsterdam in 1304 door de Hollanders is net iets anders gegaan –, maar de kerkeraad vindt het te rooms. Vondel heeft een mis opgenomen in Gijsbreght van Aemstel en de bisschop en de clarissen mooie rollen toebedeeld. Dat zint de ouderlingen niet. De uitvoering heeft daarom, in aangepaste vorm, pas plaats in het nieuwe jaar, op zondag 3 januari 1638. Tijdens zijn leven wordt het stuk 120 keer opgevoerd. De Gijsbreght, die steeds meer als een historisch stuk over Amsterdam geldt, wordt zelfs een traditie; in de volgende drie eeuwen wordt het steeds in het nieuwe jaar opgevoerd. Het is niet de eerste keer dat Vondel op de tenen staat van de kerkelijke autoriteiten. Hij schrijft tussen 1625 en 1630 hekeldichten waarin hij corrupte regenten en gereformeerde dominees bespot. Hij neemt het op voor Oldenbarnevelt en rekent in *Decretum horribele* af met de predestinatieleer, volgens welke God al het leven heeft voorbestemd, van de contraremonstranten. Als hij zich ook nog eens bekeert tot het katholicisme, is dat geen verbetering van zijn positie. Hij vervreemdt zich van zijn invloedrijke vrienden, onder wie schrijver Pieter Cornelisz Hooft, drost van Muiden en baljuw van Gooiland.

In 1640 bereikt Joost van den Vondel een mijlpaal in de Europese literatuur met het stuk *Gebroeders*, over de bijbelse koning David. Hij stapt af van de ideeën van de Romeinse schrijver Seneca, de gebruikelijke leidraad voor tragedieschrijvers. Vondel grijpt verder terug, naar Sophocles, Aristoteles en Euripides. Vondel heeft laat Latijn geleerd waardoor hij de Grieken in Latijnse vertaling van Hugo de Groot of Erasmus ook later pas ontdekt. Vondel gebruikt het Griekse model om christelijke tragedies te schrijven. In zijn tragedies figureren bijbelse personages en daarmee is hij een van de eerste schrijvers in Europa. In 1654 gaat Vondels meesterwerk in première: *Lucifer*, een toneelstuk dat zich, nieuw voor die tijd en uniek in de wereldliteratuur, afspeelt in de hemel. In zijn meest vertaalde stuk staan afvallige engelen onder leiding van Lucifer op tegen God en verleiden de mens tot zonde. Ongehoord vindt de kerk, je kunt natuurlijk niet zomaar engelen laten spreken op toneel: onheilig, onkuis, afgodisch en vals. De kerk heeft last van de vrijpostigheid in het theater. Het concurreert in hun ogen met de boodschap die de dominees vanaf het kansel preken. *Lucifer* wordt slechts twee keer opgevoerd, op 2 en 4 feburari dat jaar. Op 5 februari verbiedt het Protocol van de Kerkeraad *Luisevaers treurspel*, te beginnen met 'morghen' en dan 'noyt na desen dagh'. Het wordt nog wel zes keer uitgegeven in de jaren vijftig. Pas twee eeuwen later ontfermt zich de schrijver Jacob van Lennep over Vondels magnum opus. Hij laat het in 1844 opvoeren, door spelers in zwarte rok. Vondel draagt het stuk op aan de katholieke vorst Ferdinand III, van wie hij hoopt dat hij de Europese vorsten zal verenigen tegen de Turken. Vondel vindt, net als Jacob van Maerlant een paar eeuwen eerder, dat de christelijke vorsten de opdracht hebben het christendom te beschermen.

De laatste jaren van Vondels leven zijn tamelijk bitter. Zijn vrouw is overleden en zijn nieuwe vrouw Baerte Hooft geeft al zijn geld uit. Zijn zoon, Joost junior, is onfortuinlijk in zaken. Hij mislukt in de kousenhandel en ook in het makelaardijschap. Vondel neemt de schulden van zijn zoon op zich, die in een poging geld te verdienen in de koopvaardij omkomt op zee. Vondel is tot de laatste stuiver aansprakelijk voor de schulden van junior. Op voorspraak van de burgemeestersvrouw Anna van Hoorn krijgt Vondel, op zeventigjarige leeftijd, een aanstelling bij de 'bank van lening', tegen een jaarsalaris van 650 gulden. Hij werkt tien jaar bij de bank. In 1674 houdt hij op met dichten. Hij woont met zijn enig overgebleven zoon Justus en diens vrouw op een bovenwoning aan het Singel in Amsterdam. Op 5 februari 1679 overlijdt hij. Hij wordt als ''s lants outste en grootste poeet' begraven in de Nieuwe Kerk.

### Jacob Cats (1577-1660)

Politicus en schrijver. Cats is advocaat in Middelburg en maakt carrière in de politiek. In 1636 bekleedt hij als raadspensionaris van Holland een van de hoogste politieke functies in de Republiek. Hij schrijft een stichtelijk en burgerlijk oeuvre. In de emblemata, de moraliserende praatjes bij de plaatjes, houdt Vadertje Cats zijn lezers voor hoe het hoort en waarschuwt ze voor de valkuilen van de liefde. Zijn werk heeft vooral een cultuurhistorische waarde. Hij trekt zich in 1652 terug op zijn landgoed Sorghvliet bij Den Haag, het tegenwoordige Catshuis.

### Pieter Cornelisz Hooft (1581-1647)

Voor zijn twintigste schrijft burgemeesterszoon Hooft al zijn eerste tragedie: *Achilles en Polyxena*. Hij schrijft de beroemde klucht *Warenar*, – een oefening in lager toneelstijl, volgens Hooft. Nadruk voor hem ligt bij geschiedenis en tragedies. Vondel stemt zijn *Gijsbreght van Aemstel* af op Hoofts tragedie *Geeraerdt van Velsen* uit 1613 waarin ook de grafelijke twisten in Holland spelen. Van 1609 tot zijn dood resideert de drost van Muiden in het Muiderslot, maar dan niet in de winters. Op het kasteel wordt gemusiceerd en voorgedragen. De kring bestaat uit Maria Tesselschade, Anna Roemersdr. Visscher, Francisca. Duarte en Caspar van Baerle. Andere kunstenaars – Huygens, Vondel, Vossius en Mostaert – bezoeken het slot incidenteel.

### Gerbrant Bredero (1585-1618)

Schrijver Bredero, zoon van een schoenmaker, is lid van dezelfde literaire club (rederijkerskamer) als Hooft: d'Eglantier. Hij wordt opgeleid tot schilder. 't Kan verkeren: hij wordt schrijver en schrijft boertige liederen, romantische stukken, blijspelen en kluchten. *De Spaansche Brabander* is een hoogtepunt in zijn oeuvre. Hij schrijft naturel, herkenbaar. Zijn taal is niet zo bedacht als die van Hooft en Vondel, waardoor hij nog steeds een van de meest leesbare schrijvers is uit de zeventiende eeuw. Hij zakt in 1617 met een slee door het ijs, de gevolgen waarvan kunnen hebben bijgedragen aan zijn vroege dood. Hij is 34 jaar geworden.

# Michiel de Ruyter (1607-1676)

Als Michiel de Ruyter in 1633 aanmonstert bij de walvisvaarder De Groene Leeuw is hij zesentwintig jaar en heeft hij al vijftien jaar ervaring als zeeman. Hij is opgeklommen van scheepsjongen tot stuurman. Drie jaar later wordt hij zelfs kapitein. Zijn maritieme loopbaan begint op zijn elfde, wat in die tijd niet ongebruikelijk is. Zeevaartscholen bestaan nog niet. Ook marineofficieren stappen op zeer jonge leeftijd aan boord. Zijn vader heeft ook gevaren, maar werkt na zijn varenstijd in Vlissingen als bierdrager. Na zijn schooltijd draait Michiel de Ruyter voor zes stuivers – 'in een blauwgeruite kiel' – aan het touwslagerswiel op de lijnbaan in Vlissingen, dat nog steeds tentoongesteld wordt in een glazen vitrine in het Stedelijk Museum Vlissingen. Zijn eerste baan op zee is die van bootsjongen. In 1622 neemt hij dienst als kanonnier bij het Staatse leger, dat onder bevel staat van prins Maurits.

Het is een kort uitstapje op het land. Hij monstert in oktober van datzelfde jaar weer aan en vervult verschillende functies op zee. Waar en wat hij tussen 1623 en 1631 precies heeft gedaan is onbekend. Informatie over zijn tijd op zee komt uit zijn scheepsjournaals, en die ontbreken uit die periode. Uit de verslagen die er wel zijn, komt een nauwgezette en zeer godsdienstige kapitein te voorschijn. Telkens als hij behouden aankomt, dankt hij daarvoor de Almachtige: 'Wederom wel gearyveert, Godtdanck.'

In 1631 trouwt hij met Maayke Velders. Ze overlijdt negen maanden na het huwelijk in het kraambed. Het meisje dat wordt geboren, Aaltje, sterft drie weken later. De Ruyter is op zee en hoort het nieuws pas bij aankomst. In de jaren dertig vaart hij in dienst van de Noordse Compagnie als stuurman op de walvisvaart. In 1636 trouwt hij opnieuw, met een meisje bij hem uit de straat in Vlissingen. Neeltje Engels en De Ruyter krijgen samen vier kinderen. In 1637 bestrijdt hij de kapers van Duinkerken. Daarna steekt hij als koopvaardijkapitein een aantal malen de oceaan over naar Brazilië en het Caribisch gebied. Zijn eerste oorlogservaring doet hij op in 1641. De Staten-Generaal hebben besloten Portugal bij te staan tegen Spanje. Na een zeeslag waarbij het schip van De Ruyter, De Haze, bijna zinkt, verlaat hij de marine

weer en vaart hij met De Salamander op Marokko en Amerika. Als hij in 1650 op reis is naar de Antillen, overlijdt zijn tweede vrouw. Hij trouwt voor een derde keer, ditmaal met de zeemansweduwe Annetje van Gelder, en hij stelt zich in op een 'gerustelijk' (gezins)leven. Hij heeft goed verdiend en is, gemeten naar de maatstaven van zijn tijd, op leeftijd.

Maar het mag niet zo zijn. De Nederlandse Republiek raakt in de zeventiende eeuw ongeveer met alle Europese machten in oorlog. Die oorlog voltrekt zich voor een belangrijk deel op zee. De grootste tegenstander is Engeland. Daar is in 1649 koning Karel I onthoofd. De republikeinen beginnen onder leiding van Oliver Cromwell onmiddellijk op zee schepen aan te houden. Zij hebben hier recht toe vanwege het door hen gestelde beginsel *mare clausum*. De Nederlanders zien liever dat de zee van iedereen is, zoals rechtsgeleerde Hugo de Groot formuleert in *mare liberum*. Dat is beter voor de handel. Oorlog kost geld, en de Staten hebben nauwelijks geïnvesteerd in een vloot. Als de dreiging toeneemt, worden koopvaardijschepen omgebouwd tot oorlogsschepen; daardoor zijn de Nederlandse schepen tot halverwege de jaren vijftig bijna altijd kleiner dan de Engelse. Voor oorlogvoering is bovendien weinig animo. Met de discipline is het slecht gesteld. Bemanningen protesteren tegen inzet en tijdens zeeslagen slaan kapiteins op de vlucht. Daarnaast is er een groot organisatorisch probleem. Elke stad benoemt zijn eigen vlagofficieren, zodat er een overschot aan kader ontstaat – een probleem waarmee de Nederlandse krijgsmacht nog steeds kampt. De benoeming van een opperbevelhebber is een gevoelige politieke kwestie. De Staten-Generaal bemoeien zich overigens met alles bij de vloot, tot en met het kaliber van de kanonnen aan toe.

Michiel de Ruyter blijkt de beste kandidaat voor het opperbevel. Hij is loyaal, stipt in het uitvoeren van zijn orders en hij heeft geen uitgesproken voorkeur voor de familie Van Oranje, wat zijn concurrent Cornelis Tromp wel heeft. Van zijn heldendaden gaat ook een wervende werking uit. Hoe groter het prestige van de marine, hoe makkelijker het is om personeel te vinden. De Ruyter vestigt zijn reputatie door deel te nemen aan expedities tegen kapers. Hij wordt een idool in de Eerste Engelse Oorlog door de slag die hij op 23 augustus 1652 levert tegen de vloot van de Engelse admiraal George Ayscue. Hij boekt in de ogen van het publiek de eerste overwinning op de Engelsen, die veel meer doden en gewonden hebben, en brengt een konvooi van koopvaarders veilig thuis. De Ruyter valt ook op bij de raadpensionaris van Holland, Johan de Witt, die zich sterk maakt voor uitbreiding van de marine. Hij ziet dat legeronderdeel als een belangrijk instrument voor zijn internationale politiek, en bovendien als een middel om de politieke onrust in Nederland te bestrijden. Hij publiceert de brieven die De Ruyter hem stuurt als pamfletten, waarmee hij diens bekendheid verder vergroot en waardoor het aanzien van de marine verder toeneemt. Maar de roem van een zeeheld kan broos zijn. Admiraals die in de ogen van het publiek niet slagen, kunnen beter niet meer thuiskomen. Hun huizen worden geplunderd en ze worden wegens plichtsverzuim veroordeeld. Volgens Cornelisz Witte de With is zijn collega-zeeheld Tromp banger voor het Hollandse grauw dan voor de vijand.

De Ruyter heeft weinig te vrezen. Sinds 1655 woont hij in Amsterdam op het Nieuwe Waalseiland (tegenwoordig de Prins Hendrikkade). Hij is vice-admiraal van de Amsterdamse admiraliteit. Hij krijgt een van de mooiste en grootste nieuwe schepen: De Zeven Provinciën. Het admiraalsschip van De Ruyter is bewapend met tachtig stukken en de bemanning telt 475 man. Op de Batavia-werf in Lelystad wordt tot 2013 gebouwd aan een replica. In juni 1666 vaart hij uit om in opdracht van de Staten-Generaal de Engelse vloot te ruïneren. De vierdaagse slag, de langste zeeslag ooit, wordt gewonnen door De Ruyter. Zijn commando is effectief en zijn strategie is succesvol. Veel meer dan voorheen treden de schepen onder zijn leiding in formatie op, in plaats van gevechten van schip tegen schip waarbij net zo lang wordt geschoten totdat een schip zinkt of onbestuurbaar afdrijft. De Ruyter kan ook delegeren. De officieren weten precies wat er van hen wordt verwacht en kunnen tijdens de slag zelfstandig besluiten nemen. Het seinsysteem met vlaggen voldoet nog niet en De Ruyter steekt tijdens de krijgsraad veel energie in de voorbereidingen en oefeningen. Voor de bemanning is hij 'bestevaer' (grootvader): een kapitein met oog voor het lot van de bemanning. Dat hij ooit zijn loopbaan begon als matroos, betekent niet dat automatisch hij de kant van de matrozen kiest. Hij weet wat hij van hen kan verwachten en hij weet ook wanneer ze de kantjes ervanaf lopen – en dan aarzelt hij niet om hard op te treden. Geregeld is hij woedend over de te geringe moed en inzet van zijn bemanningen.

Na zijn eerste slag als opperbevelhebber is de schade aan Nederlandse kant: vier schepen verloren, tweeduizend doden en gewonden. De Engelsen verliezen twintig schepen en hebben vijfduizend doden en gewonden. Een jaar later, op 22 juni 1667, boekt de Nederlandse marine de gedenkwaardigste overwinning uit zijn geschiedenis. Een eskader vaart de Theems op en vernietigt of verovert bij Chatham de mooiste schepen van de Engelse vloot, waaronder het vlaggenschip De Royal Charles. De versiering van de spiegel (de achterkant van het schip) wordt bewaard in het Amsterdamse Rijksmuseum. De eer voor de gedurfde aanval gaat vooral naar kapitein Jan van Brakel, die het eskader aanvoert. De Ruyter arriveert pas aan het einde van de dag in een sloep. Hij kwakkelt al enkele maanden met zijn gezondheid. Maar in heel Engeland is de admiraal nu bekend en vooral gevreesd. De zege bij Chatham vereenvoudigt de vredesbesprekingen. De Republiek kan onder leiding van De Witt op gunstiger voorwaarden vrede sluiten – op 31 juli in Breda, met de Engelsen. De Ruyter wordt er nadien als 'der Staten rechterhand' nog steeds op uitgestuurd om de wensen van de republiek kracht bij te zetten. Hij voert oorlog met en tegen bijna alle Europese mogendheden die er maritiem gezien toe doen en is een pion in het machtsspel van de Republiek.

Maar hoe machtig de Republiek en de raadpensionaris ook zijn, oorlog met heel Europa is te veel van het goede. In 1672, het zogenoemde rampjaar, voert Nederland oorlog met (opnieuw) Engeland, Frankrijk, Keulen en Münster. Hoewel De Witt wil voorkomen dat Willem III stadhouder wordt, treedt die als de crisis op een hoogtepunt is toch aan. De Witt en zijn broer worden op straat door een volksmenigte vermoord – wat waarschijnlijk een complot is waaraan ook admiraal Cornelis Tromp meedeed. Willem III handhaaft De Ruyter als opperbevelhebber. Hij benoemt hem zelfs tot de speciaal voor hem gecreëerde rang van luitenant-admiraal-generaal. De Ruyter voorkomt door de zeeslagen bij Solebay en Kijkduin dat de Engels-Franse vloot de Nederlandse vloot vernietigt. Zo voorkomt hij ook een invasie. In 1675 wordt hij naar de Middellandse Zee gestuurd om met Spanje tegen de Fransen te vechten. De Ruyter is er, inmiddels achtenzestig jaar oud, fysiek niet best aan toe. Hij protesteert tegen het geringe aantal schepen dat hij meekrijgt, maar hij vaart toch uit. Tijdens de slag bij de Etna, op 22 april, wordt hij geraakt door een kanonskogel. Hij verliest een deel van zijn linkervoet en zijn rechteronderbeen wordt verbrijzeld. Hij overlijdt een week later aan boord aan zijn verwondingen. Zijn ingewanden worden op Sicilië begraven; het lichaam keert terug naar Amsterdam. Daar wordt hij begraven in de Nieuwe Kerk.

### Piet Heyn (1577-1629)

Piet Heyn is de tot in de twintigste eeuw bezongen vlootvoogd die Spaanse konvooien overviel en daarmee in Nederland een held werd: 'Piet Heyn, Piet Heyn / Zijn naam is klein / Zijn daden benne groot / Hij heeft gewonnen de Zilv'ren Vloot. ' Nederlander is mede dankzij hem in Spaanse geschiedenis-boeken synoniem met 'piraat'. Hij werkt voor de Verenigde Oostindische Compagnie en wordt in 1623 vice-admiraal van de Westindische Compagnie. Zijn beroemdste wapenfeit is de verovering van de Spaanse zilvervloot in september 1628 in de Baai van Matanzas. De buit bedraagt omgerekend zo'n zes miljoen euro. Hij bestrijdt na zijn bevordering tot luite-nant-admiraal de kapers in Oostende, waarbij hij in 1629 sneuvelt.

### Maerten Tromp (1598-1653)

Tromps vader, die officier is bij de marine, neemt hem als negenjarige voor het eerst mee naar zee. Klimt op tot de hoogste rang, luitenant-admiraal en wordt de populairste zeeheld van zijn tijd. De bemanning noemt hem 'beste-vaer'. Hij geeft aanleiding tot de Eerste Engelse Oorlog in 1652 doordat hij bij Dover weigert als eerste zijn vlag te strijken voor de Engelse opperbevel-hebber. Lijdt na aanvankelijk ontslag door de Staten-Generaal een 'roemrijke nederlaag' tegen de Engelsen door met de vloot 's nachts te ontsnappen. Hij sneuvelt in 1653 tijdens de zeeslag bij Ter Heijde. Zijn zoon Cornelis Tromp gaat ook bij de marine, maar kan, mede vanwege zijn weerbarstige karakter, vaders successen nooit evenaren.

### Cornelisz Witte de With (1599-1658)

Witte de With begint net als de meeste zeehelden een carrière als scheeps-jongen. Hij is hofmeester van Jan Pietersz Coen; vlaggenofficier van Piet Heyn en wordt in 1637 vice-admiraal van Holland en West-Friesland. Hij is een bekwaam zeeman, maar krijgt slechts kort het opperbevel. Hij is moedig, maar ook te driest en te onstuimig in de ogen van zijn bazen in de Staten-Generaal. Door zijn ruwe optreden en harde straffen zien ook de meeste bemanningen hem niet zitten; ze deserteren voordat hij kan uitvaren, en in sommige gevallen ontzeggen ze hem met geweld de toegang tot het schip. Hij sneuvelt bij de slag in de Sont in 1658.

# Rembrandt van Rijn (1606-1669)

Rembrandt Harmenszoon van Rijn wordt op 16 juli 1606 in Leiden geboren. Zijn moeder heet Neeltje. Zijn vader, Harmen Gerritszoon, is molenaar. Rembrandt is het vijfde kind in het gezin. Gerrit, zijn oudste broer, volgt hun vader op als molenaar, een beroep dat in die dagen geen arm of nederig bestaan betekent. Zijn andere broers worden bakker en laarzenmaker. Rembrandt wordt schilder – in die dagen ook een gewoon beroep, of beter gezegd: ambacht. Schilderen geldt in de zeventiende eeuw nog niet als roeping, maar al vrij snel wordt duidelijk dat de doeken van Rembrandt het alledaagse en gewone overstijgen.

In 1609, als Rembrandt drie jaar oud is, wordt het Twaalfjarig Bestand gesloten. De overeenkomst tussen Spanje en de Verenigde Nederlanden houdt de tijdelijke opschorting in van de wederzijdse vijandelijkheden en betekent ook dat Spanje de Republiek erkent. Het bestand is het startsein voor een geweldige economische hausse in Nederland. De Tachtigjarige Oorlog (of: Opstand) heeft vanaf het begin in 1568 een belangrijke religieuze component. Een van de aanleidingen tot de oorlog is de strenge vervolging van de protestanten door de Spanjaarden. Religie is een zwaarwegende maatschappelijke factor. Zeker in Holland is het met zijn beroep van belang voor je carrière om van de goede kerk te zijn. Rembrandt hoeft zich geen zorgen te maken. Hij wordt protestants opgevoed in Leiden, een van de eerste steden in Nederland die de Spaanse legers in 1573-1574 succesvol weerstond. Het geloof is onlosmakelijk verbonden met zijn kunstenaarschap. Niet alleen door de thematiek – hij heeft bijna de hele bijbel geïllustreerd –, maar ook door zijn (protestantse) opdrachtgevers. Zij willen geen heiligen of engeltjes, maar herkenbare, leerzame taferelen uit de bijbel. In Holland ontbreekt het aan de gebruikelijke gefortuneerde opdrachtgevers zoals de kerk en het hof. De kerken zijn tijdens de beeldenstorm zo goed mogelijk ontdaan van elke vorm van versiering. De stadhouder, prins Maurits, heeft weinig belangstelling om mecenas van de kunst te zijn, zoals andere Europese vorsten. Zijn broer, en in 1625 zijn opvolger Frederik Hendrik, heeft iets meer belangstelling voor de kunst. De dichter en politicus Constantijn Huygens bestelt

namens de stadhouder een passieserie (een serie over de kruisiging van Jezus Christus) en enkele mythologische taferelen bij Rembrandt. Die schilderijen behoren tot de weinige mythen die Rembrandt schildert. Rembrandt brengt de beroemdste scènes uit de bijbel tot leven voor zijn publiek. Hij beeldt de profeten en aartsvaders af op de meest dramatische momenten in hun bestaan. De wanhoop, het verdriet en de vreugde van de bijbelse figuren zijn ook na meer dan driehonderd jaar zonder bijbelkennis te begrijpen. De doeken drukken intimiteit en tederheid uit, dankzij zijn fabelachtige techniek. Rembrandt schildert een radeloze Judas die, vol berouw, het geld terug wil geven dat hij heeft ontvangen voor het verraden van zijn heer, Jezus Christus. Rembrandt schildert ook Bathseba, de vrouw die de begeerte van koning David wekt door op het dak van haar huis te baden. David stuurt haar man daarop de oorlog in om ervoor te zorgen dat hij sneuvelt. Op het schilderij heeft Bathseba zojuist bericht van het front gekregen. Haar man is dood. Niets staat een huwelijk met de koning nog in de weg. Het gefronste gezicht van Bathseba heeft na eeuwen niets aan zeggingskracht verloren.

Alledaagsheid en herkenbaarheid zijn kenmerken die Rembrandt gaandeweg ontwikkelt. In 1620 neemt hij zijn eerste lessen – hij schildert Bathseba in 1654. Zijn eerste schilderleraar is Jacob van Swanenburgh in Leiden. Rembrandt blijft drie jaar in het atelier van Van Swanenburgh, een schilder die nu nog slechts bekend is als de docent van Rembrandt. In de jaren op het atelier van zijn docent leert Rembrandt verf mengen en doeken prepareren. Belangrijker voor zijn ontwikkeling als schilder zijn de lessen in Amsterdam bij Pieter Lastman, die net als Van Swanenburgh in Italië is geweest en is beïnvloed door de Italiaanse meesters. De eerste doeken die Rembrandt schildert zijn vol licht en heldere kleuren. In 1625 keert hij terug naar zijn geboortestad en werkt samen met de schilder Jan Lievens in een atelier. Voor een studiereis naar Italië heeft hij geen tijd, maar de Italiaanse invloed op zijn werk is onmiskenbaar. Vooral Michelangelo Caravaggio (1571-1610) dient als voorbeeld. Maar al snel ontwikkelt Rembrandt zijn eigen manier om licht en donker te vangen in zijn schilderijen. Zijn kleurgebruik wordt ingetogener dan dat van de Italiaanse meesters en zijn toets wordt losser, grilliger zelfs. De compositie van zijn doeken is een ander opvallend aspect in zijn oeuvre. De doktoren uit *De anatomische les van dr Nicolaas Tulp* uit 1632 staan zo opgesteld dat het is of de schilder net binnenwandelt; er zit beweging in het doek. Dynamiek is een terugkerend stijlkenmerk. Op zijn beroemdste schilderij *De nachtwacht*, ook wel *De schuttersoptocht* of *Het korporaal-schap van kapitein Frans Banningh Cocq en luitenant Willem van Ruytenburgh* geheten, uit 1642, zet de compagnie zich in beweging. Rechtsonder slaat de tamboer de maat. Schuttersstukken (of doelenstukken) van andere schilders zijn meestal minder spannend qua compositie, maar in die doeken komen wel alle leden van de schutterij goed in beeld. Dat is bij Rembrandt niet het geval, maar er is geen enkele aanleiding om te geloven dat zijn opdrachtgevers hierover ontevreden zijn geweest. *De nachtwacht* komt te hangen in de grote zaal van de Kloveniersdoelen aan de Kloveniersburgwal in Amsterdam. In de achttiende eeuw verhuist het doek naar het stadhuis, en omdat het daar niet past, wordt er een stuk (van de zijkant) afgesneden.

Rembrandt maakt zijn mooiste schilderijen als *De anatomische les* en *De nacht-wacht* in Amsterdam. In 1630 is hij uit Leiden vertrokken, waar een economische crisis heerst. In Amsterdam, de rijkste havenstad ter wereld, zijn opdrachtgevers te over. De burgerij wordt er steeds rijker door de handel, visvangst, scheepsbouw, metaal- en textielindustrie, bierbrouwerijen en suikerraffinaderijen. Het inkomen per hoofd van de bevolking is het hoogst van Europa. Voor de inrichting van hun huizen willen de burgers schilderijen hebben. Landschappen zijn het populairst – en Amsterdam is het centrum van zee- en landschapschilders –, maar landschappen heeft Rembrandt nauwelijks geschilderd. Hij specialiseert zich, net als de meeste schilders en ateliers; zijn specialismes zijn portretten en bijbelse taferelen. Voor een portret betaalt een opdrachtgever zo'n 500 gulden en voor bijbelse taferelen krijgt Rembrandt soms het dubbele. En zelfs de zelfportretten en de portretten van zijn vrouw zijn in trek. *De nachtwacht* heeft 1600 gulden gekost. In de vier jaar dat Rembrandt eraan werkt portretteert hij achttien schutters (plus dertien figuranten en zichzelf); dat is ongeveer 90 gulden per portret. Zijn jaarinkomen wordt geschat op zo'n 10.000 gulden per jaar; daarbij zit ook het lesgeld bij van zijn leerlingen. Sommigen betalen hem 100 gulden per jaar, terwijl ze ook meeschilderen aan grote (goedbetaalde) opdrachten. Tienduizend gulden is een heel behoorlijk inkomen, maar niet voor iemand die niet met geld kan omgaan. In 1639 koopt hij een huis aan de Breestraat (tegenwoordig het Rembrandthuis) voor 13.000 gulden. Hij betaalt 1200 gulden ineens en de rest van de som moet hij de daaropvolgende jaren aflossen. Dat lukt niet: in 1653 moet hij nog 7000 gulden aflossen (plus rente). Zijn vrouw Saskia van Uylenburgh, die overlijdt in 1642, heeft hem het vruchtgebruik van haar aandeel in de boedel en het vermogen gegeven. Bij hun trouwen in 1634 neemt de burgemeestersdochter een bruidsschat van 20.000 gulden mee. Hun zoon Titus, die bij haar dood een jaar oud is, is de erfgenaam. Rembrandt laat het huis overschrijven op naam van zijn zoon – tot ergernis van de schuldeisers – en vraagt in 1656 boedel-afstand aan. Hierbij wordt niet alles verkocht, zoals bij een faillisement. De schulde-naar mag houden wat hij nodig heeft om te kunnen voorzien in zijn levensonderhoud. Bij de verkoop van zijn boedel, waaronder een geweldige kunst-verzameling waarvan de waarde tegenwoordig niet meer in geld is uit te drukken, wordt nauwelijks iets verdiend. De welvarende Republiek die net is uitgevochten met Spanje is in conflict met Engeland, en dat is slecht voor de handel. De kooplieden hebben even geen geld voor kunst.

Tot zijn dood krijgt Rembrandt grote opdrachten waarvoor hij vorstelijk wordt betaald, maar zijn schulden zijn torenhoog. Daar is niet tegenop te schilderen. Zijn werkster en nieuwe levensgezellin Hendrickje Stoffels schenkt hem een dochter, Cornelia. Zij is de enige die de schilder overleeft. Hendrickje overlijdt in 1663; zijn zoon Titus overlijdt enkele maanden na zijn huwelijk in 1668. Op 4 oktober 1669 sterft Rembrandt en op 8 oktober wordt hij in de Westerkerk begraven, niet ver van zijn laastste huis op de Rozengracht. Bij het opmaken van de inventaris blijkt dat de schilder negentien schilderijen bezit, wat linnengoed, een stoel, een bed, een tafel en een spiegel. Dat is een treurig einde voor een schilder die bij zijn eerste penseel-streken al een meester is: hij is de onbetwiste kampioen van de Gouden Eeuw. Dat komt ook doordat hij school heeft gemaakt. Hij heeft meer dan veertig leerlingen gehad, bij wie zijn invloed onloochenbaar is, zoals Govert Flinck, Gerrit Dou, Ferdi-nand Bol, Carel Fabritius, Aert van Gelder, Samuel van Hoogstraten en Nicolaes Maes. Dat Rembrandt in bittere armoede overlijdt, heeft bijgedragen aan populaire mythevorming over onbegrepen kunstenaarschap. Maar daarvan is geen sprake.

### Frans Hals (CA. 1580-1666)

Frans Hals komt met zijn protestantse ouders uit Antwerpen nadat de stad is veroverd door de Spanjaarden. Hij woont in Amsterdam en Haarlem. Hals schildert in 1616 een van zijn mooiste doeken: *Maaltijd van officieren van de Sint-Jorisdoelen*. Ondanks de dynamische compositie blijft het als (groeps)portret geslaagd. Hij geldt als een van de beste Nederlandse portettisten. Naast de elite van Haarlem schildert hij ook toneelspelers, kroeglopers en zigeuners, altijd met een losse maar trefzekere toets. De Franse impressionisten roemen in de negentiende eeuw zijn vermogen gebruik te maken van natuurlijke belichting.

### Johannes Vermeer (1632-1675)

Johannes Vermeer woont en werkt zijn hele leven in Delft. Een van zijn beroemdste schilderij is dan ook *Gezicht op Delft*. Het is weliswaar zijn enige stadsgezicht, maar hierin komen alle eigenschappen samen die Vermeer wereldberoemd maken: een evenwichtige compositie in koud (Hollands) licht. Dat typische licht valt in zijn andere doeken vaak op warme kleuren als blauw en geel. Zijn doeken zijn helder, fris en harmonieus. Zijn schilderstijl benadert de perfectie, maar omdat hij niet meer dan vijfendertig doeken heeft geschilderd, heeft hij als schilder nauwelijks geld verdiend. Na zijn overlijden vraagt zijn vrouw boedelafstand aan.

### Jacob van Ruysdael (1628/1629-1682)

Jacob van Ruysdael laat zo'n zevenhonderd landschappen en stadsgezichten na. Het landschap is naast het portret een van de genres die in de zeventiende eeuw door onder meer Ruysdael tot een geweldig niveau worden gebracht. Kenmerkend bij Ruysdael, evenals bij Albert Cuyp, Jan van Goyen en zijn leerling Meindert Hobbema, zijn de hoge luchten. Hoewel de landschappen op zijn schilderijen als typisch Hollands gelden, houdt Van Ruysdael zich zelden strikt aan de werkelijkheid. Hij slaagt er wel in een herkenbaar (Hollands) gevoel over te brengen in de wilde wolkenhemel.

# Johan de Witt (1625-1672)

Op 6 augustus 1654 spreekt Johan de Witt in de Staten-Generaal in Den Haag zijn *Deductie* uit over 'de ware vrijheid'. In deze notitie, die twee weken daarvoor is aangenomen door de Staten van Holland, bepleit De Witt, raadpensionaris van de Republiek der Verenigde Nederlanden, dat het bestuur van het land niet verplicht is een Oranje te kiezen als stadhouder of als opperbevelhebber. Net als Johan van Oldenbarnevelt meer dan zestig jaar eerder, probeert hij uit te komen onder absoluut gezag van een landsheer - wie dat ook mag zijn, want de monarchie is een bedreiging van de vrijheid, evenals de democratie, vindt De Witt. Om tirannie, machtsmisbruik en willekeur te voorkomen, pleit hij ervoor de macht aan de gevestigde families uit de steden en het land te laten. Deze regenten zorgen voor rust en orde – eigenlijk alles wat goed is voor hun eigen handel.

Politiek is in de zeventiende eeuw een familiebedrijf en de regenten vormen een hechte, elitaire klasse. De belangen van de regenten zijn handelsbelangen en om die te waarborgen, bekleden ze de belangrijkste bestuursfuncties in hun koopmansrepubliek. Maar in de zeventiende eeuw zijn de belangen van de regenten en het Huis van Oranje niet dezelfde. De traditionele elite, de adel, waartoe Van Oranje behoort, heft belasting en voert oorlog. Met name dat laatste is iets waarvoor de regenten veel minder belangstelling hebben; oorlog is immers slecht voor de zaken. Stadhouder Willem II pleegt in 1650, net als stadhouder Maurits een paar decennia eerder, een coup tegen de Staten-Generaal en laat enkele eigenwijze bestuurders, onder wie Johans vader Jacob de Witt, gevangennemen en deporteren naar Slot Loevestein. De stadhouder sterft datzelfde jaar aan de pokken, voordat hij zijn macht kan consolideren. Zijn zoon Willem III is bij zijn dood acht dagen oud. De regenten grijpen hun kans. Bijna twintig jaar beheert Johan de Witt tijdens het eerste stadhouderloze tijdperk namens de regenten zeer behendig de Republiek.

Johan de Witt is op 24 september 1625 geboren als tweede zoon van de Dordtse regent Jacob de Witt. Hij is de jongste. Hij heeft een oudere broer, Cornelis, en twee zussen. Zijn familie verdient in Dordrecht al generaties lang geld met de houthandel

en bekleedt belangrijke functies in het openbaar bestuur. Zijn vader Jacob is zes termijnen burgemeester van Dordrecht. Cornelis en Johan moeten om hun stand te vertegenwoordigen en de belangen daarvan te behartigen een goede opleiding volgen. Ze schrijven zich in 1641 in voor een studie rechten aan de universiteit van Leiden. Johan de Witt wordt meester in Romeins recht en Nederlands gewoonterecht. Daarnaast studeert hij wiskunde. Hij heeft vooral praktische belangstelling voor cijfers. Zijn meetkundige verhandelingen worden opgenomen in de tweede druk uit 1661 van *Géométria* van de Franse wiskundige en filosoof René Descartes. Het tweede deel van De Witts bijdrage (*De elementen van de kromme lijnen*) geldt als het eerste leerboek van de analytische meetkunde.

Na hun studie reizen de broers De Witt met hun vader op een diplomatieke missie naar Denemarken en Zweden. Daarna trekken ze eenentwintig maanden door Frankrijk en Engeland, een rondreis die geldt als het sluitstuk van hun opleiding. In Frankrijk bezoeken ze (vele) kerken en in Engeland onder meer de Tower, Westminster Abbey en Stonehenge. In zijn reisjournaal houdt Johan de Witt nauwkeurig bij hoeveel geld hij uitgeeft en welke afstanden hij aflegt. Dergelijke boekhoudkundige gewoonten houdt hij zijn hele leven vol.

Terug in Nederland leggen de broers in het najaar van 1647 hun eed als jurist af. Cor gaat bij zijn vader in de zaak werken; Johan begint in Den Haag op het advocatenkantoor van Johan van Andel, een vriend van zijn vader. Hij heeft een goede baan. Hij speelt viool en hij zit achter de meisjes aan. Onder het pseudoniem Candida schrijft hij gedichten. Hij is dan net in de twintig.

De gevolgen van de machtsgreep van stadhouder Willem II in 1650 zijn vergaand. De Witt pleit om zijn vader die is gevangengenomen door de stadhouder vrij te krijgen. Hij wordt vrijgelaten, maar de liefde voor de Oranjes is bij de meeste regenten ernstig bekoeld. Na de dood van Willem II willen de Staten van Holland, het rijkste en machtigste gewest, niet opnieuw een stadhouder aanwijzen.

In 1651 wordt de eerste 'Grote Vergadering' gehouden van de Staten-Generaal. De speciale vergadering met afgevaardigden van alle gewesten van de Verenigde Nederlanden is op initiatief van de Staten van Holland bijeengeroepen. Holland wil een wettelijke basis waarop het Huis van Oranje geen erfelijke aanspraak meer kan maken op het stadhouder- en het bevelhebberschap over het leger – de functie van kapitein-generaal. Die wettelijke basis wordt volgens Holland verschaft door de

Unie van Utrecht uit 1579, waarin de Nederlandse gewesten zich hadden verenigd tegen hun soeverein Filips II, koning van Spanje en heer der Nederlanden, en de Dordtse Synode, van 1618-1619. In de Nederlandse geloofsbelijdenis die destijds was opgesteld staan ook artikelen die betrekking hebben op overheid en samenleving.

Johan de Witt neemt deel aan de beraadslagingen. Hij is benoemd als pensionaris van Dordrecht. Zijn stad heeft als oudste stad – niet als rijkste of machtigste – een bijzondere plaats in de hiërarchie. Bij afwezigheid van de raadpensionaris is de pensionaris van Dordrecht zijn opvolger – Johan de Witt dus. Hij mengt zich ook in de discussie over de positie van het Huis van Oranje. Dat maakt hem niet populair. Protestantse predikanten nemen vanaf het kansel stelling tegen De Witt. De Oranjes hebben voor hun godsdienstvrijheid geijverd. Bovendien staat er in de bijbel dat de monarchie de beste staatsvorm is. De Witt weerlegt dat argument: in de bijbel komen genoeg koningen voor die als tirannen regeerden. De familie van Oranje is vooral bij het 'gemene' volk populair. Tijdens een bezoek aan Middelburg krijgt de Hollandse delegatie onder leiding van Johan de Witt een woedende (Oranjegezinde) menigte achter zich aan. De Witt haalt er smalend zijn schouders over op – een echte vriend van jan met de pet is hij niet –, maar laat zich tijdens zijn verdere verblijf in Zeeland wel escorteren.

Groot-Brittannië mengt zich in de discussie. In 1649 is daar door Oliver Cromwell het Gemenebest gesticht. De koning is op 30 januari van dat jaar onthoofd. Het Gemenebest is gekant tegen de dominante positie van Nederland in de wereldhandel. Nederland heeft veel meer schepen dan Engeland; Amsterdam is het financiële centrum van de wereld. In 1652 begint de eerste van vier Engels-Nederlandse oorlogen. Cromwells voorwaarde voor vrede is uitsluiting van de Oranjes van het stadhouderschap – om te voorkomen dat de Oranjes, die geparenteerd zijn aan de koninklijke Engelse familie, te hulp schieten.

Op 30 juli 1653 legt Johan de Wittt zijn ambsteed af als raadpensionaris. Zijn voorganger Adriaan Pauw is in februari overleden en al bij zijn leven neemt De Witt veel van zijn werkzaamheden over (Pauw is in de zeventig). Hij loodst in juni 1654 de door Lord Protector Cromwell gewenste Akte van Seclusie door de Staten van Holland, waardoor de Oranjes buitenspel worden gezet. De andere Staten zijn het oneens over de Akte. Om hen te overtuigen schrijft hij zijn beroemde *Deductie*.

Aan het einde van 1654 doet hij een huwelijksaanzoek aan Wendela Bicker, dochter van een van de rijkste Amsterdamse kooplieden. Ze trouwen op 15 januari 1655. Ze gaan samen op het Westeinde in Den Haag wonen en krijgen drie dochters en twee zonen. Wendela overlijdt in 1668.

De Witt heeft tijdens de eerste oorlog met Engeland gezien dat de Nederlandse vloot niet is opgewassen tegen de Engelse. Nederlandse vlagofficieren laten weten niet meer uit te varen als er niet wordt geïnvesteerd in het materieel. Hij bemoeit zich intensief met de uitbreiding van de vloot – en verwaarloost de landstrijd- krachten. Zijn broer en hij varen enkele keren mee met de door hem aangestelde bevelhebber Michiel de Ruyter; hij voert zelfs een keer het commando als De Ruyter ziek is. Zijn broer Cornelis wordt dankzij hem lid van de admiraliteit van Rotterdam. De vloot moet de koopvaardij beschermen, de bron van de Hollandse welvaart. Dankzij De Witts kundige beheer van de staatsfinanciën kan de vlootuit- breiding worden betaald. Hij is bijzonder actief. In vijftien jaar produceert hij persoonlijk bijna net zoveel dossierpagina's (22.591) als zijn voorgangers in de afge- lopen zeventig jaar. Dankzij de Witt kan de Republiek met de machtige vloot op zee zijn argumenten kracht bijzetten: op de Noordzee, de Oostzee en de Middellandse Zee, en op de Atlantische Oceaan. Hoewel het formeel vrede is, wordt er voortdu- rend oorlog gevoerd. Het optreden van de vloot vergemakkelijkt de internationale vredesonderhandelingen en waarborgt de bewegingsvrijheid van de Nederlandse kooplieden. Johan de Witt is niet alleen de machtigste man van Nederland; hij is ook een van de best geïnformeerde politici in Europa. Hij sluit verdragen en probeert de neutraliteit van de Republiek te handhaven.

Maar het herstel van de monarchie in 1660 in Groot-Brittannië is de inleiding op de Tweede Nederlands-Engelse Oorlog. De Engelsen veroveren in 1664 Nieuw- Amsterdam (New York). Michiel de Ruyter herovert de Nederlandse bezittingen op de West-Afrikaanse kust die de Engelsen hebben ingenomen. Op 13 juni 1665 wordt de eerste zeeslag in de oorlog geleverd voor de kust bij Lowestoft. Het hoogtepunt van de oorlog vindt voor de Republiek plaats als op aandringen van De Witt een Nederlands eskader de Theems op vaart en bij Chatham een groot aantal Engelse schepen vernielt. Een maand later, op 31 juli 1667, sluiten Nederland en Groot-Brit- tannië vrede in Breda. Nederland krijgt Suriname; Engeland mag New York houden. De Engelsen beloven de handel op zee weer (iets meer) met rust te laten.

In 1668 wordt Johan de Witt voor een vierde termijn benoemd tot raadpensionaris. De economie bloeit, de regenten zijn tevreden. Maar er zijn ook genoeg partijen ontevreden. De dominees zijn boos, omdat De Witt voortdurend weigert in te gaan op hun wensen om de uitoefening van het katholieke geloof te verbieden. De Oranje-partij krijgt het voor elkaar dat Willem III wordt aangenomen als 'kind van Staat'; de prins krijgt een jaargeld. De Witt probeert te voorkomen dat Willem stadhouder én bevelhebber wordt. De Staten van Holland stemmen in met zijn voorstel – het *Eeuwig Edict* –, maar als in 1672 opnieuw de oorlog uitbreekt, komen ze op die afspraak terug. Frankrijk, Engeland en de bisschoppen van Münster en Keulen vallen Nederland aan. Michiel de Ruyter weet de Engelse aanval op zee op te vangen. Voor de oorlogvoering te land wordt Willem III voor één seizoen benoemd tot kapitein-generaal. Het lukt de Fransen Utrecht te veroveren, maar de vijandelijke opmars loopt dood op de Hollandse Waterlinie, en de stad Groningen weet het beleg van de bisschop van Münster af te slaan. Terwijl de onderhandelingen met Frankrijk gaande zijn, wordt er op 21 juni een moordaanslag gepleegd op De Witt. Tijdens zijn herstel wordt Willem III tot stadhouder benoemd. De Witt maakt op 1 augustus zijn opwachting bij hem. Drie dagen later biedt hij zijn ontslag aan aan de Staten-Generaal. Zijn broer Cornelis wordt opgepakt. Hij zou volgens ene Willem Tichelaar complotteren tegen de prins – die deze oplettende burger sindsdien een jaargeld van 800 gulden betaalt. Als Cor de Witt op 20 augustus 's middags uit de gevangenis mag, haalt zijn broer hem in zijn rijtuig op. Gespuis dat zich bij de poort heeft verzameld, raakt ook door de borrels die worden geschonken steeds hitsiger en slaat (of schiet, daarover lopen de meningen van de ooggetuigen uiteen) Johan en Cornelis de Witt dood als ze naar buiten komen. De moordenaars hangen hun lijken op en vertrekken. Een toegestroomde menigte snijdt de vingers, tenen en andere uitstekende lichaamsdelen af om ze te verhandelen. 's Nachts worden de lijken, of wat daar nog van over is, van het schavot gehaald en de volgende dag worden ze begraven. Dominee Simonides legt zijn gemeente in de Nieuwe Kerk in Den Haag uit dat de aanslag de wrake Gods is geweest. De moordenaars moeten niet gestraft, maar beloond worden, vindt hij. De moord op Johan de Witt markeert het einde van het stadhouderloze tijdperk, maar is nog niet het einde van de Republiek, waarin de macht wordt gedeeld door de stadhouder en de vertegenwoordigers van de gewesten en de steden.

# Christiaan Huygens (1629-1695)

Christiaan Huygens wordt op 14 april 1629 in Den Haag geboren. De familie Huygens is een hoogstaande familie met invloed. De Heer van Zuylichem, ofwel Constantijn Huygens – Christiaans vader – is dichter, filosoof en secretaris van de stadhouders Frederik Hendrik, Willem II en Willem III. Net als zijn vader – Christiaans opa, en ook een Christiaan –, die diplomaat was in dienst van de familie van Oranje. Christiaans oudere broer heet Constantijn.

Christiaan Huygens groeit op in een huis waar beroemdheden worden ontvangen en waar ook met bepalende figuren uit zijn tijd wordt gecorrespondeerd. Onder hen zijn koning Karel I van Engeland, filosoof René Descartes, schilder Rembrandt van Rijn en lakenhandelaar en wetenschapper Antoni van Leeuwenhoek. Huygens is intelligent en nieuwsgierig. Op elfjarige leeftijd zeurt hij zijn vader aan het hoofd over de stelling van Pythagoras. Maar zijn vader ziet liever dat zijn zoon zijn jonge jaren benut om de sociale vaardigheden van de hogere klassen te leren: Latijn, Frans, tekenen, schermen en paardrijden. Dat zijn de dagelijkse bezigheden in en rondom Huygens' geboortehuis aan de Lange Houtstraat in Den Haag, een imposante kanselierswoning met een gevel van zevenenwtintig meter breed. Veel tijd gaat zitten in het leren bespelen van de luit. Huygens is net als zijn vader muzikaal aangelegd.

Tot zijn zestiende jaar krijgt Huygens les aan huis. Wiskunde, sterrenkunde en filosofie – destijds het verzamelwoord voor alle 'studieën' behalve de natuurwetenschappen. In 1645 gaat hij, net zestien jaar oud, studeren in Leiden. Hij houdt het twee jaar vol, een periode waarin hij zijn wiskundige vaardigheden verder ontwikkelt. Huygens wordt vrijwel zeker geïnspireerd door René Descartes, de Franse filosoof en wiskundige die enige tijd om zijn revolutionaire ideeën over religie in Leiden is ondergedoken. In 1647 gaat Huygens naar Breda om aan het College Arausiacum – ook wel het College van Oranje genoemd – rechten en wiskunde te studeren. Hij krijgt daar onder anderen les van de Brit John Pell, een van de actiefste wiskundigen, die is opgeleid aan het Trinity College in Cambridge. In die tijd houdt Huygens, geïnspireerd door de Franse wiskundige Marin Mersenne, zich

bezig met toegepaste wiskunde. Hij probeert de vorm van een hangend touw in een formule te beschrijven – wat hem niet lukt. Wel kan hij bepalen hoe een hangend touw met behulp van gewichten een parabolische vorm krijgt.

In 1649 gaat Huygens terug naar Den Haag. Thuis aan de Houtstraat doet hij de ontdekkingen waarmee hij geschiedenis schrijft. Drie jaar later – jaren van eenzaam binnenzitten terwijl zijn broers uitgaan en een vrouw vinden (hij trouwt zelf niet) – schrijft hij zijn eerste theoretische formules: wiskundige beschrijvingen van natuurkundige processen zoals versnelling en botsing. Het zijn de allereerste, algemeen geldende, wiskundige beschrijvingen van natuurwetten. De Italiaan Galileo Galilei, die een halve eeuw eerder hetzelfde probeerde, kwam niet verder dan constructies van tekeningen en getallen.

Huygens legt met zijn bewegingswetten het fundament van de moderne natuurkunde. Als hij zijn geschriften *Cyclometriae* en de *Circuli magnitudine inventa* aanbiedt aan de wetenschappelijke academies in Londen en Parijs, is hij binnen korte tijd wereldberoemd. De wetenschappelijke wereld is in zijn tijd overigens niet groter dan West-Europa. Maar daar wordt hij de nieuwe Archimedes genoemd, en 'ongeëvenaard'. Huygens gaat door met het bestuderen van de natuur en waagt zich aan allerlei disciplines. Het kenmerkt zijn wetenschappelijke levensloop: hij is een alleskunner, met als keerzijde dat zijn werk daardoor nogal een allegaartje lijkt. De resultaten zijn er niet minder om.

In 1654 ontdekt Huygens met zijn broer Constantijn een nieuwe manier om lenzen te slijpen. Een jaar later vindt hij met een zelfgemaakte telescooplens de eerste maan van Saturnus, die hij Titan noemt. Even later ziet hij ook als eerste de ringen van Saturnus. Op de lens van zijn 'gelukstelescoop' laat hij graveren: 'Verre sterren bewegen voor onze ogen.' Hij is niet meer te stuiten. De wat verlegen, soms depressieve en altijd melancholieke Huygens doet de ene na de andere belangwekkende ontdekking en schrijft sommige van zijn bevindingen op in *Systema Saturnium*.

In 1656 ontwerpt Huygens het eerste slingeruurwerk, naar een idee van Arabische sterrenkundigen uit de dertiende eeuw. Er wordt in de zeventiende eeuw volop geëxperimenteerd met veeruurwerken en andere tijdklokken, maar het slingeruurwerk is de eerste klok die in een jaar niet meer dan enkele minuten achterloopt. De slingerklok van Huygens loopt altijd gelijk; deze week een uur is volgende week ook een uur. Eindelijk hebben astronomen een referentietijd voor hun waarnemingen. Eindelijk weten ze met grote nauwkeurigheid hoe lang hemellichamen nodig hebben voor hun banen rond een planeet. Huygens maakt nog een micrometer voor zijn telescopen, en knutselt een toverlantaarn en een nieuw soort vering voor koetsen.

Nog altijd is het niet gedaan met zijn innovatiedrift. Op 21 oktober 1659 formuleert hij als eerste de regels voor centrifugale kracht. Op 23 oktober publiceert hij ze, vijf jaar voordat Isaac Newton iets dergelijks doet. In 1662 en in 1686 neemt Huygens enkele van zijn slingeruurwerken mee op zee om te kijken of hij er de breedtegraden mee kan vastleggen. Als je weet hoe lang je doet over een reis tussen twee havens en je snelheid kent, dan weet je ook hoe lang de afstand is. Dat is zeer belangrijke informatie voor de succesvolle Nederlandse koopvaardij.

In 1661 gaat Huygens naar Londen om kennis te maken met de nieuw opgerichte Royal Society, een club van vooraanstaande wetenschappers. Hij ontmoet onder meer de wiskundige John Wallis en Robert Boyle, uitvinder van de vacuümpomp. Aan de hertog en hertogin van York laat hij zijn zelfgemaakte telescoop en lenzen zien. Met z'n drieën bestuderen ze de maan. In 1663 mag hij lid worden van de Royal Society. De Fransen kunnen niet achterblijven en bij de oprichting van de Académie Royale des Sciences in 1666 door de Franse koning Lodewijk XIV wordt Huygens opgeroepen om aan een studieonderdeel van het gezelschap leiding te geven. Later wordt hij secretaris van deze academie. In 1672, in het zogenoemde 'Rampjaar', valt Lodewijk de Nederlanden binnen. Huygens komt in de problemen: moet hij loyaal blijven aan zijn land of de neutraliteit van de wetenschap dienen en gewoon lid te blijven van de academie? Hij kiest voor het laatste.

Huygens heeft inmiddels de middelbare leeftijd bereikt. Met de internationale erkenning zit het wel goed, met zijn gezondheid daarentegen veel minder. Tot drie keer toe komt hij in de jaren zestig terug uit Parijs om thuis in de Houtstraat te herstellen van ziekte en depressie. Na een verblijf aan Parijs in 1676 blijft hij twee jaar aan het huis gekluisterd – tijd die hij gebruikt om aan een theorie over de snelheid van het licht te werken. Daarvan vermoedt hij dat die eindig moet zijn. In 1678 keert hij terug naar Parijs; het wetenschappelijke klimaat in Frankrijk vindt hij inspirerender dan in de Nederlanden. Het is het jaar dat hij de gedachte lanceert dat licht uit energiegolven bestaat – een theorie die in de moderne natuurkunde nog altijd het 'beginsel van Huygens' heet. Bewezen wordt het idee pas met Albert Einsteins kwantumtheorie en de ontwikkeling van de kwantummechanica. in de twintigste eeuw. Huygens is zijn tijd driehonderd jaar vooruit.

In 1679 wordt hij door ziekte gedwongen naar Den Haag terug te keren, evenals in 1681. In 1682 weet hij nog een keer al zijn krachten bij elkaar te rapen en gaat met de Oostindische Compagnie aan de slag om een klok te maken die mee kan op de handelsschepen. Dan is het op. De laatste jaren van zijn leven huurt hij een appartement, hoogstwaarschijnlijk aan het Noordeinde nummer 6 in Den Haag. Hij is vaak ziek en lijdt aan waanbeelden. In de laatste jaren van zijn leven werkt Huygens vooral aan onderwerpen waar zijn gevoel naar uitgaat: muziek en de ruimte. Het bestaan van buitenaards leven houdt hem bezig; hij gelooft allang niet meer in de volgens hem onredelijke veronderstelling dat de aarde het middelpunt van het heelal is.

Christiaan Huygens overlijdt op 8 juni 1695 in Den Haag. Hij is de grootste wetenschapper die Nederland heeft voortgebracht. Hij is qua betekenis voor de wetenschap vergelijkbaar met tijdgenoten als Newton en Galilei. Een man die als geen ander zijn werk kon relativeren, al mist hij volgens sommige historici het temperament van de ware revolutionair. Wetenschap was volgens Christiaan Huygens: 'Veel en hard werken (...) en daarvoor heeft men niet alleen groot inzicht nodig, maar ook een dosis geluk.' In 1997 is een naar hem vernoemde ruimtesonde naar Saturnus gestuurd om op zijn Titan te landen en onderzoek te doen.

### Simon Stevin (1548-1620)

Stevin is een praktische wiskundige. Hij is grondlegger van de ingenieurswetenschappen in Nederland. Hij wordt tot de 'vernuftigen' gerekend door de wetenschappers van zijn tijd, gericht op het ontwerpen en bouwen van praktische apparaten. Stevins belangrijkste theoretisch werk is *De Thiende*, uit 1585. Hierin beschrijft hij de kenmerken en toepassingen van de decimale breuk. Hij adviseert prins Maurits in militaire zaken (fortenbouw en kogelbanen) en schrijft over astronomie, mechanica, koersbepaling op zee en het stemmen van muziekinstrumenten. De strandzeilwagen is de uitvinding waarmee Stevin misschien nog wel de meeste bekendheid krijgt. Hij rijdt ermee van Scheveningen naar Petten.

### Antoni van Leeuwenhoek (1632-1723)

Lakenhandelaar Van Leeuwenhoek doet zijn eerste experimenten met microscopen om de kwaliteit van zijn laken te beoordelen. Zijn eerste lens is een houten frame met daarin een druppel water op een plaatje glas. De bolling van de druppel vergroot de stof. Met geslepen lenzen maakt hij een microscoop en bestudeert afval, waarin hij levende wezens ontdekt; hij onderzoekt bloed en weefsel. Hij ontdekt dat aders en slagaders door kleinere aders met elkaar zijn verbonden. Hij vergelijkt spermatozoïden en bestudeert de zoetwaterpoliep. Zijn ontdekkingen staan in *Alle sijne natuurlycke werken* (*Opera omnia*). Van Leeuwenhoek wordt beschouwd als de uitvinder van de moderne microscoop en de grondlegger van de microbiologie.

### Herman Boerhaave (1668-1738)

Na zijn studie in Leiden wordt Boerhaave er hoogleraar medicijnen. Hij is de invloedrijkste medicus die Leiden heeft voortgebracht. Boerhaave wordt beroemd door zijn uitgesproken ideeën over het medisch onderwijs en door de expliciete wijze waarop hij zelf onderwijs geeft. Zijn nietsverhullende medische praktijklessen in het Leidse ziekenhuis Caecilia zijn berucht. Zelfs tsaar Peter de Grote van Rusland komt kijken naar het 'theater'. Naast medicijnen doceert hij plantkunde en scheikunde; volgens hem berust medische kennis op andere natuurwetenschappen. Boerhaave is ook directeur van de Hortus Botanicus.

# Benedictus de Spinoza (1632-1677)

Baruch d'Espinoza wordt geboren op 24 november 1632 in Amsterdam. Zijn ouders, Michael d'Espinoza en zijn tweede vrouw Hanna Debora, zijn met vele andere joodse Portugezen en Spanjaarden gevlucht naar Amsterdam om aan religieuze vervolging te ontsnappen. Over de jeugd van Bento, zoals hij thuis wordt genoemd, is weinig bekend. Historici beroepen zich op schaarse briefwisselingen en beschrijvingen door vrienden, zoals Jean Maximilien Lucas, en vijanden waaronder de lutherse predikant Johann Köhler. Bekend is dat Spinoza tenminste vijf talen leerde: Portugees, Spaans, Hebreeuws, Nederlands, en Latijn, de taal waarin hij later al zijn confronterende filosofische werken schrijft. Hij leert Latijn bij de ex-jezuïet Franciscus van de Enden die 1652 in Amsterdam een privé-school heeft geopend. Op jonge leeftijd leest hij al vroeg rabbijnse teksten en werken van joodse filosofen, en maakt hij kennis met de filosofie van Descartes.

Voor zijn tijd is Spinoza een lastig kind. Hij heeft een eigenzinnige kijk op de rituelen en de vanzelfsprekendheid van politieke en religieuze macht. De vrije denker Spinoza ontluikt. Zo wil hij niet voldoen aan de regels van de joodse gemeenschap, en ook religieuze erediensten doen hem niets. En juist voor die zaak maken de joodse ballingen in Amsterdam zich in die tijd sterk. Zij het dat ze hun geloof in stilte belijden uit angst om ook in Amsterdam vervolgd te worden. Maar zoals voor vele vluchtelingen geldt: religie is een bindende kracht in den vreemde. Spinoza maakt het echter te bont; op 27 juli 1656 wordt hem verteld dat hij niet langer welkom is in zijn gemeenschap. Overigens is het mogelijk dat hij wordt uitgesloten omdat hij via de Nederlandse wetgeving onder een belastingschuld van zijn overleden vader wil uitkomen door afstand te doen van de erfenis. Volgens joodse regels onacceptabel omdat iedereen altijd aansprakelijk blijft voor de familie-eer. Hoe dan ook, het contact met hem moet worden verbroken. Vanaf die dag neemt Spinoza een andere naam aan: Benedictus, een Latijnse variant op Baruch.

Voor zover bekend heeft Spinoza nooit spijt gehad van het handelen dat tot zijn 'excommunicatie' leidt. Het sterkt hem juist in het verder formuleren en

publiceren van zijn radicale ideeën over godsdienst. Hij blijft nog een tijdje in Amsterdam wonen, maar in 1661 vertrekt hij uit de stad en verhuist voor twee jaar naar Rijnsburg, bij Leiden. Vanaf 1663 woont hij in Voorburg en vanaf 1670 in Den Haag. Spinoza kan niet leven van zijn wijsgerige ideeën, hij verdient zijn geld met het slijpen van lenzen. Dat is een nuttig beroep in een tijd dat Leidse stadsgenoten als Christiaan Huygens en Antoni van Leeuwenhoek de grenzen van de zichtbare wereld verleggen met telescopen en microscopen.

In Rijnsburg, amper dertig jaar oud, schrijft Spinoza zijn eerste maatschappijbeschouwende werken. Dat wil zeggen, het zijn de eerste brieven en geschriften die bewaard zijn gebleven. Uit een briefwisseling in 1661 blijkt dat hij bezig is een eigen visie op de wereld te beschrijven, een concept voor zijn belangrijke werk *Ethica*. Rijnsburg is ook de plaats waar hij de *Principia philosophiae* van René Descartes onder handen neemt en daar een eigen *Principia* uit boetseert, al behandelt hij maar de helft van het boek. Dat werk verschijnt in 1663 in het Latijn en in 1664 in het Nederlands. In Voorburg werkt Spinoza verder aan zijn *Ethica* en maakt de *Tractatus theologico-politicus* af. Een boek met kritiek op de bijbel, de verhouding tussen wetenschap en godsdienst, en een pleidooi voor het recht om vrij te denken zonder inmenging van theologen. Het boek is Spinoza's belangrijkste bijdrage aan de moderne wetenschap, en geldt als een fundament voor het historisch-kritische bijbelonderzoek. De kritiek op het religieuze machtsmisbruik in dit boek is zo heftig en pijnlijk onthullend dat het geschrift in 1670 anoniem verschijnt. Een Nederlandse vertaling komt er niet, Spinoza is bang dat hij zal worden vervolgd. Zijn angst is niet ongefundeerd. Zijn Amsterdamse vriend Adriaan Koerbagh wordt in 1668 gevangengenomen voor het schrijven van het boek *Een ligt Schijnende in Duystere Plaatsen, om te verligten de voornaamste saaken der Godsgeleerdtheyd en Godsdienst*. Het boek wordt nooit gedrukt, en Koerbagh overlijdt in 1669 in de Amsterdamse gevangenis Het Rasphuis. Een stellingname in het traktaat waarmee Spinoza bijvoorbeeld in de problemen had kunnen komen is: 'God heeft geen bijzonder koningschap over de mensen anders dan door tussenkomst van degenen die de staatsmacht in handen hebben.' Vroomheid? Best, maar dan thuis, aldus Spinoza: 'De innerlijke dienst aan God en de vroomheid zelf behoren tot ieders persoonlijk recht', maar... 'het recht betreffende godsdienstzaken berust geheel en al bij de hoogste overheden, en de uiterlijke eredienst moet zich voegen naar de vrede in de staat, als wij God op de juiste wijze willen gehoorzamen'. Het is een regelrechte oorlogsverklaring aan de kerk. In 1672 wordt zijn *Tractatus theologico-politicus* verboden, al blijft het ondergronds beschikbaar.

Spinoza woont inmiddels in Den Haag, eerst aan de Stille Veerkade, later bij de familie Van Spyk aan de Paviljoensgracht. Spinoza is in de buurt als op 20 augustus 1672 de broers Cornelis en Johan de Witt in het openbaar worden gelyncht. Spinoza is kapot van de gruweldaad. Hij noemt de daders *ultimi barbarorum*, de ergste barbaren. Vooral ook omdat hij in de broers De Witt bondgenoten ziet voor zijn strijd tegen ongelegitimeerde en religieuze macht. Een monarchie kan voor Spinoza alleen bestaan onder controle van het volk, anders is er het risico van tirannie.

In 1675 is zijn *Ethica.* klaar. Hij wil het laten drukken en uitgeven, maar daar ziet hij van af. Het gerucht doet de ronde dat Spinoza in het boek beweert dat God niet bestaat. De sfeer rond zijn persoon wordt grimmig. De macht aan de staat, okay, maar voor de ontdekking dat God niet bestaat is het twee eeuwen te vroeg, en bovendien is het een levensgevaarlijke gedachte. Predikanten beklagen zich massaal; aanhangers van Descartes zijn plotseling angstig om in één adem genoemd te worden met Spinoza. Spinoza geeft zijn manuscript aan zijn huisbaas Van Spyk met het verzoek het werk alsnog te laten uitgeven na zijn overlijden.

'Spinozisme' wordt het synoniem voor atheïsme, een doodzonde. Maar Spinoza is geen overtuigd en belijdend atheïst. Hij is een bescheiden, teruggetrokken persoon en zeker godvrezend, zoals iedereen destijds. Al zijn tijd gaat zitten in de filosofische gedachtevorming en het beschrijven van zijn ideeën. De inspiratie daarvoor moet vooral uit hemzelf komen. In zijn tijd hebben nog niet veel mensen de moed om de gevestigde orde te bekritiseren. Verder zweert Spinoza in zijn teksten God helemaal niet af.

Nieuw voor zijn tijd is dat hij, net als Descartes, vindt dat methodisch redeneren tot logischer inzichten leidt dan instinctieve of gedicteerde gedachten. Om tot hogere vormen van kennis te kunnen komen moet de geest zich volgens Spinoza richten naar het volmaakte idee. En dat is nog altijd het bestaan van een God. Daarin wijkt hij af van Descartes' vrije wil en diens motto – ik denk dus ik besta – , dat openlijk tornt aan bestaande denkbeelden. Spinoza redeneert dat God geen enkele heerschappij op aarde kan rechtvaardigen, maar hij twijfelt niet aan het bestaan van God. God valt geheel samen met de alomvattende Natuur. God is de oorzaak van alles, niet als een schepper, maar als de drijvende kracht. Spinoza brengt ordening aan in het idee van de kennisvergaring: het weten. Boven de ervaringsleer staat de rationele kennis. En daar weer boven komt de aanschouwende wetenschap, de enige weg naar echte kennis.

Spinoza overlijdt op 21 februari 1677 in Den Haag aan een longziekte – misschien tuberculose –, 45 jaar jong. Mogelijk als gevolg van het glasstof dat hij binnenkreeg bij het slijpen van lenzen. Huisbaas Van Spyck verscheept alle teksten die hij vindt van Spinoza naar een uitgeverij in Amsterdam. In hetzelfde jaar verschijnt *Opera posthuma*, in het Latijn en het Nederlands. Hierin zijn opgenomen *Ethica*, brieven, drie onvoltooide manuscripten, het *Tractatus de intellectus emendatione*, een beknopte Hebreeuwse grammatica en het onvoltooide *Tractatus politicus*.

Het valt niet mee Spinoza's ideeën in een paar woorden te vangen. Hij neemt afstand van religie die inherent intolerantie predikt. Volgens Spinoza is religie geen basis voor moraal, staatsgezag of de rede. Driehonderdvijftig jaar geleden een unieke gedachte en tot de dag van vandaag nog altijd niet algemeen aanvaard.

### Jacobus Arminius (1560-1609)

Jacobus Arminius wordt opgevoed door een priester met protestantse sympathieën, Theodorus Aemilius. Hij studeert met zoveel succes vrije kunsten en theologie, dat hij in Genève mag studeren bij de opvolger van Calvijns, Thédore Béza. In 1588 gaat hij aan de slag als predikant in Amsterdam. In 1603 wordt Arminius hoogleraar theologie in Leiden. Daar krijgt hij het moeilijk omdat hij van katholieke en Spaanse sympathieën wordt beschuldigd. Zijn *Verclaringhe*, die zijn religieuze positie ten aanzien van de predestinatie moet verduidelijken, wordt niet geaccepteerd. Na zijn overlijden splitsen zijn volgelingen zich af tijdens de Synode van Dordrecht en gaan verder als Remonstrantse Broederschap.

### Franciscus Gomarus (1563-1641)

De Leidse hoogleraar Franciscus Gomarus denkt – in tegenstelling tot Arminius – dat God voorbeschikt wie hij redt en wie hij verdoemt. Een nogal somber wereldbeeld dat door niet veel mensen wordt gedeeld. Hij krijgt onder meer ruzie met de andere Leidse hoogleraar theologie, Jacobus Arminius. Arminius en Gomarus worden opgeroepen voor de Staten van Holland te verschijnen. De zaak wordt niet beslecht en Gomarus moet vertrekken van de universiteit. De Vereniging van Gereformeerde Studenten te Leiden, Franciscus Gomarus, heeft in 1997 het 'exclusief vrijgemaakte karakter' laten varen om 'verruiming van de lidmaatschapsvoorwaarden mogelijk te maken'.

### Balthazar Bekker (1634-1698)

Balthazar Bekker is predikant in Franeker, Loenen aan de Vecht, Weesp en Amsterdam. In zijn *Waare oorspronck des Satans* legt hij uit welke invloed de duivel heeft op het dagelijks leven. Het boek zorgt ervoor dat hij niet langer predikant kan blijven. Hij schreef vele religieuze werken, maar ook kinderboeken zoals *Gerijmde Kinderleer* en *Kort Begrip van den Nederlandse Catechismus*. Hij schreef ook gedichten. Trouw aan het gedachtegoed van Descartes bestrijdt hij bijgeloof en vooroordelen.

# Joan Derk van der Capellen tot den Pol (1741-1784)

In 1781 schrijft Joan Derk van der Capellen tot den Pol *Aan het volk van Nederland*, het beroemdste pamflet uit de Nederlandse geschiedenis. Dit drukwerk van zesenzeventig pagina's wordt in de nacht van 25 op 26 september op verschillende plaatsen in Nederland verspreid, maar het is niet ondertekend door Van der Capellen. Hij is bang voor repercussies van de Oranjes en hun aanhang. Zijn vermoeden is niet ongegrond. De Staten-Generaal loven, evenals de Staten van Holland, 14.000 gulden uit aan degene die informatie kan verschaffen over de auteur. De Staten van Utrecht en de Staten van Gelderland bieden 1400 gulden. *Aan het volk van Nederland* is een lange aanklacht. Vooral de stadhouder en zijn familie moeten het ontgelden. Voor alle misère, misstanden en oorlogen geldt: 'Het is alles uwe schuld!' Het pamflet is ondertekend met: 'Uw getrouwe medeburger, Ostende den 3 september 1781.'

In de achttiende eeuw is het stadhouderschap erfelijk geworden. De Oranjes vormen sinds 1747 een dynastie. Stadhouder Willem IV wordt na zijn dood in 1751 opgevolgd door zijn zoon Willem V. Tegenover de stadhouder en zijn aanhang staan de regenten. Sinds de stichting van de Republiek wordt de macht verdeeld tussen de orangisten en de regenten. Soms kunnen de regenten de politiek naar hun hand zetten, zoals tijdens het bewind van raadpensionaris Johan de Witt van 1653 tot 1672; soms biedt de stadhouder beter partij. In de achttiende eeuw komt er een nieuwe politieke stroming bij: de patriotten. Joan Derk van der Capellen deelt hun ideeën, maar hij hoort niet bij de partij van de 'pruiken', zoals hij de patriotten spottend noemt. De patriotten willen meer macht voor het volk – natuurlijk niet al het volk, maar de (bezittende) klasse die door de regenten bij voorbaat zijn uitgesloten van het openbaar bestuur. Alleen telgen uit de oude koopmansfamilies hebben toegang tot de belangrijke baantjes. Dat is in de ogen van de patriotten onverteerbaar. Zij keren zich tegen de aloude ordening van de samenleving. Geïnspireerd door ideeën van Verlichtingsfilosofen als John Locke, David Hume en Denis Diderot hangen zij de Rede aan. Onder de burgerij, de intelligentsia en beoefenaars van vrije beroepen vinden de revolutionaire opvattingen weerklank.

Van der Capellen wordt op 2 november 1741 in Tiel geboren als Gelders edelman. Zijn opa van moederskant was burgemeester van Arnhem, en zijn vader, Frederik Jacob van der Capellen, is nadat hij als majoor bij het Staatse leger is afgezwaaid, ambtsjonker en heemraad geworden in het land van Maas en Waal. De verstandhouding tussen vader en zoon en senior is slecht. Tijdens zijn studie op de Latijnse school in 's-Hertogenbosch en op de universiteit in Utrecht krijgt Van der Capellen een karige toelage van zijn vader. In de vijf jaar dat hij in Utrecht studeert, legt hij geen enkel tentamen af. Hij ontdekt er wel de Engelse literatuur. Hij vertrekt in 1763 zonder titel, maar met een zenuwcrisis uit Utrecht. In 1766 trouwt hij met Hillegonda Anna freule Bentinck van Wittenstein en trekt bij haar ouders in. Ze wonen op de havezate (hofstede) Wittenstein, vlak bij Kampen.

Als Van der Capellen de politiek in wil en niet in de Gelderse Staten terechtkan, probeert hij het in de provincie van zijn vrouw. Hij koopt in 1769 de havezate Breedenhorst in Salland, om als grondbezitter in de provincie te mogen toetreden tot de Staten van Overijssel. Daarin hebben leden van de ridderschap (die land bezitten) en vertegenwoordigers van de steden zitting. De verkoopster verstrekt de koopsom als lening; ze blijft op de hofstede wonen en behoudt het recht de koop ongedaan te maken. De schijnbeweging van Van der Capellen valt niet goed bij de leden van de ridderschap. In 1675 wordt de koop overigens ongedaan gemaakt en koopt hij het buiten De Pol aan de Reest, waarna hij zich Van der Capellen *tot den Pol* mag noemen. Maar afgezien van die manoeuvre vinden de leden het niet juist dat mensen van buiten de provincie toegang tot hun kring kunnen kopen. Zijn toetreding tot de ridderschap blijft uit en Van der Capellen schakelt zijn neef Robert Jasper van der Capellen van de Marsch in, die aan het hof van stadhouder Willem V werkt. Hij reist naar Den Haag om bij raadpensionaris van Holland, Pieter van Bleiswijk, voor zijn zaak te pleiten. De stadhouder vindt dat Overijssel hem maar moet toelaten. Daar krijgt hij spijt van, want eenmaal in de vergadering opgenomen, is er geen dwarser Statenlid dan Van der Capellen. Hij wil af van de feodale gebruiken. In Overijssel mag de drost – de rechterlijk- en bestuursambtenaar in een regio – al sinds de dertiende eeuw boeren vorderen voor onbetaald werk: 'Eens bij hooi en eens bij gras.' Dat moest maar eens afgelopen zijn, vindt hij. De drost van Twente, 'kolossus' Van Heiden Hompesch, is furieus. Van der Capellen wil ook dat Overijssel het uitlenen verbiedt van regimenten aan Engeland om de opstandige kolonisten in Amerika te bevechten. Hij pleit zelfs voor erkenning van de Verenigde Staten van Amerika. Op 4 juli 1776 wordt door het Continentale Congres in Amerika de Onafhankelijkheidsverklaring afgekondigd, wat het begin van de revolutionaire natie betekent. Van der Capellen is voor versterking van de vloot ter bescherming van de overzeese handel. Maar aangezien Overijssel niet aan zee ligt, hebben de Staten van die provincie weinig belangstelling voor marinezaken. Ook de stadhouder is tegen versterking van de vloot. De belangstelling van de Oranjes gaat traditioneel uit naar de landmacht. En dan is hij ook nog voor vrijheid van drukpers. De stadhouder beklaagt zich over de dwarsigheid van Van der Capellen. Hij verbaast zich erover dat één man een hele vergadering kan ophouden en besluiten kan blokkeren. De Republiek zou verloren zijn als één man besluiten kan tegenhouden, schrijft hij aan zijn luitenant-stadhouder in Zwolle. In oktober 1778 wordt Van der Capellen de toegang tot de Staten van Overijssel ontzegd. Hij biedt nog aan de woorden die hij in het debat had laten vallen – 'onbeschaamd', 'strafbaar' en 'stout' – terug te nemen, maar het mag niet baten.

Op 1 januari 1780 overlijdt zijn vader, waardoor hij de verantwoordelijkheid krijgt over Appeltern, het familiebezit in de Betuwe. Zijn vader heeft het landgoed, dat sinds 1709 van de familie is, verwaarloosd. Het kost Van der Capellen maanden om de boel weer op orde te krijgen. Dat valt hem niet mee, want hij heeft vanwege een ingewandenziekte een zwak gestel. Hij heeft niet eens tijd, zo schrijft hij, om adem te halen. Terwijl hij druk is in de Betuwe, breekt aan het einde van 1780 de vierde en laatste Nederlands-Engelse Oorlog uit. Stadhouder Willem V is niet tegen Engeland, maar de Engelsen betrappen Hollandse kooplieden op geheime afspraken met de afvallige Amerikaanse kolonisten. Amsterdamse kooplieden smokkelen bovendien al jaren wapens naar Amerika. De Engelsen nemen Nederlandse schepen in beslag. De Nederlandse marine is niet opgewassen tegen de Engelsen. Het enige succesje wordt geboekt bij de zeeslag op de Doggersbank. De Republiek lijkt reddeloos verloren en Joan Derk van der Capellen zet zich in 't Huis te Appeltern aan zijn beroemde pamflet.

Hoewel de patriotten meestal voor revolutionair doorgaan, stelt Van der Capellen niet per se nieuwe, revolutionaire veranderingen voor. Hij wil dat alles weer wordt als vroeger. Toen was het beter. Hervormingen moeten aansluiten bij bestaande rechten en tradities. De Franken, de Friezen en de Bataven – dat waren vrije volken. Zij kozen hun hoofdman en als die niet meer voldeed, namen ze gewoon een ander. Met Filips II en daarna Willem van Oranje (een vreemdeling) is het in Nederland van kwaad tot erger geworden. Politici als Johan van Oldenbarnevelt en Johan de Witt voorkomen grote rampen, maar desondanks groeit de macht van de stadhouder. De huidige stadhouder, Willem V, heeft alle macht en hij doet er niets goeds mee. Hij stort Nederland in het ongeluk en is een onbenul. Nederland moet om de Engelse crisis af te wenden toenadering zoeken tot Frankrijk.

Het pamflet wordt modern van toon als Van der Capellen zich uitspreekt over de rechten van de mens: 'Alle mensen zijn vrij geboren. De een heeft van nature over den anderen niets te zeggen.' Veel van zijn ideeën ontleent hij *Observations on Civil Liberty* van Richard Price, dat hij zelf heeft vertaald in het Nederlands. Om de vrijheid van de burger veilig te stellen, moest die zich bewapenen en op zondag na de kerkdienst exerceren.

Niemand ontdekt dat Van der Capellen de auteur is van het stuk, waardoor hij politiek actief kan blijven. Hij groeit uit tot een van de invloedrijkste progressieve politici, neemt deel aan bijeenkomsten en organiseert een publiciteitsoffensief voor de toelating van John Adams (die later president wordt in Amerika) als Amerikaans gezant in Amsterdam, wat de eerste formele erkenning van de Verenigde Staten betekent. De Staten van Holland accepteren Adams in 1782 als Amerikaans ambassadeur en de Staten van Overijssel volgen niet veel later. Hierdoor groeit het prestige van Van der Capellen. Hij krijgt onder luid gejuich weer toegang tot de Staten van Overijssel. Daar neemt hij het opnieuw op tegen de drostendiensten, die inderdaad in 1783 worden afgeschaft. In dat jaar wordt hij ook schutter in het Zwolse vrijkorps, geheel in lijn met zijn idee over bewapening van de burgerij. Zijn andere politieke verlangen, een verbond met Frankrijk, wordt pas na zijn dood verwezenlijkt. Joan Derk van der Capellen overlijdt op 6 juni 1784. Het geheim van Appeltern wordt pas zeven jaar later onthuld.

Na zijn dood beschadigen orangisten het familiegraf in Gorssel. In 1787 vernielen ze het familiewapen. Een jaar later wordt het grafmonument met buskruit opgeblazen. De lichamen waren inmiddels herbegraven in de kerk van Gorssel. Een Zwolse commissie plus enkele Amsterdamse patriotten bestellen een beeldengroep ter ere van Van der Capellen bij de Italiaanse beeldhouwer Giuseppe Ceracchi. De beelden zijn betaald, maar worden nooit afgeleverd wegens ongunstige politieke omstandigheden (pro-Oranje). Ze staan volgens de laatste berichten nog steeds in de tuin van de Villa Borghese in Rome.

### Rutger Jan Schimmelpenninck (1761-1825)

Schimmelpenninck studeert in de patriottentijd in Leiden. Hij gaat als patriot de barricade op – al is het dan maar één keer – en krijgt daarbij een steen tegen zijn hoofd. Hij is advocaat en raadgever van de Amsterdamse kooplieden. Na de Franse inval in 1795 probeert hij de zelfstandigheid van Nederland te handhaven. In 1805 wordt hij benoemd tot raadpensionaris en wordt daarmee de machtigste politicus in Nederland. Hij verwijdert de laatste organisatorische resten van de Republiek en hervormt samen met Izaak Gogel het belastingstelsel. Binnen een jaar is hij zijn macht weer kwijt als Nederland in 1806 voor het eerst een monarchie wordt. Koning Lodewijk Napoleon en (later) koning Willem I doen een beroep op hem als volksvertegenwoordiger.

### Gijsbert Karel van Hogendorp (1762-1834)

Van Hogendorp, telg uit een regentengeslacht, volgt een opleiding aan de cadettenschool in Berlijn en studeert rechten in Leiden. In de Verenigde Staten ontmoet hij Thomas Jefferson en George Washington. Tijdens de Franse bezetting (1795-1813) is hij werkloos. In 1813 schrijft hij samen met onder meer Leopold van Limburg Stirum een schets voor de grondwet. Nederland is als monarchie het best af, vindt hij. Koning Willem I benoemt hem uit dank tot graaf en tot minister van staat. Maar de koning ontslaat hem alweer in 1819, vanwege zijn onophoudelijke kritiek op het economische en financiële regeringsbeleid. Hij mag zijn pensioen houden.

### Jonas Daniël Meijer (1780-1834)

Meijer is de eerste joodse advocaat in Nederland. Hij ijvert voor gelijke rechten voor de joden in Nederland. Hij wil het Jiddisch afschaffen en zit in een commissie die de verdeelde joodse gemeenschap op één lijn moet brengen. Hij wordt dankzij koning Lodewijk Napoleon directeur van de *Koninklijke krant*, voorloper van de *Staatscourant*. Belangrijke banen waren tot dan toe onbereikbaar voor joden. Hij vertegenwoordigt in 1820 de inmiddels afgetreden Lodewijk Napoleon, die het onroerend goed terugeist dat hij in Nederland heeft gekocht. Zijn gloedvolle pleidooi baat de gewezen vorst echter niet.

# Herman Willem Daendels (1762-1818)

Herman Willem Daendels is pas een paar maanden de nieuwe gouverneur-generaal in Indië als hij besluit tot aanleg van een grote weg die de noordelijke kuststrook van Java volgt. De verbindingen op het eiland dat het belangrijkste Nederlandse koloniale bezit is, laten namelijk te wensen over. Voor het helse karwei worden tienduizenden Javaanse arbeiders geronseld. Het werk bestaat voor een groot deel uit reparaties van bestaande landwegen, maar in bergachtige gebieden zijn de werkzaamheden ingrijpender, en moeten paden worden verbreed en grote kunstwerken worden aangelegd. Binnen een jaar, in 1809, is de duizend kilometer lange Grote Postweg af. De *Jalan raya pos* loopt van het westelijke Anjer tot het oostelijke Panaroekan. De nieuwe verkeersader heeft de tocht van Batavia naar Soerabaja, die normaal drie weken duurt, ingekort tot een week. Langs de weg, die breed genoeg is voor twee karren, liggen wisselplaatsen en paardenpoststations. Het werk is verricht door Javaanse koeli's, die meestal geen cent voor de herediensten hebben gekregen. Volgens een Britse tijdgenoot zijn er door de slechte omstandigheden twaalfduizend arbeiders omgekomen bij de aanleg van de weg, waar gewone Javanen geen gebruik van mogen maken.

Herman Willem Daendels wordt op 21 oktober 1762 geboren in Hattem. Zijn vader is eigenaar van een steenbakkerij, en behoort als secretaris van de stad tot de notabelen. Tijdens zijn studie rechten aan de universiteit van Harderwijk komt Daendels in aanraking met de patriottenbeweging, die zich verzet tegen de macht van de stadhouder. Prins Willem V wordt gezien als oorzaak van de teloorgang van de Republiek. Na zijn studie richt Daendels in Hattem een militie op die exerceert en politieke debatten voert. In 1786 doet hij tevergeefs een poging om als opvolger van zijn inmiddels overleden vader lid te worden van het stadsbestuur van Hattem (dat duizend inwoners telt). Hattem verzet zich openlijk tegen het gezag van de stadhouder, die er zijn troepen op afstuurt. Daendels vlucht samen met een flink deel van de bevolking naar Zwolle en later naar Utrecht, het centrum van de patriotten. Hij heeft zijn reputatie gevestigd als overtuigd patriot die het tegen de despoot Oranje opneemt. Net als andere patriotten is Daendels voorstander van een sterke eenheidsstaat waar geen

plaats is voor stadhouder of aristocraten. De opstand van de patriotten wordt dankzij Pruisische troepen in het voordeel van de orangisten beslist. Daendels wijkt net als veertigduizend andere patriotten uit naar Frankrijk, waar in 1789 de Franse Revolutie uitbreekt. Vanuit ballingschap bereidt hij de omwenteling voor die Nederland moet zuiveren 'van al dat adellijk en aristocratisch ongedierte'. Hij neemt het initiatief tot de oprichting van het Bataafse Legioen, dat met drieduizend man onderdeel is van het Franse leger. Als brigadegeneraal binnen het Franse leger neemt hij deel aan de 'bevrijding' van Nederland, waarna stadhouder Willem V naar Engeland vlucht. In 1795 wordt de Bataafse Republiek opgericht. De 'Rechten van de Mens en de Burger' worden geproclameerd. In theorie is iedereen voor de wet gelijk.

Als opperbevelhebber van het nieuwe Bataafse leger krijgt Daendels behoorlijke tegenslagen te verwerken. Nadat een eerste poging om aartsvijand Engeland aan te vallen door slecht weer in de kiem is gesmoord, loopt een tweede poging uit op een nederlaag. Intussen zijn de Bataafse politici er na drie jaar niet in geslaagd een grondwet te ontwerpen. Op 22 januari 1798 dringt Daendels met vijftig man de zaal van de Nationale Vergadering binnen. De gematigde patriotten worden gevangen genomen, de fanatieksten blijven zitten. Zij schrijven binnen twee maanden een grondwet. De failliete VOC wordt opgeheven, en de activiteiten door de staat overgenomen. Als blijkt dat de regels van de grondwet niet worden gevolgd, besluit Daendels opnieuw tot een staatsgreep. Een jaar later wordt hij ingeschakeld om een Russisch-Engelse inval in Noord-Holland af te slaan. De Bataafse troepen leiden grote verliezen. Na deze blamage neemt Daendels ontslag, en trekt zich terug uit het politieke gewoel om tot rust te komen.

In Frankrijk – 'leenheer' van de Bataafse Republiek – heeft Napoleon de macht naar zich toe getrokken. In 1806 benoemt keizer Napoleon zijn broer Lodewijk tot koning van Holland – Nederland is voor het eerst een koninkrijk. De nieuwe koning benoemt Daendels op 28 januari 1807 tot gouverneur-generaal in Indië. Hij reist onder een paar schuilnamen, omdat de Engelsen achter hem aanzitten, naar Indië, waar hij op 1 januari 1808 in Anjer (op de westpunt van Java) arriveert. Daendels gaat voortvarend te werk. Hij heeft de opdracht om de verdediging van Indië op orde te brengen en ervoor te zorgen dat de kolonie (die op dat moment bestaat uit Java, delen van de Molukken en Sulawesi plus een aantal factorijen) niet in Engelse handen valt. Omdat er voorlopig geen aanvoer van soldaten uit Nederland te verwachten valt, begint Daendels met het opzetten van een leger van twintigduizend manschappen, die vooral geronseld worden onder de lokale bevolking. Door de infrastructuur te verbeteren, moet het gouvernement in staat zijn snel troepen te verplaatsen. Daendels' Grote Postweg vormt met alle wegen die eropuit komen niet alleen een belangrijk onderdeel van militair optreden, maar zorgt er ook voor dat het gouvernement dieper in de Javaanse samenleving en economie kan doordringen.

Met tomeloze energie zet Daendels zich aan de hervorming van het bestuur. De Verenigde Oostindische Compagnie (VOC) bestaat al jaren niet meer. Aan het einde van de achttiende eeuw was het bergafwaarts gegaan met de handelsonderneming. De VOC, geplaagd door interne corruptie, blijkt niet opgewassen tegen buitenlandse concurrenten. Het is aan de 'IJzeren Maarschalk' om af te rekenen met het oude compagniebewind dat nog in Batavia zetelt. De eilanden moeten volgens nieuwe imperialistische inzichten als een kolonie worden bestuurd. In de nieuwe structuur die Daendels doorvoert, komt de macht bij de gouverneur-generaal te liggen. Java wordt verdeeld in negen prefecturen die bestuurd worden door een prefect. De gouverneur-generaal benoemt voortaan de ambtenaren (Nederlanders en Indonesiërs). Ze krijgen een salaris, en mogen zonder zijn toestemming geen geschenken aannemen of handel drijven. De rechtspraak wordt eveneens hervormd.

Van de Javaanse beleefdheidscultus moet Daendels niets hebben. Hij spreekt lokale vorsten direct, luid en duidelijk aan. Het levert hem de bijnaam *Toean Besar Goentoer* (donderende grote heer) op. In 1808 gelast hij de sultan van Bantam om koelies beschikbaar te stellen voor de aanleg van een strategische vlootbasis aan de Meeuwenbaai in de Straat Soenda (de doorgang tussen Java en Sumatra). De eerste vijftienhonderd arbeiders sterven meteen aan malaria. Ook de Nederlanders, die toezicht houden, leggen het loodje. Als de sultan tegen de zware herendiensten protesteert en niet voldoende nieuwe arbeiders levert, stuurt de gouverneur-generaal zijn commandeur eropaf, die echter door de Bantammers wordt vermoord. Daarop trekt Daendels met duizend gewapende mannen naar Bantam. In zijn eentje treedt hij de kraton binnen. Op het moment dat de vorst hem de hand wil schudden, duwt Daendels hem opzij, neemt plaats op de troon en zegt: 'Nu ben ik sultan.' Nadat hij de prins heeft laten fusilleren, stelt Daendels een nieuwe sultan aan die onder een Nederlandse prefect zal dienen. Voor terugkeer naar Batavia wordt de kraton geplunderd. Niet overal treedt Daendels zo driest op, maar ook andere vorstendommen verliezen hun autonomie.

De gouverneur-generaal besluit ook iets te doen aan het ongezonde klimaat in Batavia. Om frisse lucht door de stad te laten stromen worden grachten gedempt, delen van de stadsmuur en het kasteel gesloopt. Uiteindelijk wordt de regeringszetel van Batavia verplaatst naar Weltevreden dat een paar kilometer zuidelijker ligt. Hij laat een Gouvernementshotel bouwen waar ambtenaren gehuisvest worden. Er komt ook een exercitieveld. Het blijkt een gouden greep. Weltevreden groeit uit tot een ruime, aangename stad.

Als patriot mag Daendels zich presenteren als een anti-feodaal, zelf maakt hij schaamteloos gebruik van herendiensten bij de bouw van wegen en forten. In zijn ogen hebben Javanen geen individuele rechten, maar zijn zij onderontwikkelde mensen die slechts geschikt zijn als leveranciers van producten en diensten. De verplichte leveranties van handelsproducten zoals onder de VOC gebruikelijk was, blijven gewoon bestaan. Als het gouvernement in geldnood komt, voert hij extra heffingen in. Daendels tracht de financiële problemen ook op te vangen door leningen, het in omloop brengen van papieren geld en de verkoop van landsdomeinen. Ook de gouverneur-generaal blijkt de wegen te kennen om zichzelf te verrijken. Daendels is geen 'sociaal hervormer' maar een generaal die vooral geïnteresseerd is in zichzelf en het opzetten van een efficiënt bestuur. Met zijn optreden maakt hij niet veel vrienden.

Voorjaar 1811 arriveert zijn vervanger. Een paar maanden later maakt een Engelse invasievloot korte metten met het Nederlandse leger en is de hele kolonie toch in de handen van de Engelsen gevallen. De nieuwe Britse luitenant-gouveneur Thomas Stamford Raffles schaft de herendiensten en dwangleveranties af, maar zal het bestuurlijk beleid van zijn voorganger in grote lijnen voortzetten. In 1814 wordt Indië weer aan Nederland teruggegeven.

Bij zijn terugkeer in Europa dient Daendels als generaal onder keizer Napoleon en neemt hij deel aan expedities in het buitenland. Als de Franse keizer is gevallen, vertrekt Daendels in 1814 naar het bevrijde Nederland waar koning Willem I soeverein vorst is. Daendels wordt door de koning benoemd tot gouverneur-generaal van Goudkust, waar hij in 1818 in Elmina (Ghana) sterft.

## Johannes van den Bosch (1780-1844)

De naam van de gouverneur-generaal van Nederlands-Indië is verbonden met het Cultuurstelsel dat tussen 1830-1834 wordt ingevoerd. De Javaanse bevolking wordt hierbij door het gouvernement verplicht om tegen een laag plantloon exportgewassen (indigo, suiker, koffie) te leveren. Het cultuurstelsel, dat de staat enorme inkomsten levert, dient deels om de uitgaven van de oorlog tegen Diponegoro te dekken. De cultuurprocenten die bestuursambtenaren ontvangen, werken grote misstanden in de hand. Halverwege de negentiende eeuw ontstaat felle kritiek (onder andere door Eduard Douwes Dekker) op het Cultuurstelsel, waarvan de laatste restanten pas in 1915 verdwijnen.

## Diponegoro (CA.1785-1855)

Nadat de Javaanse prins is gepasseerd als nieuwe sultan aan het kraton van Jogjakarta, ontpopt Diponegoro zich in 1825 als leider van de opstand tegen de Nederlanders. De prins geniet de steun van een groot deel van de hoge adel, de islamitische geestelijkheid en de boeren. De opstand is een poging van de gekwetste Javaanse adel om de verloren macht op de Nederlanders terug te veroveren. Tijdens de oorlog (1825-1830) sterven aan Nederlandse zijde 15.000 soldaten, aan Javaanse zijde sneuvelen er tweehonderdduizend. Bij vredesbesprekingen wordt Diponegoro door de Nederlanders gevangengenomen en verbannen. Voor het eerst in de geschiedenis controleert het gouvernement het hele eiland.

## Joannes Benedictus Van Heutsz (1851-1924)

Nadat hij jaren als militair in Atjeh heeft gevochten, laat Van Heutsz in 1893 een brochure verschijnen waarin hij pleit voor hard optreden in het opstandige gewest. In 1898 wordt Van Heutsz benoemd tot generaal en gouverneur van Atjeh om een einde te maken aan de oorlog, die al vijfentwintig jaar woedt zonder dat Nederland het verzet heeft kunnen breken. Onder zijn bewind worden grove oorlogsmisdaden begaan, hetgeen geen belemmering blijkt om Van Heutsz, die zeer gerespecteerd wordt door koningin Wilhelmina, in 1904 te benoemen tot gouverneur-generaal. Van Heutsz zal het Nederlands gezag tot in de verre uithoeken van de archipel vestigen.

# Willem I (1772-1843)

Na zijn troonsafstand op 7 oktober 1840 vertrekt Willem I met zijn nieuwe vrouw Henriette d'Oultremont uit Nederland. Voor de gravin heeft hij zijn troon opgegeven, aangezien de regering niet van plan is toestemming te geven voor dit huwelijk. Zijn zoon Willem II staat te popelen om de troon te bestijgen. De gravin en de prins leven samen op zijn landgoederen buiten Nederland. Hij overlijdt op 12 december 1843 in Berlijn aan een beroerte terwijl hij zit te lezen. Hij wordt bijgezet in de koninklijke grafkelder in Delft, naast zijn eerste vrouw (en niet) Wilhelmina van Pruisen.

Willem Frederik wordt op 24 augustus 1772 geboren als oudste zoon van stadhouder Willem V en Wilhelmina van Pruisen. Zijn vader is de eerste Oranje voor wie het stadhouderschap erfelijk is. Maar Willem V wordt in Nederland het slachtoffer van een venijnige lastercampagne van de patriotten. Zijn Pruisische schoonfamilie moet hem in 1787 met troepen te hulp schieten als de binnenlandse oppositie te heftig wordt. Na de Franse Revolutie in 1789 maakt Frankrijk aanspraak op de Zuidelijke Nederlanden en verovert Brabant. In december 1794 trekken de Franse legers onder leiding van generaal Charles Pichegru de bevroren rivieren over en in januari 1795 veroveren ze Utrecht. De stadhouder wacht de verdere gebeurtenissen niet af. Hij stapt samen met zijn zoon Willem Frederik in de nacht van 18 op 19 januari 1795 in een visserspink, die hen naar Engeland brengt. Stadhouder Willem slijt aan de overkant van de Noordzee zijn laatste jaren, nog steeds bespot. Ook in Engelse pamfletten komt hij er niet goed af. Hij figureert als een bolle en bezadigde prins die zijn dienstmeisjes bezwangert.

Willem Frederik (Willem VI) is een vorst zonder land en zonder goede vooruitzichten. Er is, ook in Nederland, weinig enthousiasme voor zijn plannen om Nederland binnen te vallen. De enige Oranje-klant die ondubbelzinnig achter hem staat is de gewezen pensionaris van Rotterdam (en inmiddels werkloos politicus) Gijsbert Karel van Hogendorp. Na onderhandelingen met Napoleon en bemiddeling van Pruisen krijgt Willem wat land in Duitsland. Het treft dat in Duitsland de geestelijkheid is 'geseculariseerd': bisschoppen moeten hun wereldlijke macht opgeven en hun

landgoederen afstaan. Willem krijgt in 1802 Fulda, midden in Duitsland, met ongeveer 90.000 inwoners, plus nog wat land in het Ruhrgebied, met ongeveer 20.000 inwoners. Hij wordt tot 1806 vorst van Fulda en graaf van Corvey, Weingarten en Dortmund. Zijn jaarinkomen is nu slechts een kwart van wat hij als monarch in Nederland kan verdienen. Willem onderhandelt met de Fransen en de Bataafse Republiek, zoals Nederland nu heet, over compensatie. In Fulda bemoeit hij zich met alles. Hij trekt te paard door de streek om zich persoonlijk op de hoogte te stellen van het wel en wee van de bevolking en overlegt met zijn ministers over de kleinste details van het regeringsbeleid. Zo gaat hij ook Nederland besturen, nadat Napoleon zich met zijn veldtocht tegen Rusland heeft vergaloppeerd. Op 30 november 1813 stapt Willem niet als stadhouder Willem vi maar als koning Willem i uit de boot op het Scheveningse strand. De door Van Hogendorp ontworpen grondwet wordt met enkele wijzigingen aangenomen en op 30 maart 1814 wordt Willem officieel tot soeverein vorst uitgeroepen in de Nieuwe Kerk in Amsterdam. Niet alleen Nederland, maar ook België en Luxemburg vallen onder zijn rijk.

Nederland is in zijn afwezigheid grondig veranderd. In het kader van *liberté, fraternité et egalité* zijn rangen en standen afgeschaft, en de belastingen zijn verhoogd. De laatste resten van de versleten Republiek zijn verdwenen. De gewesten zijn hun macht voorgoed kwijtgeraakt aan een centrale overheid. Napoleon heeft zijn broer aangesteld als koning van Nederland. Onder Lodewijk Napoleon is Nederland dus voor het eerst een monarchie, waarna het in 1810 deel gaat uitmaken van Napoleons keizerrijk. En er zijn veel meer veranderingen: bevolkingsadministratie, een minimumleerplan, wetboeken, achternamen en dienstplicht. Willem draait niet alles zomaar terug. Patriotse bestuurders en politici, die eigenlijk tegen de Oranjes zijn, laat hij zitten. Hij voert zelfs de nieuwe (Franse) lengtematen in, iets wat Napoleon nog niet voor elkaar had gekregen. Het metrieke stelsel wordt in Nederland en België als eerste land ter wereld in 1816 voor de handel verplicht – met een gewenningsperiode van vier jaar. Nederland is ook arm geworden tijdens de Franse bezetting. De koning laat wegen en kanalen aanleggen voor het herstel en de verbetering van de infrastructuur. Hij richt de Nederlandsche Bank op en onderhoudt goede contacten met de Nederlandse kooplieden. In zijn plannen moet het noorden van zijn koninkrijk zich toeleggen op de handel – net als in de Gouden Eeuw – en het zuiden in het Maas-dal op de industrie (mijnbouw, metaal- en textielindustrie). De koloniën die zijn vader aan de Engelsen is kwijtgeraakt en die hij weer terugkrijgt voorzien hem van voldoende rijkdom om de wederopbouw van Nederland te financieren. In 1830 wordt de Javaanse boerenbevolking door het cultuurstelsel zelfs gedwongen zich zoveel mogelijk te beperken tot producten die interessant zijn voor de export. De koloniën brengen jaarlijks zo'n 30 miljoen gulden op; 10 miljoen gulden wordt besteed aan het betalen van rente van de staatsschuld.

Willem betoont zich een harde werker. Het is niet ongebruikelijk dat hij 's ochtends om drie uur al achter zijn bureau zit om zijn stukken af te handelen. Dat hij zo vroeg uit bed moet, is ook wel een beetje zijn eigen schuld, want hij wil zich, net als in Fulda, met alles bemoeien en overal het laatste woord over hebben. In Den Haag en Brussel geeft hij wekelijks openbare audiënties, waarbij hij urenlang – staand – de zorgen en de grieven van zijn onderdanen aanhoort. En – ook net als in Fulda – hij reist door Nederland en België. Hij reist om zich te informeren, maar ook om de nationale eenheid te bevorderen, waarvan hij zichzelf als de verpersoonlijking ziet.

Tijdens een rondreis in de zomer van 1829 wordt hij enthousiast onthaald in een aantal Belgische steden. Maar schijn bedriegt, want in België sluimert onvrede. België hoort al sinds Willem van Oranje steeds minder bij Nederland. De koning jaagt de Belgen tegen zich in het harnas met zijn onderwijspolitiek. Hij wil het analfabetisme bestrijden door het lager onderwijs uit te breiden. Hij richt universiteiten op in Gent, Leuven en Luik, en enkele athenea en rijksnormaalscholen. Dat is allemaal goed bedoeld. Maar hij schaft ook het katholieke middelbare onderwijs af en sluit bisschoppelijke seminaries. De priesteropleiding komt onder staatstoezicht. De economische malaise en misoogsten voeden de oppositie tegen Willem verder. Op 25 augustus 1830 gaan opstandige Belgen na de uitvoering in Brussel van de opera *La muette de Portici* de straat op – de opera wordt uitgevoerd ter gelegenheid van de verjaardag van de koning. De opstand breidt zich over België uit en Willem stuurt zijn troepen op de Belgen af. Zijn zoon Willem II trekt Brussel binnen en levert vier dagen slag in het stadspark met Belgische vrijwilligers. Internationaal krijgt Willem geen steun. De grote mogendheden verlenen in 1831 de Belgen hun onafhankelijkheid. Als op 21 juli Leopold hertog van Saksen-Coburg wordt en Gotha (die een jaar eerder ook al was gevraagd om koning van Griekenland te worden) officieel koning van België wordt, trekken Nederlandse legers opnieuw naar het zuiden. De veldtocht duurt tien dagen en Nederland is na afloop Vlaanderen en Wallonië definitief kwijt. Willem mag volgens de verdragen Luxemburg houden, maar weigert de papieren te ondertekenen. Hij tekent het verdrag dat België als onafhankelijke staat erkent pas acht jaar later, in 1839, na lang aandringen van de politiek. De aanhoudende schermutselingen voor het verdrag is getekend kosten veel geld en is slecht voor de economie die Willem net zo voortvarend weer op gang heeft gebracht. De staatsschuld loopt in de honderden miljoenen. Nederland is bijna bankroet.

Met het verlies van België ontstaat er een nieuwe situatie. De grondwet moet worden aangepast, vindt de Tweede Kamer. De ministers luisteren wel naar de koning, die alles alleen beslist. Willem ontslaat ministers die hem niet aanstaan. Dat is echter moeilijker in het geval van de volksvertegenwoordigers in de Kamer, die blijft aandringen op een grondwetherziening. Daarbij worden de leden gesteund door Willem II, de prins van Oranje. De ontwerpbegroting van de regering wordt in 1839 gekraakt in het parlement, niet alleen omdat de begroting rammelt, maar ook omdat de koning wil hertrouwen. Zijn vrouw is in 1837 overleden en hij heeft zijn oog laten vallen op een hofdame. Maar deze Henriëtte d'Oultremont is Belgisch, katholiek en geen prinses. Het wordt in heel Europa een geweldig schandaal. Tot dan toe gold Willems hof als het saaiste hof van Europa. Het publiek is tegen het voornemen van de koning. De oorlog met België is nog maar net achter de rug. De volksvertegenwoordigers grijpen deze buitenkans aan om oppositie tegen hun vorst te voeren. Sommigen willen zelfs voor de begroting stemmen als hij van het huwelijk afziet. 'Vijftig jaar heb ik mij nooit iets aangetrokken van wat de mensen zeggen, en daar begin ik nu zeker niet aan,' zegt de koning. Maar hij verklaart in maart 1840 toch af te zien van het huwelijk, en hij stemt in met een spectaculaire verandering in de grondwet. Elk besluit van de koning moet getekend worden door de minister, en die is weer verantwoording schuldig aan de Eerste en Tweede Kamer. Het staatsbestel gaat steeds meer op een democratie lijken. Dat zint de koning niet. Hij wil zich niet schikken naar de wensen van de volksvergadering. Op 7 oktober 1840 doet hij afstand van de troon en aan het einde van het jaar vertrekt hij naar Berlijn. Daar trouwt hij alsnog met Henriëtte d'Oultremont. Ze hebben dan nog drie jaar samen.

## Lodewijk Napoleon (1778-1846)

De broer van Napoleon neemt de moeite, als eerste koning, om Nederlands te spreken. Zijn broer, die Nederland in 1795 heeft veroverd, laat hem in 1806 benoemen tot koning. Lodewijk bezoekt rampen, zoals later alle monarchen dat gewoon worden, zoals in Leiden de gevolgen van een ontploffing van een kruitschip en in de Betuwe een overstroming. Hij maakt van het stadhuis op de Dam een paleis – voor een paar maanden, want er is geen tuin. Hij werkt zijn grote broer vooral tegen bij het doorvoeren van maatregelen als de dienstplicht. In juli 1810 vertrekt hij alweer uit Nederland. Eenzaam, maar niet zonder geld: zijn jaarsalaris bedraagt 2 miljoen gulden.

## Willem II (1792-1849)

Willem II dient onder de Engelse hertog Wellington en boekt als generaal van de infanterie een van de belangrijkste wapenfeiten uit de Nederlandse krijgsgeschiedenis: in 1815 houdt hij bij Quatre Bras de Franse troepen een dag tegen, waardoor Wellington zijn troepen kan hergroeperen en later de slag bij Waterloo in zijn voordeel beslist. Zijn tiendaagse veldtocht tegen België in 1831 is militair gezien echter een mislukking. België blijft niet behouden voor de Oranje-dynastie. Zijn grootste politieke verdienste is, na aanvankelijke conservatieve tegenzin, doorvoering van herziening van de grondwet – uit angst voor revolutie is hij in één nacht liberaal geworden.

# Rudolf Thorbecke (1798-1872)

Op 12 april 1848 biedt Johan Rudolf Thorbecke het ontwerp voor de grondwet aan. Zijn grondwet zet de politieke verhoudingen in Nederland op zijn kop. De ministers zijn niet langer dienaren van de koning en moeten vanaf nu verantwoording afleggen aan de Staten-Generaal. De koning staat buitenspel. Hij kan niets verkeerd doen; de ministers zijn verantwoordelijk. Nederland krijgt dankzij Thorbecke de modernste grondwet van Europa, een wet die nog steeds de grondslag vormt voor het huidige staatsbestel. Nederland wordt in 1848 geen moderne democratie. De volksvertegenwoordiging wordt rechtstreeks gekozen, maar nog geen 10 procent van de bevolking is stemgerechtigd. De grondwet verleent de burgers wel klassieke grondrechten: vrijheid van godsdienst, meningsuiting, drukpers, van vereniging en van vergadering.

Halverwege de negentiende eeuw is het in heel Europa onrustig. Na de Franse overheersing, bijbehorende oorlogen en de Industriële Revolutie is de maatschappij ontregeld. In Londen schrijft Karl Marx aan zijn *Communistisch Manifest* en overal in de Europese steden gaan demonstranten de straat op. In 1847 breekt in Zwitserland een burgeroorlog uit. In 1848 wordt in Frankrijk Louis Philippe van Orléans tijdens de Februari-revolutie afgezet. De Habsburgse hegemonie schudt op zijn grondvesten. In Nederland is het een stuk rustiger. In Amsterdam en Den Haag zijn een paar optochten, maar koning Willem II wordt toch behoorlijk zenuwachtig en geeft opdracht tot een ingrijpende herziening van de grondwet. Voor 500 gulden schrijft Thorbecke in een week de nieuwe grondwet. Hij is door zijn rivalen in de Kamer buiten de regering gehouden, dus hij heeft de tijd om er goed voor te gaan zitten. Buiten het medeweten van die rivalen om geeft de koning toestemming de tekst van het voorstel te drukken.

Johan Rudolf Thorbecke wordt 14 januari 1798 in Zwolle geboren. Zijn vader behoort tot een Duitse familie uit Borgholzhausen in Westfalen. De Thorbeckes hebben halverwege de zeventiende eeuw een handelskantoor gevestigd in Zwolle. De zaken gaan goed, maar de familieleden blijven door hun lutherse geloofsovertuiging tweederangs burgers. De hervormde Kerk geniet een bevoorrechte positie in Nederland. Thorbeckes vader moet dominee worden, maar hij breekt zijn studie af als zijn

vader (Thorbeckes grootvader) overlijdt en begint in het familiebedrijf. Hoewel de inkomsten steeds verder teruglopen – de firma gaat in 1820 zelfs failliet –, kan Thorbecke studeren. Thuis wordt bespaard op de verwarmingskosten om zijn studie te bekostigen. Die opoffering is niet vergeefs, want Thorbecke is een briljante leerling. Hij sluit de Latijnse school in Zwolle als beste leerling af. Daarna gaat hij naar het atheneum in Amsterdam ter voorbereiding op zijn universitaire opleiding in Leiden. Hij woekert met zijn talenten, zoals de bijbel dat voorschrijft. Hij staat 's ochtends om halfzes op en studeert tot 's avonds laat, totdat hij zijn ogen niet meer open kan houden, schrijft hij zijn vader. Dat plichtsbesef staat een losbandig studentenleven in de weg. In juni 1820, twee maanden na vaders faillisement, promoveert hij als classicus. Als hij hoogleraar wordt, zijn de financiële zorgen van de familie voorbij. Maar eerst gaat Thorbecke, met een beurs, op studiereis door Duitsland. In Dresden ziet hij twee keer de opera *Don Giovanni* van Wolfgang Amadeus Mozart en wordt hij verliefd op Dorothea Tieck, de dochter van dichter Ludwig Tieck. Hij schrijft erover aan zijn vader, en die raadt hem aan zo snel mogelijk thuis te komen.

Bij zijn terugkeer wordt hij niet benoemd tot hoogleraar in Leiden, wat hij eigenlijk verwacht. Voor die functie is hij te jong en te modern. Hij kan bibliothecaris worden, maar hij verkiest terug te keren naar Duitsland om als privé-leraar te werken. In 1825 wordt hij hoogleraar wijsbegeerte en letteren in Gent, dat dan nog net bij Nederland hoort. Als de Belgische opstand uitbreekt, brengt hij zijn boeken in veiligheid en gaat hij terug naar Leiden. Zijn wachtgeld bedraagt 320 gulden per jaar; zijn salaris was 1600 gulden. In 1831 wordt hij hoogleraar aan de juridische faculteit in Leiden – honoris causa. In 1836 trouwt hij – bijna veertig – met de negentienjarige Adelheid Solger, de dochter van een Duitse weduwe, die hij tijdens zijn eerste verblijf in Duitsland in Berlijn heeft leren kennen. Adelheid was indertijd vijf jaar oud, maar was, blijkt uit de correspondentie tussen haar moeder en Thorbecke, zeer onder de indruk van de gast uit Nederland. Ze krijgen vijf kinderen. Drie zonen – van wie Frederik al na enkele weken overlijdt; Herman en Rudolf komen in 1858 en 1861 om op zee – en twee dochters: Jetje en Marie. Tot zijn huwelijk laat Thorbecke zich nog wel eens van een romantische, lyrische kant zien. Maar nadat Adelheid en hij in de echt zijn verbonden, is daarvan geen sprake meer. In zijn werk is hij stoïcijns, steil en onafhankelijk. Hij houdt geen rekening met vriendschappen en persoonlijke gevoeligheden. Dat maakt hem soms tot een onuitstaanbare figuur.

Als Leids hoogleraar houdt hij zich bezig met de grondwet. Tijdens zijn colleges behandelt hij de artikelen en het ontstaan van de constitutie. Zijn *Aantekeningen op de grondwet* wordt in 1839 uitgegeven. Zijn commentaar sluit aan bij de door koning Willem I toegezegde, maar nooit doorgevoerde wijzigingen. De noodzaak voor die veranderingen wordt dringender als de koning in 1839 na lang talmen het Londense verdrag tekent dat de onafhankelijkheid van België regelt. Door de Belgische afscheiding wordt Nederland ineens een stuk kleiner.

In 1840 betreedt Thorbecke het parlement. Wat hij daar aantreft, kan hem maar matig bekoren. Het is er net een sociëteit, vindt hij. In Leiden had hij overigens ook geen hoge dunk van de meeste collega-professoren. In de Tweede Kamer trekt hij het initiatief naar zich toe en koning Willem I ontwaart in hem al bij zijn eerste optreden een bedreiging. Zijn eerste *Aantekeningen* uit 1839 zijn nog voorzichtig. Hij is bijvoorbeeld nog geen voorstander van directe verkiezingen, die later een belangrijk onderdeel vormen van de grondwetwijziging. In de loop van de jaren veertig worden zijn opvattingen radicaler. Te radicaal en on-Nederlands, vinden sommigen. Koning Willem I heeft in 1840 een veer gelaten. Hij heeft toegestaan dat een minister een nieuwe wet moet tekenen en daarvoor zelfs strafrechtelijk verantwoordelijk is. De koning kan niet meer alleen per decreet – Koninklijk Besluit – regeren. Na die wijziging heeft Willem I de troon aan zijn zoon gelaten. Hoewel Willem II aanvankelijk enthousiast is over grondwetherziening, blijven verdere wijzigingen uit. Tot 1848, als in heel Europa de revolutie uitbreekt.

Thorbeckes grondwet wordt in een geweldig tempo, onder druk van de koning, aangenomen. De auteur is zelf niet aanwezig bij de behandeling ervan in het parlement, want hij is niet in de Kamer herkozen. Bij de eerste directe verkiezingen boeken de liberalen een overwinning. Thorbecke krijgt in november 1849 zijn eerste ministerie. Een minister-president bestaat nog niet, maar hij is wel de onbetwiste leider van de ministersploeg. Koning Willem II is overleden en Thorbecke komt tegenover Willem III te staan. De koning wil onder de voor hem ongunstige voorwaarden van de nieuwe grondwet eigenlijk geen koning worden. Willem III heeft een hekel aan Thorbecke en wil hem liefst laten ophangen. Thorbecke laat zich niet van de wijs brengen door zijn nurkse vorst. Hij schrijft de kieswet, de gemeentewet en de provinciale wet. Hij zuivert de gelederen van de bestuurders en wil het liefst voorstanders van de nieuwe grondwet in het bestuur. In de Kamer heeft hij geen zin lang uit te weiden over zijn beleid. Bovendien kan iedereen zich op de hoogte stellen van zijn beleid. De spanningen die zijn beleid oproept, lopen hoog op. Hij heeft een eerste aanzet gegeven tot sociale wetgeving door de armenzorg weg te halen bij de (protestantse) Kerk. De protestanten verhevigen hun oppositie tegen Thorbecke als hij herstel van de bisschoppelijke hiërarchie in Nederland wil toestaan – die al eeuwen is afgeschaft. De koning steunt de protestanten. Daarop levert Thorbecke zijn portefeuille in, maar ook in de oppositie behoudt hij zijn invloed op het regeringsbeleid.

Pas in 1862 mag hij weer als minister aantreden. Economisch gaat het beter met Nederland, en onder Thorbecke wordt aanleg van spoorwegen en kanalen bevorderd. Onder het ministerie van Binnenlandse Zaken van Thorbecke vallen ook landbouw, visserij, waterstaat en onderwijs. Voor het onderwijs schrijft hij ook een wet, die oprichting van de hogere burgerschool (H.B.S) tot gevolg heeft. Hoewel hem de omstandigheden van de arbeiders aan het begin van de Industriële Revolutie niet zijn ontgaan, doet hij weinig aan de verbetering van hun situatie. Het leven van een fabrieksarbeider, zijn vrouw en zijn kinderen bestaat in de negentiende eeuw voor het grootste gedeelte uit werk. Zeker na de invoering van elektrisch licht is er geen enkele reden meer om de machines stil te zetten als het buiten donker wordt. Al sinds 1841 wordt het fenomeen kinderarbeid onderzocht, maar Thorbecke ziet in 1869 nog steeds geen reden om daar iets aan te doen. Hij stelt zich op het (typisch liberale) standpunt dat als de gezinshoofden meer verdienen, de kinderarbeid vanzelf zal verdwijnen. Een wet zou geen oplossing zijn. De invoering van de Kinderwet in 1874 geeft hem uiteindelijk gelijk, want het duurt meer dan twintig jaar voordat wordt toegezien op de naleving van die wet.

Tijdens zijn derde en laatste ministerschap wordt Thorbecke ziek. Een jaar voor zijn benoeming in 1870 is zijn vrouw overleden. Eind 1871 wordt hij zelf ernstig ziek. Op zijn sterfbed regelt hij per telegram dat Aletta Jacobs als eerste vrouwelijke student college mag lopen aan de universiteit van Groningen. Op 4 juni 1872 overlijdt hij aan de gevolgen van een longontsteking. Meer dan tien jaar na zijn dood organiseren de liberalen zich in een partij, de Liberale Unie, een verre voorloper van de VVD. Thorbecke is altijd tegen partijvorming geweest.

### Floris van Hall (1791-1866)

Regentenzoon Van Hall komt als liberaal in de Tweede Kamer. Al in 1830 is hij voorstander van rechtstreekse verkiezingen en invoering van de ministeriële verantwoordelijkheid. In 1842 wordt hij minister van Justitie. In veel opzichten is hij het tegendeel van Thorbecke. Hij is pragmatisch en in staat tot compromissen. Thorbecke heeft een grondige hekel aan hem. Van Hall behoedt Nederland twee keer voor een faillissement. Hij stapt gedurende zijn carrière een paar keer op uit onvrede over het gevoerde beleid. Hij hervormt het geldstelsel, voert een wet op de armenzorg in en matigt met zijn wet op de kerkgenootschappen de religieuze spanningen.

### Guillaume Groen van Prinsterer (1801-1876)

Groen van Prinsterer is de grondlegger van het christelijke (gereformeerde) antirevolutionaire gedachtegoed. Veranderingen komen slechts als God dat wil. 'In beginsel is iedere christen antirevolutionair.' Drie jaar na zijn dood richt Abraham Kuyper de Anti-Revolutionaire Partij (ARP) op, de eerste confessionele politieke partij in Nederland. Hij is in de Kamer voortdurend buiten de orde, vindt Thorbecke, met wie hij aanvankelijk bevriend is, omdat hij over zijn godsdienstige beginselen wil spreken. Als historicus schrijft hij enkele zeer grondige geschiedenisboeken.

### Samuel van Houten (1837-1930)

Van Houten is als beginnend Kamerlid bewonderaar van Thorbecke, maar al snel vindt hij zijn voorbeeld te conservatief. In 1874 wordt zijn Kinderwet aangenomen, die arbeid voor kinderen onder de twaalf verbiedt. Anders zouden ze later, redeneert Van Houten, slechter presteren op de arbeidsmarkt. Hij is ook verantwoordelijk voor de Kieswet uit 1887, die een verviervoudiging van het aantal stemgerechtigden betekent. Hij wordt in 1894 minister van Binnenlandse Zaken. Tijdens zijn bewind wordt het kiesrecht verder verruimd. Hij probeert na zijn tijd als senator een eigen partij te beginnen. De enige zetel die zijn partij in 1922 haalt, wordt niet door hem bezet.

# Christophorus Buys Ballot (1817-1890)

Christophorus Buys Ballot wordt als enig kind geboren op 10 oktober 1817 in Kloetinge. Het Zeeuwse gehucht is nu vastgegroeid aan Goes, maar het is een van de oudste dorpen op Zuid-Beveland. Zijn vader, Antonie Buys Ballot, is predikant in Kloetinge, nadat hij als dominee had gewerkt in Standaard-Buiten, bij Oudenbosch in Brabant. Vader Buys Ballot moet zich aanvankelijke optimistisch hebben gevoeld over het warme welkom in het protestants-christelijke dorp. Krap een jaar na zijn aanstelling wordt Christoph geboren aan de Marktveld 20. Drie jaar later verhuist het gezin als zijn vader dominee wordt op Walcheren.

Over de eerste levensjaren van Christoph Buys Ballot is weinig bekend. Er zijn nauwelijks aanwijzingen dat hij Nederland een van de eerste weerkundige instituten ter wereld zou nalaten en een belangrijke natuurwet zou ontdekken. Hooguit dat hij christelijk wordt opgevoed en dat hij, zoals de bijbel leert, zijn talenten moet benutten. Kennisverwerving is een belangrijke deugd in het gezin.

Buys Ballot gaat naar het gymnasium. Daar toont hij zich een echte bèta, een getallenfreak. In de zomer van 1835 – als hij nog net geen achttien jaar is – schrijft hij zich in als student aan de Hogeschool van Utrecht – een voorloper van de huidige rijksuniversiteit, maar nog wel onder het wakend oog van het bisdom. Dat is een beetje te katholiek naar de zin van zijn vader, dominee Buys Ballot, maar alles is toch beter dan de liberale 'Leijenaren'. In 1836 doet Buys Ballot al een kandidaatsexamen in de wiskunde en de natuurkunde. Hij valt op. In 1844 promoveert hij en krijgt vrijwel direct een aanstelling als lector in de mineralogie en de geologie. De faculteitsbestuurders zien hem als een groot talent. Op 11 september 1847 wordt hij benoemd tot buitengewoon hoogleraar. Buys Ballot is dan nog geen veertig jaar – in die tijd erg jong om hoogleraar te worden. Hij geeft les in theoretische chemie, wiskunde, sterrenkunde en natuurkunde. Na tien jaar doceren krijgt hij in 1857 een vaste aanstelling in Utrecht.

Al in zijn Utrechtse jaren registreert Buys Ballot systematisch de weersgesteldheid; van 1839 tot 1843 samen met Van Rees op de Smeetoren in Utrecht, later met

zijn studiegenoot en vriend Frederick Krecke op het landgoed Sonnenborgh. Systematische weerwaarnemingen zijn nieuw voor die tijd. Op meer plekken in de wereld doen amateurs en wetenschappers een poging om langdurig weersveranderingen vast te leggen, maar op weinig plekken kan dat met zulke hoogwaardige apparatuur en kennis als in Utrecht. Weer houdt zich niet aan grenzen, weet ook Buys Ballot, en hij zoekt internationale uitwisseling van kennis. Hij is betrokken bij een van de eerste internationale projecten op dit gebied. Enkele jaren achtereen doet hij om de drie maanden – op 21 maart, 21 juni, 21 september en 21 december – metingen van het weer. De gegevens wisselt hij uit met collega's in andere landen in Europa.

In 1847 bezoekt Buys Ballot met Krecke het Observatorium in Brussel. Hij is onder de indruk en wil ook een vaste plek waar vaste waarnemingen aan het klimaat kunnen worden gedaan. Een jaar later al krijgt hij zijn kans als het bolwerk Sonnenborgh vrijkomt en Buys Ballot het tot zijn beschikking krijgt. Krecke zegt zijn lerarenbaan op in Nijmegen en komt ook naar Utrecht.

Op 1 december 1848 beginnen de twee wetenschappers met een reeks systematische metingen van de ontwikkelingen van het klimaat die tot de dag van vandaag ononderbroken doorloopt. Het is een unieke reeks in de wereld. Op 19 juli 1852 vraagt Buys Ballot geld aan de regering voor de oprichting van een meteorologisch instituut. Iets meer dan een eeuw eerder, in 1725, vroeg de Delftse cartograaf Nicolaus Samuelis Cruqius ook al geld voor weermetingen, bij de Staten van Holland, maar zijn verzoek werd niet serieus genomen. Hij meet tussen 1706 en 1734 driemaal daags met primitieve instrumenten temperatuur, luchtdruk, vocht en neerslag. In de negentiende eeuw heeft de overheid wel geld over voor het weer.

Op 31 januari 1854 wordt het Koninklijk Nederlands Meteorologisch Instituut opgericht, en Buys Ballot is de eerste directeur. Zijn instituut wordt gevestigd in de Sonnenborgh in Utrecht en nog niet in De Bilt. Het moet de wereld informeren over het weer met 'korte zakelijke berichten', zoals hij zelf zegt. Dat is precies wat het instituut tot de dag van vandaag doet. Daarmee levert het een bijdrage aan het belangrijkste gespreksonderwerp in Nederland: het weer. Maar in de eerste jaren heeft het publiek nog weinig belangstelling voor het weer. Buys Ballot wil elke dag een weerkaart met een weerbericht uitgeven. In 1878 klaagt hij dat er nog maar drie kranten een weerbericht afdrukken. Internationaal draagt Buys Ballot eraan bij dat er richtlijnen komen voor het bepalen van de hoeveelheid bewolking en windkracht. Het jaar 1882-1883 roept hij uit tot internationaal pooljaar. Een expeditie op weg naar de noordpool noemt een nog onbekend eilandje naar hem. Het Buys Ballot-eiland ligt op 70″.24′ noorderbreedte en 58″.31′ oosterlengte.

Maar het zijn niet de weermetingen en niet het KNMI die Buys Ballot wereldberoemd maken. Hij staat in de wetenschappelijke geschiedenisboeken met zijn Wet van Buys Ballot. Een omstreden wet, met een even omstreden ontstaansgeschiedenis. Buys Ballot stelt dat als je staat 'met de rug naar de wind', het lagedrukgebied op het noordelijk halfrond links en het hogedrukgebied rechts liggen. De praktische uitwerking van de Wet van Buys Ballot betekent dat de wind tussen de verschillende drukgebieden door blaast. Zijn stelling betekent ruzie met de natuurkundigen, want gangbare experimenten voorspellen dat door een drukverschil tussen twee gebieden wind ontstaat in de richting van het lagedrukgebied. Dat lijkt logisch, maar het is een laboratoriumtheorie. De aardse praktijk, ontdekt Buys Ballot, laat zien dat het net anders is. En hij kan ook verklaren waarom: de krachten die luchtverplaatsingen rond de aarde veroorzaken, ondervinden ook een zijwaartse kracht onder invloed van de draaiing van de aarde, de Coriolis-kracht. De luchtstroom, of wind, wordt afgebogen, omdat die net als in een centrifuge naar buiten wordt geslingerd en in een rechte baan haaks staat op de richting van het drukverschil. De wind wil vluchten, of vlieden. Vandaar dat hij de term 'middelpuntvliedende kracht', of centrifugaalkracht, meekreeg. De Wet van Buys Ballot beschrijft het evenwicht in deze situatie.

Buys Ballot wordt er aanvankelijk om uitgelachen. En als zijn wetenschappelijke carrière hem lief is, wordt hem aangeraden, publiceert hij hierover niets. Buys Ballot is eigenwijs, schrijft zijn theorieën uit en stuurt ze toch in, zij het pas 3 oktober 1857. Als hij zijn natuurwet bij de Koninklijke Academie van Wetenschappen in Amsterdam aanmeldt, blijkt dat de Amerikaan William Ferrel een jaar eerder al dezelfde ontdekking heeft gedaan. Maar Ferrel laat de eer aan zijn Hollandse collega. De belangstelling voor de Wet van Buys Ballot komt uit niet-onverwachte hoek: die van de meteorologen. Zij nemen, anders dan de natuurkundigen, zijn theorie serieus. Door zijn wet begrijpen ze meer van de grilligheid van het weer, die ze al jaren proberen te doorgronden. Weerkaarten worden beter en weersvoorspellingen worden betrouwbaarder.

Buys Ballot staat naast zijn natuurwet om nog een reden bij de tweehonderd beroemdste wetenschappers aller tijden. De Oostenrijkse natuurkundige Christian

Doppler ontdekt in 1842 dat trillingen anders worden waargenomen als de bron ten opzichte van de waarnemer beweegt. Dit Doppler-effect doet zich voor bij alles wat beweegt en geluid voortbrengt. Doordat de geluidsgolven bij het naderen worden samengedrukt neemt de toonhoogte toe. Pas als de geluidsbron voorbij is, volgen de normale tonen. Iedereen kent het typische geluidspatroon van een passerende ambulance. Buys Ballot test de verschuivingtheorie van Doppler door tussen Utrecht en Maarssen een locomotief te laten rijden met aan boord een hoornblazer. Deskundigen moeten de veranderingen in toonhoogte waarnemen. Die blijkt afhankelijk te zijn van de snelheid van de locomotief. Doppler had gelijk, maar gek genoeg wordt Buys Ballot vaak aangehaald als degene die het effect heeft kunnen verklaren, waarmee Buys Ballot zijn positie als praktische wetenschapper bevestigt.

Praktisch en sober is hij zijn hele wetenschappelijke carrière. In 1887 viert hij zijn zeventigste verjaardag op de universiteit als hoogleraar. *Die altijd weet van waar het waait, Maar met geen wind ter wereld draait, Is Buys Ballot,* wordt er voor hem gedicht. *Die hoe het buldert of tempeest, Altijd bewaart een effen geest, Is Buys Ballot / Wiens naam, geprezen en beroemd, Zoo ver de wind waait wordt genoemd, Is Buys Ballot.* Een jaar later, in 1888, neemt hij na veertig jaar officieel afscheid.

Buys Ballot sterft op 3 februari 1890 in Utrecht aan de griep. Uit het Buys Ballot-fonds wordt nog altijd elke tien jaar een gouden medaille met de beeltenis van Buys Ballot uitgereikt aan een wetenschapper die het meest heeft bijgedragen aan de ontwikkeling van de meteorologie. In Kloetinge stond sinds 1934 een monument voor Buys Ballot. Door uitbreiding van het Marktveld is er nu alleen nog een plaquette in de zijgevel van de woning op nummer 20. Bijna zeven jaar na zijn dood, eind 1896, verhuist het KNMI naar De Bilt. Op 1 mei 1897 wordt het gebouw in De Bilt waarvandaan het KNMI nog steeds werkt officieel in gebruik genomen.

### Heike Kamerlingh Onnes (1853 - 1926)

Kamerlingh Onnes wordt geboren in Groningen en studeert in Heidelberg in Duitsland. Hij is van 1882 tot 1923 hoogleraar experimentele natuurkunde in Leiden. Daar weet hij als eerste het gas helium zo ver af te koelen dat het vloeibaar wordt. Later lukt het in het laboratorium aan het Leidse Rapenburg op één graad na het absolute nulpunt te bereiken. In 1911 ontdekt Kamerlingh Onnes dat metalen als kwik, tin en lood bij lage temperaturen supergeleidend worden. In 1913 krijgt hij de Nobelprijs voor de Natuurkunde voor zijn onderzoek naar het gedrag van stoffen bij lage temperaturen.

### Hendrik Antoon Lorentz (1853 - 1928)

Lorentz is de nestor van de Nederlandse moderne natuurkunde. Hij promoveert in Leiden op het proefschrift *De theorie der terugkaatsing en breking van het licht*, waarin hij stelling neemt in de fundamentele discussie over de principes van het elektromagnetisme. In 1878 wordt hij hoogleraar theoretische natuurkunde in Leiden. Collega-onderzoeker Pieter Zeeman bewijst de theorie met een experiment. Samen krijgen ze hiervoor in 1902 de Nobelprijs. Lorentz wordt vooral bekend door zijn bijdrage aan het begrip van de absolute eigenschappen van de snelheid van het licht – later tot een werkbare relativiteitstheorie omgezet door Albert Einstein, die enige tijd in Leiden doorbracht.

### Johan Huizinga (1872 - 1945)

Huizinga's beroemdste boeken *Herfsttij der Middeleeuwen* uit 1919, over de late Middeleeuwen, en *Homo Ludens*, over het spelelement in religie en kunst, uit 1938, zijn in meer dan twintig talen vertaald. Huizinga is nog steeds wereldberoemd. 'Het spel moet ernst zijn, om een spel te zijn.' Hij is hoogleraar geschiedenis in Groningen en Leiden. In de oorlog legt hij zijn functie neer. Hoewel hij veel kritiek krijgt, is hij wel een van de eerste historici die de geschiedwetenschap ('de in-exacte wetenschap bij uitstek') een plaats probeert te geven naast andere exacte wetenschappen.

# Multatuli (1820-1887)

'Ik ben makelaar in koffie, en woon op de Lauriergracht, no. 37.' Multatuli schrijft *Max Havelaar*, de grootste roman uit de Nederlandse literatuurgeschiedenis, in het najaar van 1859, in een sobere kamer van het Brusselse hotel Au Prince Belge. Hij heeft naar eigen zeggen zeventien dagen over zijn debuut gedaan. Op 13 oktober is het af. Een maand later krijgt Jacob van Lennep het manuscript te lezen. Van Lennep is een van de populairste schrijvers van zijn tijd en een conservatief politicus. Hij leest het boek in een ruk uit, ondanks de kleine letters en zijn slechte ogen. Hij vindt het prachtig, maar hij is ook bang dat *Max Havelaar of de koffijveilingen der Nederlandsche Handel-Maatschappij* veel ophef zal veroorzaken. Het boek slaat inderdaad in als een bom.

In Nederland heerst halverwege de negentiende eeuw een weinig inspirerend literair klimaat. In Frankrijk geven Honoré de Balzac en Gustave Flaubert de romankunst een belangrijke impuls. In Rusland schrijven Fjodor Dostojevski en Ljev Tolstoj aan een geweldig oeuvre, de Nederlandse literatuur daarentegen is klein en burgerlijk. Er verschijnen veel historische romans en korte verhalen. De beroemdste bundel is *Camera Obscura* uit 1839 van Hildebrand, pseudoniem van dominee Nicolaas Beets.

*Max Havelaar* is geschreven in een alledaags, levend Nederlands. Het is een sarcastische aanklacht van de schrijver Multatuli (ik heb veel geleden of gedragen) – pseudoniem van Eduard Douwes Dekker – tegen het Nederlandse koloniale systeem in Nederlands-Indië in het algemeen, en tegen wat hem als bestuursambtenaar in de Oost is aangedaan in het bijzonder. Hij wil ook niet dat zijn boek als roman wordt aangeduid. Het is allemaal waar gebeurd; iedereen moet het maar lezen en een keuze maken tussen ambtenaar Max Havelaar – het goede – en de koloniale Nederlandse politiek – het kwade. In een latere druk voegt hij voetnoten toe en onthult hij de echte namen van degenen die achter zijn personages schuilen. Aan het einde van het boek richt Multatuli zich tot koning Willem III, keizer van Insulinde: 'Aan U durf ik met vertrouwen vragen of 't uw keizerlijke wil is: dat daarginds Uw meer dan dertig millioenen onderdanen worden mishandeld en uitgezogen in uwen naam?' De koning blijft daar onverschillig onder; het publiek niet.

In 1863 verschijnt nog een ander boek dat een maatschappelijke misstand aan de kaak stelt, namelijk kinderarbeid: *Fabriekskinderen* van Jacobus Jan Cremer met als ondertitel *Een bede, maar niet om geld*. Al jaren wordt onderzocht of de overheid moet ingrijpen bij de tewerkstelling van minderjarigen – minister Rudolf Thorbecke vindt steeds van niet – en het duurt tot 1874 voordat er een Kinderwet komt. Cremer schrijft over kinderen die voor een hongerloontje moeten werken in een Leidse textielfabriek. *Fabriekskinderen* is net als *Max Havelaar* een bestseller.

Eduard Douwes Dekker wordt op 2 maart 1820 in Amsterdam geboren. Zijn vader is kapitein bij de koopvaardij. In de doopsgezinde familie wordt hij vooral door zijn moeder opgevoed. Eduard moet net als zijn broer Pieter dominee worden en gaat naar de Latijnse school. Daar schrijft hij – naar eigen zeggen – zijn eerste treurspel over de Trojaanse held Hector. Van dat treurspel is echter geen snipper teruggevonden. Dekker schrijft later in zijn brieven dat hij op school nooit zijn huiswerk deed. Daarvoor is geen enkel bewijs, maar er zitten meer onduidelijkheden en tegenstrijdigheden in zijn correspondentie. Hij gaat in 1835 van school om op kantoor te gaan werken. Hij wil geen dominee meer worden, want hij heeft zijn bekomst van de 'praatjes over Jezus Christus'.

Op 23 september 1838 monstert hij aan als lichtmatroos op het schip van zijn vader, de Dorothea. Zijn broer Jan vaart ook mee. Op 4 januari 1839 komen ze aan in Batavia en Dekker gaat op zoek naar werk. Binnen zes weken kan hij aan de slag als ambtenaar bij de Rekenkamer.

In Batavia schrijft Dekker de eerste teksten die bewaard zijn gebleven, waaronder liefdesbrieven aan Carolien Versteeg. Hij wil met haar trouwen, maar haar vader geeft daarvoor geen toestemming. Zij is katholiek, Dekker niet. Hij vraagt overplaatsing aan en komt op Sumatra terecht. Daar geeft hij het ene feest na het andere en krijgt snel de reputatie van een excentriekeling. Bij een controle van de kas wordt bovendien een tekort geconstateerd van tweeduizend gulden – een rekenfout van Dekker. Maar in plaats van de zaak op een nette, ambtelijke manier af te handelen, stuurt hij de controleur weg en schrijft hij een onbeschofte brief aan de gouverneur. Hij wordt in Padang ontboden en daar aangekomen onmiddellijk geschorst. Zijn salaris wordt niet meer uitbetaald.

Vanaf dat moment leeft Dekker in armoede en begint te schrijven aan het toneelstuk *De eerloze* (later genoemd: *De bruid van daarboven*). Na een jaar in Padang vertrekt hij naar Batavia. Een vriend neemt hem mee naar het in de bergen gelegen Parakan Salak; de theeplantage van Willem van der Hucht. Daar ontmoet hij Everdina Huberta, baronesse van Wijnbergen (Tine). In zijn brieven aan haar worden de contouren zichtbaar van de typische Multatuli-stijl. Hij probeert in spreektaal te schrijven; hij wil spreken op papier. Dekker krijgt weer een baan bij het koloniaal bestuur en verlooft zich met Everdina, waanna ze in Purwokarta gaan wonen. Ze trouwen in 1846.

Dekkers carrière loopt voorspoedig, hij krijgt een aanstelling als commies in Purworedja en later als secretaris op Celebes. Hij schrijft een lange brief aan zijn jeugd-vriend, de Haarlemse uitgever Arie Kruseman. In het manuscript van 87 bladzijden laat Dekker zich bij het schrijven leiden door hoe hij praat: fragmentarisch, verbrok-keld; hij springt van het ene op het andere onderwerp. Hij wil laten zien dat hij kan schrijven. De brief is briljant, egocentrisch en nerveus. Nerveus omdat hij van het ene op het andere onderwerp springt en, zichzelf voortdurend corrigeert; egocentrisch omdat hijzelf de enige verbindende schakel is, overtuigd van zichzelf als hij is. Kruseman, de eerste in Nederland die Charles Dickens uitgeeft, reageert niet. De stijl van Dekker zit, volgens hem, tegen het krankzinnige aan.

De geboorte van zijn eerste onechte kind doet zijn positie geen schade en in 1851 wordt hij bevorderd tot assistent-resident op Ambon. Maar hij wordt ziek en krijgt verlof om in Nederland te herstellen. Aan de roulettetafel probeert hij zijn salaris aan te vullen. Hij denkt een onfeilbaar systeem te hebben bedacht om rijk te worden. Hij jaagt al zijn geld erdoor en ook het geld van de familie van Tine. In 1855 keert hij over-spannen terug naar Indië. Inmiddels is zijn zoon Edu geboren, de kleine Max in *Max Havelaar*. Dekker gaat aan het werk in Rangkar-Bitoeng, dat onder de resident van Lebak valt. Na een maand dient hij een klacht in tegen de regent – in het Nederlandse koloniale systeem is de regent een vertegenwoordiger van de Indonesische adel, die net onder de resident staat. Hij heeft aanwijzingen dat de regent de bevolking uitbuit, wat later inderdaad waar blijkt te zijn. De vorige assistent-resident had dit volgens hem ook ontdekt, maar die werd vergiftigd voordat hij aangifte had kunnen doen tegen de regent. Dekker verstoort de ambtelijke verhoudingen en wordt wegens het passeren van de hiërarchie uit zijn functie ontheven. Het conflict had nog steeds op een nette manier kunnen worden opgelost, met een overplaatsing van Dekker bijvoorbeeld, maar hij biedt zijn ontslag aan. Dat wordt direct geaccepteerd. Berooid belandt hij twee jaar later in de Brusselse hotelkamer, waar hij aan *Max Havelaar* begint.

Hij wil met zijn boek zijn eer herstellen en aantonen dat een heel volk wordt mishandeld en misbruikt. Van Lennep neemt na lezing van het manuscript contact op met de minister van Koloniën, Rochussen. De minister wil wel onderzoek laten doen naar wat Dekker beweert, op voorwaarde dat het boek niet verschijnt. De schrijver stelt hoge eisen: een aanstelling tot resident van Java, geld en een koninklijke onderscheiding. Daar gaat de minister niet op in en Van Lennep zet zich aan het persklaarmaken van het boek. Dekker heeft nogal onbezonnen zijn auteursrechten aan Van Lennep afgestaan. Die haalt er plaatsnamen uit – Lebak wordt bijvoorbeeld L... –, waardoor het boek veel van zijn actualiteit verliest. De eerste en tweede druk zijn snel uitverkocht, maar als Dekker nog een herdruk wil, weigert Van Lennep dat. Rechtszaken over het copyright verliest Dekker. Pas na elf jaar verschijnt een derde druk. Een vierde druk wordt door Dekker gecorrigeerd, maar aangezien hij het origineel niet heeft – dat Van Lennep nog steeds bezit – maakt hij een paar fouten met de plaatsnamen, die pas na zijn dood worden verbeterd.

Dekker – vanaf nu Multatuli – schrijft ook brochures, waaronder één in 1862 tegen het koloniale systeem: *Over vrijen arbeid in Nederlandsch-Indië*. Door Max Havelaar is hij een beroemde Nederlander geworden. Multatuli schrijft onder het motto 'Een zaaier ging uit zaaien' over van alles dat in zijn hoofd opkomt. De ideeën, parabels maar ook de onvoltooide roman *Geschiedenis van Woutertje Pieterse* verschijnen onregelmatig in losse afleveringen *Ideën*.

In 1875 gaat zijn toneelstuk *Vorstenschool* in première. Multatuli wordt luid toegejuicht door het publiek, maar over de hoofdrolspeelster Mina Krüseman zijn de meningen verdeeld. Hij geeft ook lezingen over uiteenlopende onderwerpen, telkens voor uitverkochte zalen. De tournees stellen hem in staat zijn schulden te betalen. Het toneelstuk en zijn *Millioenen-studiën* verschijnen in de laatste bundel *Ideën*. De laatste jaren van zijn leven woont hij in Duitsland. In 1877 besluit hij met schrijven te stoppen. Tien jaar later, op 19 februari 1887, overlijdt hij. Eduard Douwes Dekker is de eerste Nederlander die wordt gecremeerd, maar dan wel in Duitsland, waar dit gebruik al langer bestaat. 'Sedert eeuwen vonden de vromen in de akeligheden en spokeryen hunner kerkhoven, de trouwste bondgenoten voor hun bijgeloof.' De urn waar inmiddels niets meer in zit en de rode sofa waarop hij gestorven is, staan in het Multatuli-museum, zijn geboortehuis in de Korsjespoortsteeg 20 in Amsterdam.

### Hildebrand (1814-1903)

Pseudoniem van Nicolaas Beets. Hij schrijft een van de weinige boeken uit de negentiende eeuw die nog worden gelezen: *Camera Obscura*. De bundel korte verhalen uit 1839 waaronder *Een onaangenaam mensch in den Haarlemmerhout* en *De familie Stastok* drijven de spot met kleinburgelijkheid. De lezers herkennen er vooral hun buurman in. Van die spotlust blijft in zijn werk steeds minder over. Tot op hoge leeftijd schrijft hij christelijke poëzie. Hij is niet de enige schrijvende dominee: François Haverschmidt wordt onder pseudoniem van Piet Paaltjens beroemd met de dichtbundel *Snikken en Grimlachjes*.

### Nescio (1882-1961)

Nescio, 'ik weet (het) niet', is het pseudoniem van Frits Grönloh. Zijn drie novellen *Dichtertje, De uitvreter* en *Titaantjes* verschijnen in 1918 gebundeld in een oplage van vijfhonderd exemplaren en worden pas in de jaren vijftig een succes. Vanaf 1960 wordt de bundel jaarlijks herdrukt. In een ongeëvenaard bedaard en eenvoudig proza beschrijft Nescio hoe een groep vrienden, kunstenaars en klerken zijn illusies verliest: 'We zijn nu veel wijzer, stakkerig wijs zijn we, behalve Bavink, die mal geworden is. ' Overdag maakt Grönloh carrière op kantoor: hij wordt directeur van de Holland Bombay Trading Group.

### Ferdinand Bordewijk (1884-1965)

Advocaat en schrijver. Bordewijk schrijft zijn korte zinnen – vooral in de avonduren – volgens de richtlijnen van de nieuwe zakelijkheid. Hij debuteert in 1916 als dichter met *Paddestoelen*. Zijn beroemdste boeken zijn *Bint* (uit 1934), vooral op middelbare scholen, en *Karakter* (uit 1938). Deze laatste beschrijft op een sobere en nuchtere manier – volgens sommigen een stijl van gewapend beton – het conflict tussen de onwettige zoon Jacob Katadreuffe en zijn vader Dreverhaven. De verfilming van *Karakter* levert in 1998 in Hollywood een Oscar op voor beste buitenlandse film.

# Charles Stork (1822-1895)

De levensgeschiedenis van ondernemer Charles Stork biedt een tegenwicht tegen het karikaturale beeld van het negentiende-eeuwse Nederland, dat wordt gekenmerkt door gebrek aan ondernemerschap en gezapig conservatisme. Als oprichter en leider van een reeks bedrijven was hij een van de belangrijkste aanjagers van de Industriële Revolutie in Nederland. Hij is textielfabrikant, spoorweginitiator, politicus en machinebouwer.

Stork wordt op 6 februari 1822 geboren in het Twentse stadje Oldenzaal, dicht tegen de Duitse grens. Zijn geboortestreek heeft zich aan het einde van de achttiende eeuw ontwikkeld tot textielgebied. De plaatselijke boeren hebben op de schrale zandgronden hun toevlucht moeten zoeken tot het spinnen van garens en het weven van textiel om hun inkomen aan te vullen. Het textiel uit Twente speelt op de internationale markten echter geen enkele rol, doordat het in de regio nog handmatig wordt geproduceerd en de productie dus niet hoog is. Daarmee verkeren de Twenten in een achterstandspositie ten opzichte van de textielgebieden in Engeland en de Zuidelijke Nederlanden; daar wordt al op grote schaal machinaal gesponnen en geweven.

Stork raakt op jonge leeftijd betrokken bij de textielnijverheid. In 1835 koopt zijn vader, een Oldenzaalse rijksontvanger en postdirecteur, hem in bij een textielweverij. In het bedrijfje wordt op drie weefgetouwen handmatig geproduceerd. Het is een bescheiden begin, maar met zijn dertien jaar is Stork wel de jongste ondernemer van Nederland.

Stork blijkt de juiste man op de juiste plaats. Met de afscheiding van België heeft het Koninkrijk der Nederlanden in 1830 zijn belangrijkste industriegebieden verloren. De Nederlandse overheid zoekt naar mogelijkheden om binnen de nieuwe grenzen een eigen industrie op te bouwen. De bestaande textielnijverheid en de lage arbeidskosten maken Twente daarvoor bij uitstek geschikt.

De Nederlandsche Handel-maatschappij (NHM), die door 'koopman-koning' Wilem I is opgezet voor de handelsbetrekkingen tussen Nederland en Indië, hanteert sinds de jaren dertig een krachtig regionaal stimuleringsbeleid. De Handel-maat-

schappij financiert de investeringen in de uitbreiding en verbetering van de Twentse textielproductie, en draagt zorg voor de verkoop van textiel in Nederlands-Indië. Ondernemende fabrikanten als Stork krijgen de mogelijkheid om hun industrie te moderniseren. Handarbeid maakt langzaam plaats voor machinale productie. Dat is ook nodig. Vooral de Engelse textielfabrikanten hebben sinds het einde van de achttiende eeuw tijdens de Industriële Revolutie een grote voorsprong opgebouwd. Stoomkracht heeft het graafschap Lancashire getransformeerd tot de grootste textielmacht in Europa. Om de kunst af te kijken leert Stork Engels en bezoekt hij Engelse textielfabrieken. Zijn jongere broer Jurriaan leert in Duitsland en Zwitserland het verven van garens en het weven van bonte textiel. Samen met hun zwager H.J. Ekker stichten ze ook een textielververij en een bontweverij.

Stork groeit snel uit tot een van de belangrijkste fabrikanten in zijn geboorteplaats en -streek. In de jaren veertig is hij onder meer lid van de Kamer van Koophandel van Oldenzaal en een plaatselijk comité voor het armenvraagstuk. Op zijn achtentwintigste trouwt hij met Alida de Sitter. Uit het huwelijk komen drie zoons en twee dochters voort. Storks invloed strekt zich verder uit dan Oldenzaal of Twente. In de loop van de jaren veertig en vijftig bouwt hij in Amsterdamse en Rotterdamse kringen goede relaties op van handel en *haute finance*. Zo onderhoudt hij hechte banden met de bankier Marten Mees en koopman Hendrik Muller, met wie hij in 1854 een werkbezoek brengt aan Beieren, Saksen en Zwitserland. Stork beschikt ook over een indrukwekkend politiek netwerk. Veruit zijn belangrijkste vriend en geestverwant is de liberale staatsman Johan Rudolf Thorbecke (1798-1872). De hartelijke banden tussen Stork en de grondlegger van de Nederlandse parlementaire democratie ontstaan tijdens een langdurig werkbezoek van Thorbecke aan de Twentse textielindustrie in 1854. Stork ontvangt Thorbecke thuis en correspondeert sindsdien uitgebreid met hem. In Stork en andere Twentse textielfabrikanten ziet Thorbecke het type ondernemer dat Nederland nodig heeft om de industriële achterstand van Nederland in te halen en de economie te verbeteren. Niet zelden behartigt hij hun belangen in Den Haag. In 1867 krijgt Stork overigens zelf directe politieke invloed: voor de provincie Overijssel wordt hij lid van de Eerste Kamer. Daar spreekt hij vooral over koloniale onderwerpen, waterstaat en marineaangelegenheden.

Ondanks zijn ondernemende karakter behoort Stork niet tot de voorlopers op het gebied van de stoomkracht, de gangmaker van de Industriële Revolutie in Europa.

Al in 1797 is er bij de Rotterdamse branderij en mouterij van Lucas Boon een stoommachine in gebruik genomen. In de Twentse textielindustrie worden stoommachines vanaf de jaren dertig hier en daar gesignaleerd. Als jonge textielbaron hikt Stork aan tegen de hoge investeringen en de onzekere rendementen. Door de gebrekkige infrastructuur is de aanvoer van steenkool duur. Bovendien zijn arbeidskrachten nog steeds relatief goedkoop. Aan het einde van de jaren vijftig heeft Stork als textielfabrikant echter zoveel verdiend dat hij een grote investering in een stoomfabriek aandurft. Samen met zijn stadsgenoten Hermannus Gelderman en Christoffel Eekhout bouwt Stork in 1860 een stoomfabriek in Oldenzaal voor de productie van katoenen garens. Het driemanschap werd door Storks vriend Muller beschreven als 'de drie schranderste en meest ondernemende Twentse industriëlen bij elkaar'.

Stork en zijn compagnons investeren tweederde van het benodigde kapitaal. Onder de overige aandeelhouders bevindt zich ook Thorbecke. De stoomfabriek is zo indrukwekkende dat koning Willem III het gebouw in het openingsjaar 1862 bezoekt.

Stork ijvert voor de verbetering van de Twentse infrastructuur. Als initiatiefnemer, investeerder en commissaris is hij betrokken bij de aanleg van de spoorlijn Almelo, Hengelo, Oldenzaal en Salzbergen, die in 1865 wordt geopend. De verbinding van de Twentse textielsteden met Duitse steenkoolbekkens maakt de aanvoer van de grondstof voor de stoommachines goedkoper. De aansluiting op het Nederlandse spoorwegennet, dat sinds de opening van de lijn Amsterdam-Haarlem in 1839 in snel tempo is uitgebreid, maakt de aanvoer van katoen en distributie van textiel goedkoper.

Als textielfabrikant is Stork zich bewust geworden van de Nederlandse achterstand op het gebied van machinebouw. De weinige Nederlandse machinefabrieken richten zich vooral op de scheepsbouw. De rest van de industrie is grotendeels afhankelijk van de import van stoommachines uit België en vooral Engeland. Dat zet de Nederlandse industrie op een achterstand. Stork en zijn compagnons hebben het tekortschieten van de Nederlandse machinebouw aan den lijve ondervonden: bij de oprichting van hun eigen stoomspinnerij in 1860 moeten zij hun machines bestellen bij de Engelse leverancier Walker & Hacking. Mede daardoor wordt de opening van de fabriek twee jaar vertraagd. Om hun afhankelijkheid te verkleinen, richt Stork in 1859 met de inventieve plaatselijke smid Jan Meyling een machinefabriekje op in het plaatsje Borne. Storks broer Coen neemt de technische leiding op zich. Na het overlijden van Coen en het vertrek van firmant Meyling zet Stork de machinefabriek voort als Stork & Co. In 1868, het officiële oprichtingsjaar, verhuist de fabriek naar het strategischer gelegen Hengelo. Dankzij bemiddeling van de bevriende bankier Mees slaagt Stork er in 1872 in om nieuw kapitaal te vergaren. Die nieuwe investeringen zorgen ervoor dat hij zich niet meer hoeft te beperken tot de bouw van machines voor de textielindustrie. Het begin is moeizaam, maar eind 1877 heeft de fabriek zijn reputatie gevestigd. Een jaar later ontvangt Stork op de wereldtentoonstelling van Parijs een gouden medaille voor een van zijn stoommachines.

Stork groeit uit tot de belangrijkste machinefabrieken van Nederland. De onderneming levert aan textiel-, aardappelzetmeel-, suiker-, papier- en margarinefabrieken, rijstpellerijen, waterschappen en de Delftse gist- en spiritusfabriek van de bevriende ondernemer J.C. van Marken. Nadat hij in 1887 de touwtjes in handen heeft gekregen bij de noodlijdende Haarlemse scheepswerf Conrad, gaat Stork ook produceren voor de scheepvaart en baggerindustrie. Bij de internationalisatie van het Nederlandse bedrijfsleven speelt Stork eveneens een belangrijke rol. Zijn buitenlandse reizen hebben hem geïnspireerd om de Nederlandse industrie vergaand te moderniseren. De textielverkoop in Nederlands-Indië heeft hem in aanraking gebracht met grote buitenlandse afzetmarkten. Vanaf eind jaren zeventig begint zijn machinefabriek volop te exporteren, vooral naar andere Europese landen en de koloniën.

Dankzij het succes van zijn machinefabriek kan Stork ook naam maken als sociaal ondernemer. Hij loopt op sociaal gebied voorop met de introductie van een bedrijfsschool, een ziekenkas, een pensioenfonds en een ondernemingsraad. Op initiatief van zijn zoon Dirk wordt vanaf 1911 het modelarbeidersdorp 't Lansink in Hengelo gebouwd. Op het sociale gezicht van Stork valt wel iets af te dingen. Zo stemt hij als lid van de Eerste Kamer in 1873 tegen de initiatiefwet van liberaal Sam van Houten, die fabrieksarbeid van kinderen beneden de twaalf jaar verbiedt. Stork vindt dat niets het vrije ondernemerschap in de weg mag staan. Radicale socialisten zijn dan ook niet onder de indruk van Storks sociale gezicht. De Twentse arbeidersvoorman Gerrit Bennink wordt in 1887 enkele dagen gevangengezet nadat hij Stork heeft omschreven als 'de meest geraffineerde uitzuiger van zijn volk'.

In 1893 draagt Charles Stork op eenenzeventigjarige leeftijd zijn verantwoordelijkheden over. De textielactiviteiten gaan naar zijn jongste broer en zwager. De machinefabriek gaan over op Storks drie zonen. Een jaar na zijn overlijden in 1895 levert de machinefabriek de duizendste stoommachine af.

## Petrus Regout (1801 - 1878)

Een van de eerste grootindustriëlen. Regout werkt vanaf jonge leeftijd in de glas- en aardewerkhandel van zijn moeder. Als Nederland met Belgie in 1830 de meeste industriegebieden verliest, begint Regout met de opbouw van een industrieel imperium in Maastricht. Het bekendst wordt zijn kristal-, glas- en aardewerkfabriek, na zijn dood omgedoopt tot De Sphinx. Hij bezit ook fabrieken voor wapens, papier en gas. Koning Willem II zegt: 'Geef mij twaalf mannen als Regout, en wij winnen in ons land de hele Belgische industrie terug die door de afscheiding verloren is gegaan.' Hoewel Regout zijn best doet om het tegendeel te bewijzen, ontkomt hij niet aan het imago van een hardvochtige ondernemer die zijn werknemers uitbuit.

## Samuel Sarphati (1813-1866)

Nederlands arts en apotheker, bekend om zijn vele initiatieven, vooral op sociaal terrein. Sarphati richt in 1845 een handelsschool in Amsterdam op. Daarnaast ijvert hij voor vuilnisdiensten en de oprichting van een Vereniging voor Volksvlijt. Ook is hij betrokken bij de totstandkoming van een meel- en broodfabriek, een kredietbank, een hypotheekbank, een bouwonderneming en het Amstel Hotel. De ondernemende arts is eveneens de initiator van de uitbreiding van Amsterdam rond de Amstel. Daarmee wil hij de stad uit het benauwende keurslijf van de zeventiende-eeuwse stadsmuur krijgen.

## Henri Deterding (1866-1939)

Nederlandse oliebaron. Na dienstverbanden bij de Twentsche Bank in Amsterdam en de Nederlandsche Handelmaatschappij op Sumatra gaat Deterding in 1896 werken bij de Koninklijke Nederlandsche Petroleum Maatschappij, die dan zes jaar petroleum wint in Nederlands-Indië. Die brandstof wint vooral na de eeuwwisseling steeds meer aan belang. In 1902 wordt Deterding benoemd tot president-directeur van de onderneming. Onder zijn leiding fuseert het bedrijf in 1907 met het Britse Shell Transport & Trading tot de Koninkrijke Shell Groep, en het groeit uit tot een wereldconcern. Na zijn benoeming tot Knight of the British Empire in 1920 mag Deterding zich 'sir' noemen.

# Vincent van Gogh (1853-1890)

Vincent van Gogh wordt 30 maart in 1853 in Zundert geboren als eerste zoon van Theo en Anna van Gogh. Hij krijgt twee broers en drie zussen. Zijn vader is gereformeerd predikant in het Brabantse grensplaatsje, dat in die dagen aan de doorgaande weg ligt tussen Nederland en België. Na een mislukte carrière als kunsthandelaar wil Vincent van Gogh net als zijn vader dominee worden. Maar hij heeft geen talent om te studeren – zijn studie theologie in Amsterdam breekt hij na enkele maanden af – en ook geen talent om te preken. Hij mag zes maanden als lekenpredikant op proef naar de Borinage, een mijnstreek in België. De Industriële Revolutie heeft ook België en Nederland bereikt. Arbeiders (mannen, vrouwen en kinderen) maken lange dagen. Het leven van het snel groeiende proletariaat bestaat voor het grootste deel uit werk. Van Gogh geeft, getroffen door de armoede, al zijn kleren weg, wat hem in de ogen van zijn superieuren in Brussel ongeschikt maakt voor zijn ambt als geestelijk leidsman.

In de Borinage begint Van Gogh voor het eerst serieus te tekenen. Als zijn termijn als predikant niet wordt verlengd, zwerft hij rond en strijkt hij na een paar maanden neer bij zijn ouders, die hij op de hoogte brengt van zijn voornemen. Hij begint in januari 1882 met zijn schilderlessen bij Anton Mauve in Den Haag – een aangetrouwde oom. Bij hem maakt hij zijn eerste olieverfschilderijen. Mauve schildert vooral landschappen, heide en duinen, en behoort met onder anderen Willem Maris en Hendrik Willem Mesdag tot de Haagse School – een van de belangrijkste kunstenaarsgroepen in Nederland in de negentiende eeuw. De schilders beoefenen een retrostijl: ze willen terug naar de (landschap)schilderkunst uit de Gouden Eeuw. Nederland heeft bij de geboorte van de moderne kunst halverwege de negentiende eeuw duidelijk de boot gemist. In Frankrijk zetten schilders als Camille Pissarro en Claude Monet alle klassieke conventies overboord door te schilderen wat ze zien in plaats te schilderen wat ze weten dat er is. Van Gogh doet er nog een schepje bovenop. Hij schildert niet wat hij ziet, maar wat hij voelt. Hij wordt, waarschijnlijk zonder dat hij dat weet, een van de eerste expressionisten. Naar het einde van zijn

leven neemt de grilligheid in zijn doeken alleen maar toe. Op zijn laatste schilderijen is alles in beweging. Hij vangt de olijfbomen en cypressen in ronde curves, woelige lijnen en felle penseelstreken. Ook de portretten die hij in zijn laatste jaren schildert ademen onrust. Maar voordat hij zijn mooiste doeken maakt, moet hij weg uit Nederland, weg van het zompige licht en de zware kleuren. In zijn eerste schilderijen is de invloed van Mauve onmiskenbaar. Lang kan zijn mentor hem niet boeien. Ze zijn het samen niet eens over kunst. Bovendien vindt Mauve het maar niets dat Van Gogh samenwoont met een prostituee (én alcoholiste én moeder van twee kinderen). Na een korte periode in Drenthe en Brabant schildert Van Gogh zijn belangrijkste Nederlandse doek: *De aardappeleters*. Het is een donker schilderij waarop een boerenfamilie bij een olielamp zit te eten en te drinken – aardappels en koffie. Van Gogh wil normale mensen schilderen en hun leven laten zien. Het 'gewone' bestaan, in de Borinage, in Drenthe en later ook in Frankrijk, trekt hem. Zijn favoriete schrijvers zijn Emile Zola en Charles Dickens – schrijvers die het dagelijks ongeluk tot onderwerp hebben. In zijn schilderijen wil hij geen hoogwaardigheidsbekleders, maar boeren die de aardappels eten die ze zelf uit de grond hebben getrokken. Hoe graag hij zich met hen identificeert, de boeren vinden hem maar een rare snuiter. Echt contact krijgt Van Gogh niet. *De aardappeleters* is de afsluiting van zijn tijd in Nederland. De pastoor van Nuenen, waar de ouders van Van Gogh wonen, heeft het zijn gemeente bovendien verboden om voor de schilder te poseren, want Van Gogh zou een van zijn modellen zwanger hebben gemaakt. Na een kort verblijf in Antwerpen belandt hij in maart 1886 in Parijs. Zijn broer Theo, die hem financieel ondersteunt, woont er al. Hij werkt voor kunsthandel Goupil.

Vincent van Gogh woont in een klein straatje in de kunstenaarswijk Montmartre. In Parijs wordt gebouwd aan de Eiffeltoren. Het gevaarte verrijst ter ere van de wereldtentoonstelling in 1889 (in dat jaar opent ook de Moulin Rouge in Montmartre zijn deuren). Het bestaan dat Van Gogh leidt geldt honderd jaar later als een typisch kunstenaarsbestaan: tot diep in de nacht in de kroeg met collega's over kunst discussiëren. Onder die collega's zijn Henri de Toulouse-Lautrec en Paul Gauguin. In 1887 houdt hij met hen en andere schilders een expositie in restaurant Du Chalet aan de Boulevard de Clichy. Ze verkopen niets en ruilen de doeken met elkaar. Het impressionisme is aan het einde van de eeuw over zijn hoogtepunt heen. Sommige schilders zien die stijl als het eindstation van de kunst, maar Van Gogh heeft daar natuurlijk een andere mening over. Zijn grote voorbeelden zijn echter niet de impressionisten, maar de romantische schilders uit het begin van de eeuw: Jean-François Millet om de thematiek (gewone mensen) en Eugène Delacroix om zijn kleurgebruik. Parijs plus bijbehorend kroegbezoek is niet goed voor hem. Op 20 februari 1888 stapt hij op de trein naar Arles in Zuid-Frankrijk. Er ligt nog sneeuw als hij aankomt.

Zijn tijd in Arles is zijn eenzaamste en moeilijkste, maar ook zijn beste periode. De lokale bevolking van het dorpje bemoeit zich niet met hem. Hij heeft geen modellen en hij trekt de natuur in om te schilderen. De kleuren van de Zuid-Franse lente verlenen de doeken uit die tijd meer allure dan die uit zijn Parijse tijd. In Arles en omstreken ontstaan de doeken die iedereen kent: zonnebloemen en cypressen – 'Het verwondert mij dat de cypressen nooit geschilderd zijn zoals ik ze zie'. Dat is ook niet verwonderlijk, want bijna elk doek is raak. Van Gogh heeft zichzelf helemaal gevonden, maar in tegenstelling tot zijn schilderkunst gaat het met hemzelf steeds slechter. Na veel heen-en-weergeschrijf arriveert in oktober 1888 Paul Gauguin. Vincent van Gogh wil samen met hem een school beginnen, l'École du Midi, maar Gauguin ziet een samenwerking niet zitten. Eigenlijk is hij niet overtuigd van Van Goghs talent, maar hij voelt zich min of meer gedwongen naar Arles af te reizen door Theo van Gogh, van wie Gauguin net als Vincent financieel afhankelijk is. Na aankomst van Gauguin branden bij Van Gogh al snel de circuits door.

Hij lijdt zijn hele leven aan toevallen, zijn toestand wordt niet beter door zijn drankgebruik. Het geruzie met Gauguin maakt alles nog erger. Op een avond gaat Van Gogh Gauguin met een scheermes te lijf, of bedreigt hem ermee – dat is onduidelijk –, en Gauguin verlaat spoorslags Arles. Van Gogh snijdt die nacht een stuk van zijn rechteroor af en stuurt het ingepakt op naar een van de meisjes in het plaatselijke bordeel. Het is een van de vele crises (en ruzies) in het leven van Van Gogh. Na een opname van enkele maanden wordt hij ontslagen uit de kliniek in Saint-Rémy, maar zijn buren in Arles zijn niet blij met de terugkeer van de lawaaierige Hollander en protesteren tegen zijn komst. Daarop laat hij zich opnieuw opnemen in de kliniek Saint-Paul-de Mausole in Saint-Rémy. Van mei 1889 tot het einde van het jaar schildert hij slechts met tussenpozen – sommige toevallen zijn zo ernstig dat hij niet meer kan werken.

In 1890 zorgt zijn broer ervoor dat hij met zes doeken in Brussel kan exposeren op de tentoonstelling 'Les xx'. Van Gogh krijgt de eerste positieve kritieken. Voor 440 francs wordt zijn eerste en enige doek, *Rode wijnberg*, tijdens zijn leven verkocht – hoewel zijn moeder ooit de doeken die hij achterliet in Nuenen voor tien cent per stuk verkocht aan een opkoper, die de meeste vervolgens verbrandde. De geestelijke en fysieke gezondheid van Vincent van Gogh gaat intussen steeds sneller achteruit. In mei gaat hij bij zijn broer op bezoek, die is getrouwd en een zoon heeft gekregen, Vincent Willem, en reist hij door naar Auvers-sur-Oise, in de buurt van Parijs. Hij schildert nog zo'n tachtig schilderijen en schiet zich 27 juli 1890 in zijn borst. Twee dagen later overlijdt hij aan de gevolgen van zijn verwonding. Zijn broer Theo overlijdt op 25 januari 1891 en laat bijna het complete oeuvre van Vincent na aan zijn vrouw en kind. Vincent Willem staat de collectie af aan het Van Gogh Museum in Amsterdam, dat in 1973 wordt geopend. Het gebouw aan de Paulus Potterstraat is ontworpen door Gerrit Rietveld. Dan al is Vincent van Gogh, die bij zijn leven miskend is, aan een internationale opmars bezig. Vincent van Gogh is het archetype geworden van de onbegrepen kunstenaar die pas na zijn dood beroemd wordt. In de jaren tachtig van de twintigste eeuw wordt er meer dan 40 miljoen gulden betaald voor zijn *Zonnebloemen* en *Irissen*. Het *Portret van dokter Gachet* kost in 1990 82,5 miljoen en een zelfportret uit 1889 levert in 1998 71,5 miljoen dollar op.

### Piet Mondriaan (1872-1944)

Piet Mondriaan begint met traditionele landschapschilderijen, maar ontwikkelt zich onder invloed van theosofie in een nieuwe richting. Uiteindelijk gaat hij in zijn doeken op zoek naar de volmaakte compositie. Zijn idioom beperkt zich tot horizontale en verticale lijnen en blauwe, rode en gele kleurvlakken. Een schilderij kan bij Mondriaan uit twee lijnen bestaan. De composities duiken overal ter wereld op – soms als verpakking van cosmetica –, maar worden niet altijd herkend als Mondriaancompositie. In 1998 betaalt de Nederlandse staat (via de Stichting Nationaal Kunstbezit) 80 miljoen gulden voor zijn laatste, onvoltooide schilderij: de *Victory Boogie Woogie* (1942).

### Karel Appel (1921)

Karel Appel sluit zich in 1948 aan bij de Cobra-groep, een verzameling kunstenaars uit Denemarken, Nederland en België. Schildert aan het begin van zijn carrière felle, bijna abstract wezens met grote ogen, met een kritische boodschap die niet per se politiek is geïnspireerd. Zijn werk ontstaat uit een gevecht met de materie. Dat en de klodderige doeken maken hem in de ogen van het publiek de personificatie van modern kunstenaar ('Dat kan mijn zusje van vijf ook') , een situatie die er niet beter op wordt door zijn opmerking dat hij 'maar wat doet'. Hij ontwerpt ook ramen, kostuums en legt zich sinds de jaren tachtig steeds meer toe op sculptuur.

### Rob Scholte (1958)

Rob Scholte verenigt in zijn kunst een aantal stijlen waaronder pop-art en dadaïsme. Zijn werk – veelal nageschilderde beelden – is een commentaar op de samenleving. Zijn stijl is niet eenduidig. Het enige wat zijn werk verbindt is dat het commenaar levert. Scholte beleeft als kunstenaar zijn hoogtepunt in de jaren tachtig en mag in 1991 beginnen aan een monumentale opdracht. Hij schildert met een team van dertig man in het nagebouwde paleis Huis ten Bosch in Nagasaki een enorme wandschildering *Après nous le déluge* (Na ons de zondvloed). In 1994 verliest hij zijn benen bij een bomaanslag. Het betekent een stagnatie van zijn ontwikkeling als kunstenaar.

# Cornelis Lely (1854-1929)

Als op 28 mei 1932, 's middags om één uur, onder veel scheepslawaai en officieel feestgedruis midden op zee het laatste gat in de Afsluitdijk wordt gedicht, is een belangrijke mijlpaal bereikt in de Nederlandse waterstaatsgeschiedenis. De Zuiderzee wordt het IJsselmeer. De man die hier meer dan wie ook voor heeft geijverd, is er niet meer bij. Ingenieur Cornelis Lely is drie jaar eerder overleden. Hij wordt op 22 januari 1929 dood in zijn werkkamer gevonden. Op zijn bureau ligt een ontwerp voor een scheepvaartverbinding van Amsterdam met de Rijn. Hij heeft er tot de laatste minuut van zijn leven aan gewerkt.

De afsluiting van de Zuiderzee is de kroon op een ontwikkeling van eeuwen. Het is niet met zekerheid te zeggen hoe ver terug mensen in Nederland al vertrouwd zijn met het aanleggen van dijken en polders. Zeker is, dat er al in de Romeinse tijd kleine polders hebben bestaan. Zo eindigen namen van plaatsen in Zeeland die al voor het jaar 1000 werden overgeleverd op 'dijk' en zijn er in de noordelijke gewesten dijkwetten opgesteld in het Oud-Fries. Spectaculair is de ontwikkeling in Holland, waar de onder aanvoering van de graven uitgevoerde ontginning van de grote hoogveengebieden achter de duin- en geestgronden leidt tot een grote uitbreiding van cultuurgrond. Door het zakken van die ontgonnen veengronden, is het in de loop van de Middeleeuwen noodzakelijk om dijken aan te leggen. Om het beheer van de op die manier ontstane polders in goede banen te leiden, worden hoogheemraadschappen opgericht. De Hollandse graven leggen hiermee een basis voor een goed bestuur en voor hun machtspositie. Er gaat ook veel land verloren en er ontstaan grote meren (Beemster, Schermer), die in de zeventiende eeuw worden drooggelegd. De Haarlemmermeer wordt vanwege zijn omvang pas tussen 1848 en 1852 bedwongen.

Twee jaar na het droogvallen van dit meer wordt op 23 september 1854 in Amsterdam Cornelis Lely geboren. Hij is het zevende kind in het als deftig en eenvoudig omschreven burgergezin van Jan Lely, makelaar in granen en zaden, en zijn vrouw Adriana van Houten. Na Cornelis komen er nog twee kinderen. Op de

HBS, die hij tussen 1866 tot 1871 bezoekt, blijkt dat hij aanleg voor wiskunde heeft. Nog voor zijn zeventiende verjaardag schrijft hij zich in als student aan de Polytechnische School in Delft, de latere technische universiteit. In 1875 behaalt hij zijn ingenieursdiploma.

Zijn eerste (tijdelijke) baan is bij de Nauwkeurigheidswaterpassing, een onderdeel van de Rijkscommissie voor graadmeting en waterpassing. Het rijk heeft besloten tot een uiterst nauwkeurige waterpassing, om zo goed mogelijk op de hoogte te blijven van de niveauveranderingen op het land ten opzichte van de zeespiegel. Zijn taak is de waterpassing te doen van de Grote Kerk in Deventer naar het hoofdmerk in de Muiderpoort in Amsterdam. Het aanpassen van de hoogtemerken in de hoofdstad aan het niveau van het Amsterdams Peil moet 's nachts tussen halfdrie en zes plaatsvinden. De waterpassende ingenieurs en hun assistenten hebben met hun instrumenten en lantaarns veel bekijks, eerst van dronken nachtbrakers en vervolgens van werklieden die vroeg naar hun baas moeten. Lely wordt om de perfecte uitvoering van het werk zeer geprezen.

Banen blijven echter voorlopig tijdelijk. Lely ontwerpt een sluis bij Spaarndam en werkt als toezichthouder bij het maken en stellen van de metalen bovenbouw van de spoorbrug over de Rijn bij Arnhem. In 1877 treedt hij in dienst bij Rijkswaterstaat. Hij moet een keersluis bouwen in het Zwolse Diep. In 1881 wordt hij aangesteld als chef bij het Dienstvak der Waterpassing in Leiden. In datzelfde jaar trouwt hij met Mies van Rinsum. Zij krijgen vier kinderen – Jan en Cornelis Willem worden later ook waterstaatsingenieur. Het werk in Leiden bevalt niet en in 1883 vertrekt Lely naar het pas opgerichte waterschap De Schipbeek in Deventer. Het zit hem niet mee, want het waterschap zit krap bij kas en moet Lely in 1885 ontslaan. De toekomst ziet er niet rooskleurig uit voor Lely en zijn gezin, maar in het nieuwe jaar gloort er hoop. Op 4 januari 1886 richten het Kamerlid Age Buma uit Hindeloopen en het Statenlid Pieter van Diggelen uit Zwolle, beiden liberaal, de Zuiderzeevereniging op. Buma, die in 1882 al met weinig succes een wetsontwerp heeft ingediend dat voorziet in een onderzoek naar de uitvoerbaarheid van de afsluiting van Zuiderzee en Lauwerszee, wordt voorzitter. Doel van de vereniging is een onderzoek in te stellen naar de wenselijkheid en mogelijkheid van inpoldering en droogmaking van de Zuiderzee. Cornelis Lely ziet onmiddellijk zijn kans. Hij treedt in overleg met de oprichters. Die belasten hem met het technische werk voor de vereniging, dat plaatsvindt onder toezicht van Rijkswaterstaat. Hij investeert zelf vierduizend gulden in de Zuiderzeevereniging.

Toch ontmoet het idee in het begin weinig enthousiasme bij de overheden. Zo ziet het provinciaal bestuur van Noord-Holland slechts de nadelen van drooglegging van de Zuiderzee. Het bestuur ziet geen kans om de duizenden hectares nieuw land te bevolken met mensen 'van voldoende niveau'. Maar Lely toont zich een enthousiast en onvermoeibaar pleitbezorger. Begin 1887 verschijnt zijn eerste technische nota. Die zullen in de loop der jaren worden gevolgd door zeven goed onderbouwde pleidooien voor de mogelijkheid tot gedeeltelijke inpoldering van de Zuiderzee. Lely kiest daarin voor het aanleggen van een afsluitdijk. Dit is steeds tot dusverre als onuitvoerbaar beoordeeld. In 1891 legt de Zuiderzeevereniging dit plan, dat de naam van Lely krijgt, aan de regering voor – nog zonder succes.

Maar Lely wordt datzelfde jaar wel aangezocht om als minister van Waterstaat, Handel en Nijverheid zitting te nemen in het kabinet, dat gevormd is door het oud-Kamerlid en Amsterdams burgemeester Gijsbert van Tienhoven. Als Van Tienhoven en oud-minister Joannes Pieter Roetert Tak van Poortvliet bij hem komen om hem te vragen, zegt Lely tegen zijn vrouw: 'Daar heb je weer twee aannemers die wat verdienen willen.' Als hij in de zomer van 1891 aantreedt als minister, heeft hij geen enkele politieke ervaring. Hij is liberaal. Bij zijn overlijden noemt *De Telegraaf* hem een 'vrome rode liberaal'. Maar hij leert snel. Hij benut zijn ministerschap om betere rechten te bewerkstelligen voor werklieden bij zijn diensten die door ongeval of ziekte in de problemen komen. Maar hij stelt ook een staatscommissie in, die het plan van de Zuiderzeevereniging (dus het door hemzelf gemaakte plan) onderzoeken. De meerderheid van de commissie spreekt zich er in 1894 voor uit. Voordat verdere stappen kunnen volgen, treedt de regering af.

Na een tussenperiode als Kamerlid wordt Lely in 1897 opnieuw minister van Waterstaat. Gedurende deze kabinetsperiode komt er schot in de zaak. In mei 1901 kan hij eindelijk een wetsontwerp indienen, dat voorziet in de aanleg van een afsluitdijk en inpoldering van Wieringermeer en Markerwaard. Maar de verkiezingen van 1901 pakken verkeerd uit voor zijn plannen. In de nieuwe regering keert hij niet terug als minister. Hij wordt weer Kamerlid en er komt een merkwaardig intermezzo. Cornelis Lely wordt gouverneur van Suriname. Hij heeft de nieuwe baan geaccepteerd onder voorwaarde dat tijdens zijn bestuur wordt begonnen met de aanleg van een 175 kilometer lange spoorweg, die de hoofdstad Parimaribo verbindt met de goudvelden in het zuiden. Met het goud, dat daar zal worden gewonnen, kan de economie van de kolonie tot bloei komen. De spoorlijn komt af, jaren nadat Lely naar Nederland is teruggekeerd, en zal ondanks de goede bedoelingen nooit aan zijn doel beantwoorden. In 1985 wordt het spoor stilgelegd. Slechts de plaats Lelydorp en het Lelygebergte herinneren aan zijn gouverneurschap.

Eenmaal terug in Nederland wordt hij in 1906 opnieuw als Kamerlid gekozen. In de Troonrede van dat jaar wordt voor het eerst melding gemaakt van een plan tot drooglegging van de Zuiderzee, evenwel zonder afsluitdijk, zoals Cornelis Lely wil. In 1907 wordt het wetsontwerp bij de Kamer ingediend. Maar het schiet niet op. Als Lely in 1913 opnieuw minister van Waterstaat wordt, zorgt hij ervoor dat er in de Troonrede een zinsnede komt, waarin de afsluiting en gedeeltelijke droogmaking van de Zuiderzee wenselijk wordt genoemd. Door het uitbreken van de oorlog in 1914 wordt het wetsvoorstel weer uitgesteld. Zijn vrouw overlijdt bij de, vanwege het uitbreken van de oorlog, overhaaste terugkeer uit het Boheemse kuuroorde Mariënbad.

Wat zijn plannen betreft komt de natuur Lely te hulp. In de nacht van 13 op 14 januari 1916 steekt een zware storm op en de dijken van de Anna Paulownapolder, het Waterland en die bij Nijkerk bezwijken. Deze overstromingsramp brengt de politiek tot inkeer. Nu kan er niet langer gewacht worden. Het gevaar van overstromingen moet niet alleen bestreden worden, maar bovendien hebben de ervaringen met voedselschaarste tijdens de eerste oorlogsjaren al geleerd dat een uitbreiding van de landbouwgrond geen overbodige luxe is. In september 1916 wordt het wetsontwerp Zuiderzeewerken bij de Kamer ingediend en in maart 1918 wordt het zonder hoofdelijke stemming aangenomen. De Eerste Kamer gaat op 13 juni akkoord. De volgende dag al treedt de wet in werking. Lely stelt zich na de verkiezingen van 1922 niet opnieuw kandidaat. Hij maakt het gereedkomen in 1924 van de Amsteldiepdijk, die Wieringen met de vaste wal verbindt en het droogvallen van de proefpolder Andijk in 1926 nog mee, evenals het begin van de aanleg van de Wieringermeerdijk. De Wieringermeer valt anderhalf jaar na de dood van Lely droog. Het eerste elektrisch gemaal van de polder bij Medemblik krijgt zijn naam, evenals later Lelystad, de hoofdstad van de nieuwe provincie Flevoland, dat in de jaren zestig ontstaat op de bodem van het in 1957 drooggevallen oostelijk Flevoland.

## Jan Adriaenszoon Leeghwater (1575-1650)

Waterbouwkundige die vooral bekend wordt door de bouw van water-molens. Hij heeft op die manier een belangrijk aandeel in het droog-maken van de Beemster, de Purmer, de Wormer, de Schermer en de Heerhugowaard. Tussen 1608 en 1643 wordt zo in Noord-Holland 20.000 hectare land heroverd op het water. Ook is hij betrokken bij het droogleggen van moerassen in Frankrijk en bij het aanleggen van dijken in Noord-Friesland en in het Duitse Sleeswijk-Holstein. Hij maakt daar in 1634 de grote overstroming mee, waarbij het eiland Nordstrand met tal van dorpen in zee ondergaat. In 1643 pleit hij in zijn *Haarlemmer-meerboeck* voor drooglegging van de Haarlemmermeer.

## Hendrik Stevin (1614-NA 1667)

Zoon van de wiskundige Simon Stevin. Hij studeert aan de hogeschool van Leiden en wordt ingenieur in het staatse leger. Hij noemt zich Heer van Alphen en van Schrevelsrecht. Hij is de eerste die met het idee komt de Zuiderzee in te polderen. In het twaalfde boek van zijn *Wiscon-stich Filosofisch Bedrijf* uit 1667 stelt hij voor 'het gewelt en vergif der Noortzee uytter Verenigt Nederlant te verdrijven' door het aanleggen van dammen en sluizen in de zeegaten en van Ameland naar Friesland. Om de handelsbelangen van Amsterdam veilig te stellen, wil hij een kanaal op de plaats van het latere Noordzeekanaal.

## Johan van Veen (1893-1959)

Boerenzoon uit Groningen die het in 1955 tot hoofdingenieur-directeur van de Algemene Dienst van Rijkswaterstaat brengt. Hij studeert in Delft. In 1929 treedt hij in dienst bij de directie Grote Rivieren van Rijkswater-staat. Daar ontwikkelt hij zich tot de grootste kenner van het gedrag van de Noordzee, de ontwikkeling van de zeegaten en de situatie van de dijken in Zuidwest-Nederland. Op grond daarvan wordt hij in 1940 secretaris van de Stormvloedcommissie. Hij waarschuwt meermalen voor een catastro-fale overstroming, maar vindt, wellicht ook vanwege een gebrek aan tact zijnerzijds, weinig gehoor. Op 1 februari 1953 krijgt hij op dramatische wijze gelijk.

# Pieter Jelles Troelstra (1860-1930)

Op 12 augustus 1894 maakt Pieter Jelles Troelstra deel uit van de 'twaalf apostelen' die tijdens een vergadering in Zwolle de Sociaal-Democratische Arbeiders Partij opricht. Troelstra, die het initiatief neemt tot oprichting, is overtuigd van de noodzaak van partijvorming en het veroveren van macht in het parlement. Dat valt niet mee, ook al heeft de arbeidersklasse nu voor het eerst een eigen partij. De SDAP, de voorloper van de Partij van de Arbeid, slaagt er ondanks veel tegenstand in 1897 in met twee mensen – Troelstra en Henri van Kol – in de Tweede Kamer te komen. Tot 1925 is Troelstra politiek leider van de SDAP.

Door de voorzichtige uitbreiding van het kiesrecht in de negentiende eeuw kan een steeds groter gedeelte van de bevolking zijn stem laten gelden, maar pas in 1919 geldt algemeen kiesrecht. In de laatste decennia van de negentiende eeuw komt de vakbeweging op, en daarmee ook het fenomeen stakingen. De eerste stakingen in Nederland worden al in het begin van de negentiende eeuw gehouden, maar ze zijn ongeorganiseerd en nogal eens gewelddadig. De eerste vakbewegingen uit de jaren vijftig zijn niet meer dan gezelligheidsverenigingen; over arbeidsverhoudingen wordt niet gesproken. Als werkgevers ontdekken dat een werknemer lid is van een vakbond, wordt hij ontslagen. In de Friese veenderijen wordt in die jaren ook veel gestaakt, maar er volgt zelden gevangenisstraf – behalve als er geweld wordt gebruikt. In de jaren tachtig en negentig worden de veenderijen en de landbouw in Friesland geteisterd door een zware economische crisis. In de grote veenderijen in het zuiden van de provincie breken steeds massalere en wanhopiger volgehouden stakingen uit. In het noordwesten van de provincie rebelleert de opstandige landarbeidersbeweging van 'Broedertrouw'. De overheid stuurt militairen.

De sociale betrokkenheid van Troelstra, die net is afgestudeerd, raakt in een stroomversnelling. Vervolgde arbeiders en socialisten vinden in hem een verdediger – vaak zonder dat hij daar geld voor rekent. Hij is geen genuanceerd pleiter en wordt wegens opruiing opgepakt. Hij stuit op verguizing en haat, maar ondervindt ook

mateloze sympathie en bewondering in massaal bezochte arbeidersvergaderingen in cafés en dorpszalen in Friesland en Groningen.

Pieter Jelles Troelstra wordt op 20 april 1860 in Leeuwarden geboren. Zijn moeder Grietje Landmeter sterft in 1871, als Pieter elf jaar is. Zijn vader is streng. Jelle Troelstra wil dat zijn zoon een opleiding krijgt in het belastingwezen en net als hij belastingontvanger wordt. Maar Pieter Jelles wil rechten studeren. Pas op zijn tweeëntwintigste krijgt hij daarvoor toestemming en begint hij met rechten in Groningen.

Al voor zijn vertrek naar de universiteit komt hij in contact met de Friese taalbeweging. Binnen enkele jaren ontwikkelt hij zich tot een vooraanstaand Fries dichter. In zijn verzen voelt hij zich de zanger van zijn volk. Na zijn keus voor het socialisme raakt Friesland iets op de achtergrond, maar zal hem nooit geheel verlaten. Zo ijvert hij als Kamerlid met succes voor een professoraat Friese taal- en letterkunde in Groningen.

In 1888 promoveert hij na een uitbundig studentenleven in de rechtswetenschappen en hij trouwt hij met domineesdochter Sjoukje Bokma de Boer. Het paar gaat in Leeuwarden wonen, waar Troelstra zich als advocaat vestigt. Sjoukje schrijft net als haar man literaire bijdragen in het Fries en het Nederlands. Grote bekendheid krijgt zij onder het pseudoniem Nienke van Hichtum met haar kinderboek *Afke's tiental*. Een heel gelukkig huwelijk is het niet. Troelstra is weinig thuis. Hij scheidt van haar in november 1907; in januari 1908 hertrouwt hij met zijn huishoudster Sjoukje Oosterbaan.

In 1893 verhuist Troelstra, met vrouw en inmiddels twee kinderen, naar Amsterdam. Hij heeft hoge verwachtingen, maar raakt akelig in conflict met de radicale aanhang van de rechtlijnige Ferdinand Domela Nieuwenhuis. Hij kan zich als sociaal-democraat niet vinden in het anarchisme van Domela. Hetzelfde jaar nog vlucht hij met zijn gezin naar Utrecht. Daar begint hij met financiële steun van de Duitse sociaal-democratische partij met de uitgave van een socialistische krant, *De Baanbreker*. Hij krijgt steun van zijn broer Dirk, die socialistische strijdliederen dicht. Diens vrouw Sylvie de Vries zet ze op muziek – het bekendste lied is *Aan de strijders*. Een jaar later richt hij de SDAP op en hij komt dankzij Tietjerksteradeel, Leeuwarden en Winschoten in 1897 in de Tweede Kamer.

In 1902 komt Troelstra dankzij een kiesdistrict in Amsterdam opnieuw in de Kamer, maar in 1903 lijdt hij een zware politieke nederlaag als hij in zijn romantische verwachtingen van de revolutie het algemenestakingsmanifest van het spoor- en tramwegpersoneel steunt. Dat manifest is gericht tegen de knevelwetten, waarmee stakers met inzet van militairen en maatregelen als het verlies van staats- burgerschap zullen worden bestreden. De algemene staking wordt een dramatische mislukking. Duizenden arbeiders worden ontslagen. Dat lot treft ook ambtenaren en onderwijzers, die uit solidariteit hebben meegedaan. Daar krijgt Troelstra de schuld van. De verwijten uit eigen kring treffen de SDAP-leider hard.

Hij heeft ook last van de oppositie van de aanhangers van Domela Nieuwen- huis en de protestants-christelijke en katholieke arbeiders, die niet los te weken zijn van de confessionele partijen. Troelstra maakt het die groep ook niet makkelijk met zijn antimonarchistische optreden. In 1909 verlaat een groot deel van de uiterst linkse aanhang de partij en vormt de kern van de latere Communistische Partij in Nederland, de CPN. Het vertrek van de radicale vleugel doet de SDAP geen kwaad. De aanhang groeit. Dat is ook te danken aan het persoonlijk charisma van Troelstra en aan de massale acties voor algemeen kiesrecht, die op zijn initiatief worden georga- niseerd. Beroemd worden de Rode Dinsdagen, van 1911 en 1912, wanneer bij de opening van de Staten-Generaal tienduizenden onder aanvoering van Troelstra optrekken naar het gebouw van de Tweede Kamer om daar hun eis van algemeen kiesrecht met hun aanwezigheid kracht bij te zetten. Het gevolg van deze acties is dat de SDAP bij de verkiezingen in 1913 een grote overwinning boekt (van zeven naar achttien zetels – van de honderd) en op slag een van de belangrijke partijen wordt. Maar na veel discussie wijst de partij regeringsdeelname af.

Nederland blijft neutraal tijdens de Eerste Wereldoorlog, maar de gevolgen van het wegvallen van de internationale handel doen zich voelen. De schaarste aan goederen en voedsel leidt tot steeds groter ontevredenheid, die zich uit in rellen in kazernes en in korte oproeren in de steden. Het nieuws over de Russische Revolutie, waarbij de tsarenfamilie omkomt en de gehele oude orde wordt weggevaagd, en het verjagen van de Duitse keizer als gevolg van opstanden van matrozen op de Duitse vloot, gaat van mond tot mond. Op 5 november 1918, wanneer het Kamerdebat plaatsvindt over rellen onder de militairen in de Harskamp, spreekt Troelstra over een verandering van het systeem in socialistische richting. Liberalen, protestanten en katholieken reageren woedend. Op een massaal bezochte bijeenkomst in Rotterdam zegt hij dat er nu sprake is van een revolutionaire toestand. Er volgt een minutenlange ovatie. Op 12 november spreekt hij in de Tweede Kamer over de noodzaak van ingrijpende veranderingen, maar hij geeft ook zijn erewoord dat hij en zijn partij niets van geweld moeten hebben. Maar anders dan in 1848, toen Rudolf Thorbecke door buitenlandse ontwikkelingen ineens de modernste grondwet van Europa kon invoeren, wordt het staatsbestel in 1918 niet ingrijpend hervormd.

Er komt een massale tegenbeweging op gang tegen Troelstra, vooral uit de hoek van de gelovige arbeidersbevolking, die hij juist voor het socialisme had willen winnen. Ook binnen de SDAP is er kritiek. De Engelsen dreigen met een hongerblokkade met hun vloot voor het geval Nederland een republiek wordt. Troelstra moet na enkele dagen toegeven dat hij zich in de machtsverhoudingen heeft vergist. Koningin Wilhelmina laat zich in triomf door Den Haag rijden. Het zijn dramatische ervaringen, maar zijn populariteit in de beweging houdt toch onverminderd aan. De verwikkelingen van november 1918 zullen echter vele jaren in hoge mate het politieke lot van de SDAP bepalen. De getalsverhoudingen spelen daarbij ook een rol: de SDAP is gewoon te klein om een rol te kunnen spelen in het parlement. Pas bij het begin van de Tweede Wereldoorlog wordt ook de SDAP voor de eerste keer uitgenodigd voor deelname aan de regering. Pas na de Tweede Wereldoorlog wordt het voor de uit de SDAP voortgekomen Partij van de Arbeid onder Willem Drees mogelijk echt invloed uit te oefenen.

Het rumoer van november 1918 leidt wel tot de formele invoering van de achturige werkdag. En nadat in 1917 het algemeen mannenkiesrecht is ingevoerd, komt er in 1919 een wet voor algemeen vrouwenkiesrecht, die in 1922 wordt ingevoerd. Dat is niet het rechtstreekse gevolg van de 'revolutie' van Troelstra, maar de veranderingen kunnen er niet los van worden gezien.

Troelstra werkt zijn laatste actieve jaren verder aan een theoretische onderbouwing van zijn opvattingen over de opbouw van de nieuwe staat die hij voor ogen heeft. Hij krijgt niet veel gehoor in zijn partij. In 1925 trekt hij zich om gezondheidsredenen uit al zijn politieke functies terug. De laatste jaren van zijn leven werkt hij, bijgestaan door zijn secretaris Stuuf Wiardi Beckman, aan zijn *Gedenkschriften*, waarin hij verantwoording aflegt voor zijn lange jaren van politieke activiteit. Na zijn overlijden in 1930 komen tienduizenden mensen naar Den Haag om hem de laatste eer te bewijzen.

### Abraham Kuyper (1837-1920)

Predikant, hoogleraar Hebreeuws, homilethiek, dogmatiek en esthetiek aan de door hem gestichte Vrije Universiteit in Amsterdam, Kamerlid, leider van de door hem gestichte Anti-Revolutionaire Partij. Kuyper is antirevolutionair – omdat hij tegen de beginselen van de Franse Revolutie is. Hij is voorvechter van bijzonder (christelijk) lager onderwijs en een scherp criticus van de onrechtvaardige sociale verhoudingen. Toch is hij zeker geen socialist. Hij veroorzaakt in 1886 een scheuring binnen de hervormde Kerk door als woordvoerder van de 'kleine luyden' in de kerk te pleiten voor (gereformeerde) orthodoxie. Leidt de regering van 1901 tot 1905 als minister van Binnenlandse Zaken.

### Ferdinand Domela Nieuwenhuis (1846-1919)

Luthers predikant die breekt met de Kerk. Nieuwenhuis wordt radicaalsocialist en anarchist. In 1888 wordt hij in het Friese kiesdistrict Schoterland gekozen als Kamerlid: de eerste socialist in de parlementaire geschiedenis van Nederland. Hij verliest drie vrouwen en zes kinderen. Hij zit herhaaldelijk gevangen voor zijn overtuiging. De radicale en fanatieke Domela Nieuwenhuis, een door velen als Jezus aanbeden en door vele anderen gehaat politicus, komt keer op keer heftig in conflict met de sociaal-democraat Pieter Jelles Troelstra. Domela laat geen belangrijke politieke erfenis na, hoewel zijn anarchistische denkbeelden tot vandaag de dag aanhangers vinden.

### Aletta Jacobs (1854-1929)

Eerste meisje dat in Nederland een middelbare school bezoekt, eerste vrouwelijke student (dankzij Rudolf Thorbecke) en eerste vrouwelijke arts in Nederland. Jacobs is afkomstig uit een vrijzinnig joods gezin uit Sappemeer in Groningen. Na haar promotie aan de universiteit van Groningen zet ze zich in voor geboortebeperking, betere arbeidsomstandigheden voor vrouwen, vrouwenkiesrecht, de vredesbeweging en Europese eenwording. Ze bouwt bij reizen in het buitenland veel internationale contacten op. Zo reist ze in 1915 naar de Amerikaanse president Wilson om bij hem steun te krijgen voor een Europees vredesplan. In 1919 wordt algemeen kiesrecht voor vrouwen ingevoerd. Vrouwen kunnen in 1922 voor het eerst stemmen.

# Wilhelmina (1880-1962)

Meer dan veertig jaar voor haar dood, op 28 november 1962, weet Wilhelmina dat zij in het wit begraven wil worden. Lijkkoets, kerk, rouwbekleding en rouwkamer moeten wit zijn. Wit symboliseert dat voor haar de dood niet het einde betekent, maar het begin van een eeuwig hiernamaals. Ze spreekt ook de wens uit om niet naast stadhouder Willem V te worden bijgezet in de grafkelder van de Oranjes in de Nieuwe Kerk in Delft. De stadhouder die naar Engeland vluchtte toen de Fransen in 1795 Nederland binnenvielen vindt ze een misselijke vent en een sufferd. Ze krijgt een plaats naast haar echtgenoot prins Hendrik, die al in 1934 is overleden. Destijds was hij, op eigen verzoek, ook in het wit begraven.

Bij haar overlijden is Wilhelmina een van de belangrijkste Oranjes in de geschiedenis van Nederland. Ze is bovendien de eerste koningin. Daar ziet het bij haar geboorte niet naar uit. Haar vader Willem III heeft geen last van de 'kroonprinsenkoorts', iets wat bijna alle andere kroonprinsen Van Oranje wel hebben gehad. Sterker nog, hij voelt er niets voor om zijn vader Willem II op te volgen. De grondwetswijziging in 1848 heeft van Nederland een bijzonder modern en liberaal land gemaakt, met een marginale rol voor de koning. Dankzij de schrijver van de grondwet Rudolf Thorbecke zijn de ministers verantwoordelijk. De koning is onschendbaar, maar heeft weinig in te brengen. Bij de dood van Willem II moet Willem III worden overgehaald om uit Engeland terug te komen naar Nederland. Zijn intocht in Amsterdam belooft veel goeds. Het volk op straat is enthousiast, maar de koning heeft weinig belangstelling voor staatszaken en hij is geen partij voor zijn ministers, die hun stukken beter kennen. Als in 1877 zijn vrouw (en nicht) Sophia van Wurtemberg overlijdt, gaat hij op zoek naar een nieuwe vrouw. Dat wordt Emma van Waldeck en Pyrmont. Zijn zoon, de kroonprins Willem IV, is tegen het huwelijk. Maar die overlijdt nog geen zes maanden na het huwelijk in 1879 in Parijs aan een longontsteking, én met een miljoenenschuld. Emma, die eenenveertig jaar jonger is dan haar man, bevalt op 31 augustus 1880 van Wilhelmina. Haar halfbroer en kroonprins Alexander overlijdt als Wilhelmina bijna vier jaar oud is. Door de grondwetswijzigingen in 1884 en 1887 wordt het

mogelijk dat haar moeder Emma als regentes optreedt in het geval dat haar vader overlijdt, en dat zij op achttienjarige leeftijd, als ze meerderjarig is, koningin wordt. Koning Willem III wordt in december 1890 bijgezet in Delft. Emma is goed voor de public relations van het koningshuis. Haar man heeft zich tijdens zijn koningschap nurks en ongeïnteresseerd betoond; zijn bijnaam is niet voor niets 'koning Gorilla'. Het aantreden van de achttienjarige Wilhelmina als koningin in 1898 is een regelrechte prsensatie.

Na haar troonsbestijging trouwt ze in 1901 met Hendrik hertog van Mecklenburg. Na drie miskramen wordt op 30 april 1909 Juliana geboren. Zij is het enige kind van het paar, dat elkaar weinig te zeggen heeft. Ze delen niet dezelfde interesses. Hendrik houdt van jagen, bergbeklimmen en paardenrennen. In de jaren twintig wordt hij beschermheer van de padvinders. Wilhelmina is geïnteresseerd in staatszaken en religie. Ze is door haar moeder streng en eenzaam opgevoed. Leeftijdgenootjes die komen spelen, moeten haar met 'mevrouw' of 'prinses' aanspreken. Plichtsbesef is het sleutelwoord in haar opvoeding. Daaraan ontbreekt het haar ook niet. Ze spiegelt zich aan haar illustere voorgangers. Ze ziet in Willem van Oranje een groot voorbeeld, maar ze ontbeert het talent van de Vader des Vaderlands om partijen bij elkaar te brengen, om innemend en diplomatiek te zijn. Ze heeft geen talent voor relativeren. Ze is driftig. Ze houdt er niet van om te worden tegengesproken. Voor haar is er een onlosmakelijk verband tussen God, Oranje en Nederland. De tussenkomst van ministers bij het uitoefenen van haar taak vindt ze maar lastig, zeker als in haar eerste jaren als koningin ministers haar vertrouwen beschamen door haar publiekelijk af te vallen. Tijdens de Eerste Wereldoorlog vreest ze dat Nederland ook in de oorlog wordt betrokken en ze inspecteert geregeld de troepen. Bijna elke dag bespreekt ze met premier Pieter Cort van der Linden de situatie in de wereld. Als de Amerikanen en Britten in 1918 Nederlandse koopvaardijschepen vorderen, is Wilhelmina in alle staten. Haar ministers kunnen haar met moeite van een ultimatum afhouden. De Duitse keizer Wilhelm, die Europa in de oorlog heeft gestort, verlaat gedwongen door een revolutie het land. Hij wordt gastvrij in Nederland ontvangen en slijt zijn laatste dagen in Doorn. Van een revolutie is in Nederland geen sprake, ondanks de reuring die de socialistische politicus Pieter Jelles Troelstra veroorzaakt. Hoewel zijn optreden politici (en de hofhouding) de gordijnen injaagt, overspeelt Troelstra zijn hand. Arbeiders hebben het niet makkelijk, maar brede steun voor een revolutie ontbreekt.

Wilhelmina laat in november 1918 de paarden voor haar calèche spannen en rijdt in gezelschap van haar dochter Juliana naar het Malieveld in Den Haag, waar net een aanhankelijkheidsbetuiging met het gezag aan de gang is. Het volk is enthousiast. De paarden worden uitgespannen en een opgetogen menigte trekt de kar. Oranje wint de propagandaslag van Troelstra, die pleit voor hervormingen.

Wilhelmina geldt in Europa als een van de zuinigste vorstinnen. Volgens een Engels modeblad geeft ze jaarlijks slechts 12.000 gulden uit aan haar garderobe. De Spaanse koningin Victoria voert de lijst aan: zij geeft vijf keer meer uit. Het is onwaarschijnlijk dat het Engelse blad zicht heeft op haar uitgaven – zo gaat dat bij wel meer tijdschriften. Maar Wilhelmina is vindt kleding al snel te duur. In de jaren dertig, als de economische crisis op zijn hoogtepunt is, wil ze geen dure kleding meer. Dat is ongepast. In die tijd heeft ze ook andere zorgen, want haar dochter Juliana heeft in 1927 de huwbare leeftijd bereikt en er moet een prins komen. De speurtocht duurt tot de verloving van prins Bernhard van Lippe-Bisterfeld en de kroonprinses op 8 september 1936. Het paar trouwt op 7 januari 1937. Na een jaar, op 31 januari 1938, wordt de eerste dochter, van in totaal vier, geboren. De monarchie is verzekerd van continuïteit.

De jaren dertig zijn ook de aanloop naar de laatste wereldoorlog. In Duitsland is Adolf Hitler aan de macht gekomen en na enkele annexaties, met instemming van de grote mogendheden, begint Duitsland de oorlog. Op 1 september 1939 wordt Polen binnengevallen. Na de Baltische staten, Denemarken en Noorwegen is op 10 mei 1940 Nederland aan de beurt. De schermutselingen duren nog geen vijf dagen. Wilhelmina vlucht tegen haar zin naar Engeland. Ze vindt dat ze het vaderland in de steek laat. Een verhuizing naar Batavia in Nederlands-Indië, het nog onbezette rijksdeel, ziet ze niet zitten; het is haar daar te heet en ze is bang voor tropische ziekten. Ze wil liever in Engeland blijven, waar belangrijker beslissingen worden genomen over de oorlog in Europa. Haar hofhouding in Stubbings House, ten westen van Londen, is beperkt tot een hofdame, een particulier secretaris, een chauffeur, een paar werkloze stewardessen van de Holland-Amerikalijn en een bejaarde Engelse butler. Hoewel ze het aanvankelijk heel prettig vindt in Stubbings House, gaan de smog en de mist haar tegenstaan. In 1944 verhuist ze naar The Grange, een buitenhuis ten noorden van Londen. Daar valt op een avond een Duitse vliegtuigbom net naast het huis. Twee marechaussees worden gedood. De koningin blijft ongedeerd.

Tijdens haar ballingschap filosofeert Wilhelmina over de vernieuwingen die ze zal doorvoeren bij haar terugkeer naar Nederland. Ze wil af van de hokjesgeest (de verzuiling) en de 'oude' politiek, het voortdurend zoeken naar compromissen. De ministersploeg onder leiding van Pieter Gerbrandy – met wie ze steeds meer en heviger in conflict raakt – ziet ze als een verzameling oude mannen kwijlend op een 'behoudzuchtig slabbetje'. De bezem erdoor! Iedereen moest 'vernieuwd' zijn. Hoewel ze denkt door de aan haar gebrachte theevisites van de Engelandvaarders – gevluchte leden van het verzet in Nederland – goed op de hoogte te zijn van de situatie, blijkt dat haar kabinet meer realiteitszin heeft. Haar idee om haar als staatshoofd weer de baas te maken van de ministers, zoals in de negentiende eeuw voor de grondwetswijziging, is een onhaalbare kaart. Bovendien worden tijdens de oorlog ook in Nederland plannen gemaakt, bijvoorbeeld door SDAP-politicus en naoorlogs premier Willem Drees, voor de inrichting van het staatsbestel na de bevrijding. Hij is niet 'vernieuwd', vindt ze als ze hem na de oorlog ontmoet. In het na-oorlogse Nederland verandert een heleboel, maar niet onder leiding van Wilhelmina, wel onder leiding van Drees. De oude orde herstelt zich razendsnel en de rol die zij zichzelf heeft toebedeeld, eindigt op 24 juni 1945 bij de installatie van het eerste na-oorlogse kabinet. De machtsverhoudingen in Nederland liggen vast. De volksvertegenwoordiging heeft de macht – het koningshuis steeds minder. De populariteit ervan neemt echter niet af. Wilhelmina groeit door haar rol tijdens de oorlog uit tot een grote verzetsheldin – of althans tot inspiratie en boegbeeld van het verzet in Nederland. Vooral haar toespraken via Radio Oranje, die ze zelf schrijft, vinden in Nederland een dankbaar gehoor.

Na de oorlog wil ze zo gewoon mogelijk zijn en doen. Als ze begin 1946 weer haar intrek neemt in Paleis het Loo in Apeldoorn, worden in twee vleugels patiënten verpleegd. Het paleis dient later, in 1956, ook als opvang voor repatrianten uit Indonesië en vluchtelingen uit Hongarije. Het koningschap valt haar zwaar, ook omdat er totaal niets van haar plannen terechtkomt. Ze is uitgeregeerd en ze haalt net niet haar vijftigjarige jubileum als vorstin. Haar abdicatie vindt plaats op 4 september 1948. Teruggetrokken op de Veluwe – volgens haar de mooiste streek van Nederland – schildert ze veel en zoekt ze geestelijke verdieping. Al sinds de jaren twintig heeft ze zich met mystieke geloofsbeleving beziggehouden. Ze beschrijft in *Eenzaam maar niet alleen* (uit 1957) haar persoonlijke speurtocht naar spiritualiteit. Ze verschijnt nauwelijks nog in het openbaar. Ze schildert en mediteert tot haar dood in 1962.

## Emma (1858-1934)

De Duitse prinses Emma van Waldeck en Pyrmont redt de Nederlandse monarchie door op twintigjarige leeftijd te trouwen met koning Willem III – die op dat moment eenenzestig jaar oud is. Hun enige kind Wilhelmina volgt haar man op. Na zijn dood is Emma regentes voor Wilhelmina – tot die in 1898 meerderjarig is. Ze herstelt het populaire imago van familie Van Oranje door samen met haar dochter alle provincies af te reizen. Ze zet zich in voor de bestrijding van tuberculose. Haar landgoed in Renkum wordt beschikbaar gesteld als sanatorium. Ze laat in 1895 het Koninklijk Huisarchief bouwen, waarin onder meer de archieven van de familie Van Nassau en Van Oranje zijn ondergebracht.

## Juliana (1909-2004)

Enig kind van Wilhelmina en Hendrik. Uit haar huwelijk met de Duitse prins Bernhard van Lippe-Bisterfeld worden vier dochters geboren: Beatrix, Irene, Margriet en Marijke (later Christina). Margriet wordt in 1940 in ballingschap in Canada geboren. Na de oorlog volgt Juliana, in 1948, haar moeder op. 'Wie ben ik dat ik dit doen mag?' zegt ze bij die gelegenheid. Tijdens haar bewind worden Indonesië en Suriname onafhankelijk. De monarchie loopt in de jaren vijftig ernstige schade op door haar contact met gebedsgenezeres Greet Hoffmans, en in de jaren zeventig door de steekpenningen van vliegtuigfabrikant Lockheed voor haar man. In 1980 treedt ze af. Nog steeds wordt op 30 april, koninginnedag, haar geboorte gevierd.

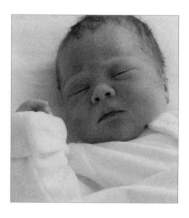

## Amalia (2003)

Catharina-Amalia Beatrix Carmen Victoria is het eerste kind van prins Willem-Alexander, zoon van Beatrix, en prinses Máxima Zorreguieta. Ze wordt op 7 december geboren in het Bronovo-ziekenhuis in Den Haag. Bij haar geboorte weegt ze 3310 gram en is ze 52 centimeter lang. 'Een wolk van een baby,' zegt haar vader, die, als aanstaand vorst van Nederland, al aan zijn belangrijkste constitutionele verplichting heeft voldaan: hij heeft gezorgd voor een opvolgster. Amalia is de toekomst van het Huis van Oranje.

# Hendrik Berlage (1856-1934)

Met zijn baanbrekende opvattingen over de vorm en de betekenis van gebouwen geeft architect Hendrik Berlage aan het begin van de twintigste eeuw een nieuwe wending aan het bouwen in Nederland. Tot aan het einde van de negentiende eeuw putten architecten hun inspiratie vooral uit bouwstijlen van het verleden. Ze bouwen in een neoclassicistische stijl, een neogotische of neorenaissance trant, of ze creëren een mengeling van verschillende historische stijlen. Gebouwen moeten indruk maken met veel uiterlijk vertoon, en de constructie en de bouwmaterialen gaan schuil achter pleisterwerk en overvloedige decoraties. Maar voor Berlage staan juist een heldere constructie en een 'eerlijk' gebruik van materialen voorop. Dat betekent dat hij de opzet van het bouwwerk, de massa en de contouren, voor zich laat spreken, zonder dat versieringen de aandacht daarvan afleiden. Decoraties mogen van Berlage alleen in samenhang met de constructie. En zo wil hij ook de gebruikte materialen niet verdoezelen; baksteen laat hij bijvoorbeeld gewoon in het zicht.

Berlages gedachten over hoe een gebouw eruit moet zien zijn nauw verbonden met zijn maatschappelijke idealen. Al vroeg is hij onder de indruk geraakt van de arbeidersbeweging en het socialisme. Zijn opvatting van het socialisme heeft weinig gemeen met de klassenstrijd, maar heeft een religieuze inslag. Zelf stamt Berlage bepaald niet uit een arbeidersmilieu. Hij wordt op 21 februari 1856 geboren als zoon van de directeur van het Amsterdamse bevolkingsregister. Omdat er in Nederland geen goede opleiding op het gebied van architectuur bestaat, gaat hij in 1875 voor zijn studie naar Zwitserland. Daar komt hij voor het eerst in aanraking met kritiek op de zogeheten neostijlen van die tijd en begint hij zijn eigen denkbeelden over de bouwkunst te ontwikkelen. Die krijgen verder vorm tijdens de reizen die hij na het afronden van zijn studie onderneemt. In Italië raakt Berlage onder de indruk van de solide gebouwen uit de late Middeleeuwen en de vroege Renaissance. In 1887 trouwt Berlage met Marie Bienfait, ze krijgen vier kinderen.

Berlages opvattingen over vorm en zijn sociale bewogenheid komen voor het eerst duidelijk samen in zijn ontwerp voor een groot socialistisch bolwerk in

Amsterdam, het gebouw voor de Algemeene Nederlandsche Diamantbewerkers-bond (ANDB) dat in augustus 1900 in gebruik wordt genomen. De ANDB is de eerste vakorganisatie die een eigen bondsgebouw krijgt, en is daarmee symbool voor de nieuwe, zelfbewuste arbeidersklasse. In artistiek opzicht sluit het gebouw aan bij deze maatschappelijke ontwikkeling. Berlage is gegrepen door het ideaal van de gemeenschapskunst en werkt samen met verschillende kunstenaars om met dit gebouw een waar kunstwerk te scheppen, maar dan wel een voor alle lagen van de bevolking. Hij haalt inspiratie uit de Italiaanse stadhuizen van de vroege Renaissance, met hun massieve muren, forse toren en binnenplaats. De strakke gevel van het bondsgebouw bekroont hij met een reeks kantelen in bloemmotief. Daarboven laat hij een toren oprijzen. In een rond venster bovenin de toren prijkt de vorm van een geslepen diamant. Het centrale trappenhuis ontwerpt Berlage als een soort binnenplaats, afgesloten door een glazen overkapping. Als een 'burgt van den arbeid' prijst een journalist het bondsgebouw bij de opening in 1900: 'Men ziet het ze aan: ze zijn voor de eeuwigheid; ze getuigen van onwrikbare, harde kracht, van vasthoudendheid en ernst.' De buitenkant van het gebouw is vooral robuust en sober, het interieur krijgt een weelderige aankleding. Daarmee wil Berlage schoonheid en luxe binnen het bereik van de arbeidersklasse brengen. Schilder Richard Roland Holst, die Berlages idealen deelt, maakt onder andere in de vergaderzaal een reeks wandschilderingen die de strijd van de arbeidersbeweging in verleden, heden en toekomst laten zien.

Berlages beroemdste ontwerp is dat voor de koopmansbeurs aan het Amsterdamse Damrak. Hij bouwt een beurs die radicaal anders is dan het traditionele beursgebouw. Een van de redenen daarvoor is dat Berlage voorziet dat de kapitalistische beurshandel in de socialistische maatschappij van de toekomst verdwijnt. Het gebouw moet dan eenvoudig een andere functie kunnen krijgen. Dat is inmiddels ook gebeurd – het is nu een cultureel centrum – zij het om andere redenen dan Berlage verwachtte.

Het zijn de massa van het bouwwerk en de silhouetten van de gevels, en niet de decoraties, die de beurs zijn karakteristieke aanblik geven. De gevels zijn strak – ze springen nergens uit – en vrij sober. Ze ontlenen een zeker ritme aan de verschillende reeksen van ramen. Vooral in de hoogte van de gevels brengt Berlage variatie aan; er zijn balustraden, topgevels en allerlei torens. Elke gevel van het beursgebouw geeft hij een heel eigen karakter dat past bij de omgeving. De bekendste gevel is die aan het Beursplein, vlakbij de Dam, met zijn grote toren en drie poorten, wederom geïnspireerd op de oude Italiaanse stadhuizen en middeleeuwse kerkgebouwen. Aan het Damrak is de gevel lang, met in het midden een ingang, net als het nabijgelegen Centraal Station heeft. En de gevel direct tegenover het station geeft de aankomende reiziger de indruk van een stad op zich, met een stadsmuur, verschillende torens, poortgebouwen en een drietal topgeveltjes.

De constructie en de materialen van de beurs laat Berlage in het zicht, buiten én binnen. Naast veel baksteen, met slechts hier en daar een accent in natuursteen, zijn daarom in de grote zaal de stalen bogen van de overkapping gewoon te zien. Versieringen worden helemaal geïntegreerd in het gebouw. Drie beelden op de hoeken van de beurs zijn bijvoorbeeld binnen het gevelvlak opgenomen. Berlage schakelt kunstenaars in om het decoratieprogramma uit te voeren dat hij samen met de dichter Albert Verwey heeft bedacht. Weer dragen de decoraties de politieke overtuigingen van de architect uit. Zo ontwerpt Jan Toorop een drietal tegeltableaus voor de voorhal, die verleden, heden en toekomst verbeelden; in de toekomst is iedereen gelijk, ongeacht geslacht, stand of afkomst. De beurshandelaren zijn niet gelukkig met de suggestieve voorstellingen en proberen de tableaus te laten verwijderen.

Er is wel meer gemor over de hypermoderne beurs. Eén criticus noemt het gebouw een 'groote doos met een sigarenkist erop'. Toch betekent het bouwwerk Berlages grote doorbraak. De opdrachten stromen nu binnen. Naast meubels en woningen ontwerpt Berlage ook stedenbouwkundige plannen voor delen van Amsterdam en Den Haag, en projecten voor volkswoningbouw. Het beroemdst is zijn revolutionaire plan voor de stadsuitbreiding aan de zuidkant van Amsterdam, Plan Zuid, tot stand gekomen tussen 1914 en 1917. Hierin is Berlages streven naar een bouwkunst voor de gemeenschap goed te herkennen. Hij ontwerpt geen aaneenschakeling van losse huizen, maar woningblokken, die in hun geheel een aantrekkelijke vorm moeten krijgen. Grote delen van Zuid bestemt hij tot arbeiderswijken. Die arbeiders moeten ook een prettige, ruime woonomgeving krijgen. In tegenstelling tot de oude buurten met hun smalle, benauwde straten en kleine huizen, liggen de woonblokken hier aan brede lanen, royale pleinen en straten, met hier en daar intieme zijstraten en doorkijkjes. Daarmee creëert hij de voorloper van de moderne woonwijk.

Ook Berlages laatste project heeft de vooruitgang van de arbeider op het oog: het Gemeentemuseum van Den Haag, waarvoor hij in 1929 het definitieve ontwerp maakt. Berlage bedenkt samen met Hendrik van Gelder, de eerste directeur van het museum, een museum dat voor iedereen toegankelijk is en dat de mensen door kunst verheft. Kunstenaars zijn in Berlages opvatting de priesters van de nieuwe tijd. Een museum moet bezoekers niet imponeren, maar uitnodigen om binnen te komen en ze langs de kunstwerken leiden zonder dat de vermoeidheid toeslaat. De kunst is opgesteld in zalen met een menselijke maat en een zekere beslotenheid. Berlage plaatst de doorgangen van zaal naar zaal niet recht tegenover elkaar. Zo kan de bezoeker zich concentreren op de kunst in één zaal, zonder zenuwachtig te worden van wat er verder nog allemaal te zien is. De opzet van het museum leidt de bezoeker vanzelf naar steeds hogere sferen. Beneden komen vooral gebruiksvoorwerpen. De kunstwerken, waarvan een louterende werking moet uitgaan, zijn boven te zien. Daar komt het licht dan ook van boven, door vensters in het dak. De buitenmuren in gele baksteen volgen de opzet van het interieur en springen uit of wijken terug met het verloop van de zalen binnen. Het museum oogt daarom van buiten als een compositie van verspringende blokken.

Berlage maakte de opening van het Gemeentemuseum in 1935 niet meer mee. Hij overlijdt in Den Haag op 12 augustus 1934. Inmiddels hebben jonge architecten nieuwe stijlen ontwikkeld, waarvoor Berlage de weg heeft vrijgemaakt. De architecten van de Amsterdamse School geven de gevelwanden van grote woonblokken net als Berlage vorm als één geheel. Ze kunnen zich echter niet vinden in Berlages voorkeur voor soberheid en geven de gevels expressieve vormen en uitbundige decoraties, zoals grote beeldhouwwerken in baksteen, die met hun schoonheid de bewoners ook moreel moesten verheffen. Daarentegen bouwen de architecten van het Nieuwe Bouwen, of de Nieuwe Zakelijkheid, strakke gebouwen in de nieuwste materialen – staal, beton en glas –, die met veel licht, lucht en ruimte vooral functioneel en comfortabel moesten zijn. Ook hier speelt een sociaal ideaal mee, want niet alleen moesten deze woningen de leefomstandigheden van de arbeiders verbeteren; de strakke vormen moesten ook voor sociale gelijkheid zorgen. Deze twee stromingen vertegenwoordigen de uitersten waartussen Berlage nu juist een evenwicht zocht: het decoratieve en het doelmatige.

### Pierre Cuypers (1827-1921)

Cuypers, de belangrijkste Nederlandse architect van de negentiende eeuw, grijpt voor zijn ontwerpen vooral terug op historische bouwstijlen. Hij bouwt katholieke kerken in een stijl die gebaseerd is op de gotische kathedralen uit het glorieuze katholieke verleden en gebruikt hij voor het Rijksmuseum en het Amsterdamse Centraal Station een mengeling van stijlen uit de late zestiende en vroege zeventiende eeuw – Hollandse Renaissance genoemd –, die verwijzen naar de roemrijke geschiedenis van Holland. Met zijn aandacht voor materiaalgebruik en de constructie van een gebouw is Cuypers een belangrijke vernieuwer.

### Gerrit Rietveld (1888-1964)

Rietveld werkt aanvankelijk als meubelmaker. Zijn ontwerp voor de strakke roodblauwe stoel uit 1918 maakt hem wereldberoemd. Later ontwerpt hij ook gebouwen. Hij wordt lid van De Stijl en is een aanhanger van de Nieuwe Zakelijkheid, een beweging die een functionele en rechtlijnige vormgeving centraal stelt. In 1924 bouwt Rietveld zijn bekendste huis in Utrecht, een strakke compositie van witte en grijze rechthoeken, hier en daar aangevuld met de primaire kleuren rood, geel en blauw. Op de bovenverdieping kunnen verschuifbare panelen verschillende kamers vormen.

### Rem Koolhaas (1944)

De ideeën van Koolhaas zijn al beroemd voordat zijn ontwerpen gerealiseerd worden. In 1975 is Koolhaas medeoprichter van het Office for Metropolitan Architecture (oma), dat zich tot doel stelt de relatie tussen architectuur en de moderne, stedelijke samenleving opnieuw vorm te geven, zowel theoretisch als praktisch. In zijn ontwerpen legt Koolhaas altijd een verband tussen technologische en menselijke aspecten, zoals bijvoorbeeld in de Rotterdamse Kunsthal, die is opgebouwd rondom een continu circuit van hellende banen die de bezoekers naar de verschillende ruimtes voeren.

# Willem Drees (1886-1988)

Op 24 mei 1947 wordt de Noodwet Ouderdomsvoorziening gepubliceerd. Met de wet van minister Willem Drees van Sociale Zaken begint de opbouw van de Nederlandse verzorgingsstaat. De volksverzekering, later de Algemene Ouderdomswet, die aan Drees persoonlijk wordt toegeschreven en hem een groot prestige verschaft, beschermt de koopkracht van ouderen: ze 'trekken van Drees'. Elke Nederlander krijgt vanaf zijn vijfenzestigste een uitkering, ongeacht zijn of haar arbeidsverleden, inkomen of vermogen. De overheidszorg beperkt zich al snel niet alleen tot ouderen. Burgers kunnen ook op staatssteun rekenen in het onderwijs, in de gezondheidszorg, bij huisvesting, werkloosheid en invaliditeit.

In mei 1945, na de Tweede Wereldoorlog, moet alles anders. In de oorlogsjaren hebben progressieve politici nagedacht over het verzuilde Nederland. In het verzet tegen de Duitse bezetter werken uiteenlopende gezindten met elkaar samen. Waarom wordt die samenwerking na de oorlog niet voortgezet? Maar de doorbraakbeweging hapert binnen een jaar na de vrede. Communisten, katholieken en de antirevolutionaire partijen zien af van deelname aan de doorbraak. Het Tijdelijk Parlement dat op 20 november 1945 wordt samengesteld, wenst in de Kamer herstel van de vooroorlogse verhoudingen. Pogingen om bijvoorbeeld de verzuilde omroeporganisaties (katholieke, protestants-christelijke, vrijzinnige, socialistische) af te schaffen mislukken. Nederland wíl helemaal geen vernieuwing; alles moet liefst weer zijn zoals vroeger. De eerste naoorlogse verkiezingen op 16 mei 1946 leveren een meerderheid op voor de confessionele partijen. Louis Beel van de Katholieke Volkspartij haalt drieëndertig zetels (van de honderd). Hij vormt samen met de Partij van de Arbeid, die negenentwintig zetels haalt (twee zetels minder dan voor de oorlog) de rooms-rode coalitie, die op 3 juli 1946 aantreedt en tot 1958 de politiek in Nederland domineert. In de coalitie werkt Drees eerst als minister van Sociale Zaken en later ook als minister-president aan de wederopbouw van Nederland.

Willem Drees wordt op 5 juli 1886 in Amsterdam geboren. Zijn vader is bediende bij de Twentsche Bank. Als Drees vijf jaar oud is, overlijdt zijn vader aan tuberculose

– in die tijd meestal een fatale aandoening. De bank keert geen pensioen uit, maar belooft dat Willem er als hij oud genoeg is, mag komen werken. Thuis is nauwelijks geld. Drees' moeder heeft een klein beetje inkomen door in huis kamers te verhuren. Dankzij zijn oom kan hij naar de (driejarige) HBS. Hij leest in zijn jeugd de gedichten van Herman Gorter, *Max Havelaar* van Multatuli en het *Communistisch manifest* van Karl Marx. Op 1 juli 1904, vier dagen voor zijn achttiende verjaardag, wordt hij ingeschreven als lid van de SDAP. Hij is dan al twee jaar lid van de Nederlandsche Vereeniging tot Afschaffing van Alcoholhoudende Dranken. Zijn hele leven blijft hij geheelonthouder; op latere leeftijd begint hij wel met roken – aardig voor op recepties, vindt hij. Drees, die hervormd wordt opgevoed, breekt met het geloof en de Kerk. Nadat hij examen heeft gedaan aan de openbare handelsschool gaat hij, omdat zijn moeder dat graag wil, in op de aanbieding van de Twentsche Bank. Naast zijn werk en het socialisme heeft Drees tijd voor twee belangrijke hobby's: korfbal en stenografie. Van dat laatste maakt hij zijn werk. Hij is al op zijn veertiende bevoegd tot lesgeven en hij scoort tweehonderdvijftig lettergrepen per minuut. In 1906 begint hij stenografie-bureau Drees & Jansen. Hij stenografeert voor de gemeente Amsterdam. Een jaar later begint hij als vaste stenograaf van de Tweede Kamer in Den Haag. Ook zijn liefdes-brieven aan Catharina ('To') Hent schrijft hij in steno. De onderwijzeres antwoordt in steno. Ze trouwen in 1910.

Gestaag maakt hij carrière in de politiek. Hij wordt voorzitter van de SDAP-afde-ling in Den Haag. In 1913 wordt hij lid van de Haagse gemeenteraad en in 1919 komt hij namens de SDAP in de Provinciale Staten van Zuid-Holland. In dat jaar wordt hij ook de tweede SDAP'er die als wethouder zitting neemt in het Haagse college van burgemeester en wethouders – tot 1931 van Sociale Zaken en tot 1933 van Financiën en Openbare Werken. Tijdens zijn opmars in de politiek doet Troel-stra een vergeefse gooi naar de macht, maar anders dan zijn Friese partijgenoot ziet Drees zich helemaal geen revolutie voltrekken in Nederland. Drees bewondert Marx en hij is voorstander van hervormingen, maar hij is geen revolutionair. Samenwer-king met de communisten wijst hij af, want die zijn niet democratisch. De massale werkloosheid in de jaren dertig moet volgens hem worden bestreden met industria-lisatie en met grote openbare werken. In 1933 wordt hij Tweede-Kamerlid. Hij blijft ook lid van de gemeenteraad en de Provinciale Staten. In de Kamer streeft hij ernaar van de SDAP een acceptabele gesprekspartner te maken, die integreert in de samenleving. In 1939 wordt hij fractievoorzitter in de gemeenteraad, in de Staten en in de Tweede Kamer.

Op 10 mei 1940 begint de oorlog in Nederland. Onderweg naar het Binnenhof wordt Drees overvallen door het luchtalarm. Hij probeert naar Engeland te vluchten, maar die poging strandt. De Duitse bezetter vraagt de volksvertegenwoordigers, verzameld in het Politiek Convent, een nationale partij te vormen. De meeste parlementariërs zien na een aarzelende fase af van samenwerking. Drees belandt met hen en met hoogleraren en andere vooraanstaande burgers in Buchenwald. Ze worden op 7 oktober 1940 opgepakt en per bus naar Duitsland gereden, omdat in Nederlands-Indië Duitsers zijn geïnterneerd. Ze bespreken er politiek en de latere minister van Financiën Piet Lieftinck geeft er college economie. Drees mag wegens zijn chronische maagaandoening na een jaar weg.

Drees wordt een centrale figuur in het ondergrondse politieke overleg. Hij publiceert onder de schuilnaam 'Een Sociaal-Democraat' zijn politieke ideeën in brochures – ondanks de papierschaarste. Uit de kleedkamer van de korfbalvereniging stelen zijn gezin en hij persoonsbewijzen voor onderduikers. Al tijdens de oorlog wordt hij vanuit Londen benoemd als lid van het College van Vertrouwensmannen dat Nederland moet besturen totdat er weer een regering is gekozen. Na de oorlog wil hij zijn carrière afsluiten met het burgemeesterschap van Amsterdam.

Drees blijft vanaf de bevrijding tot 1958 actief in de politiek. Zijn partij, de SDAP, is de Partij van de Arbeid geworden. Hij is van 1945 tot 1948 minister van Sociale Zaken. Na de verkiezingen in 1948 vraagt Juliana, die als regentes voor haar moeder koningin Wilhelmina optreedt, of Drees premier wil worden. 'Liever niet,' antwoordt hij. Toch geeft Drees vervolgens tien jaar, in vier kabinetten, leiding aan de wederopbouw van Nederland. Na vorige oorlogen is Nederlands-Indië goed geweest voor een financiële injectie. Maar meteen na de oorlog roept Soekarno de onafhankelijkheid van Indonesië uit. Besprekingen over een unie met Indonesië stranden. Nederland heeft geen idee van de sentimenten in Indonesië en grijpt militair in om orde op zaken te stellen. De acties zijn militair gezien een succes, maar politiek gezien zijn ze een mislukking. Voor Drees is het een nachtmerrie. Hij is tegen de koloniale oorlog, maar hij wil niet, zoals zijn partijgenoten, aftreden. Hij verwacht dat een nieuw kabinet zich nog harder zal opstellen. Nederland wordt gecorrigeerd door de Verenigde Staten en Groot-Brittannië. In december 1949 wordt Indonesië onafhankelijk.

Zonder de kolonie is in Nederland aan alles behoefte, behalve aan werk. Onder Drees wordt een begin gemaakt met de moderne sociale wetgeving, maar Drees is sober en zuinig. Hij dringt in het algemeen belang aan op loonmatiging. Hij is zelf het toonbeeld van soberheid: tussen de middag gaat hij naar huis voor een boterham; 's avonds is hij op tijd thuis voor het eten. De Amerikaanse ambtenaren van het ministerie van Buitenlandse Zaken die hem bezoeken in zijn rijtjeshuis aan de Beeklaan 502 krijgen een biscuitje bij de thee. Harriman en Hoffman concluderen dat in een land waar de eerste burger hen zo ontvangt de steun voor de wederopbouw niet over de balk wordt gesmeten. Drees wordt door zijn eenvoud, maar ook door zijn kennis van zaken, zijn voorzichtige beleid een nationale figuur – 'Vadertje Drees'. Door hem stemmen veel niet-socialistische kiezers op de Partij van de Arbeid, wat een novum is in verzuild Nederland. Met zijn gezag staat hij ook koningin Juliana bij. De vorstin verlaat zich in de jaren vijftig op gebedsgenezeres Greet Hoffmans om de oogkwaal van haar jongste dochter Christina te genezen. Hoffmans wordt verantwoordelijk gehouden voor de pacifistische opvattingen van Juliana. Haar echtgenoot prins Bernhard is het tegenovergestelde van een pacifist en organiseert een lobby tegen Hoffmans. Drees weet de vaderlandse pers over te halen om niets over de crisis aan het hof te publiceren. Dankzij de prins verschijnt het nieuws echter wel in buitenlandse media.

Drees treedt op 22 december 1958 af in een conflict over een bestedingsbeperking. Het kabinet wil extra belastingen heffen op luxeartikelen om de consumptie te beteugelen. Na zijn terugtreden wordt hij benoemd tot minister van Staat. Hij komt in conflict met de nieuwe generatie binnen de Partij van de Arbeid. Joop den Uyl vindt hij een boeiende politicus, maar ook iemand die een financieel roekeloos beleid voorstaat. Hij is tegen het idee de AOW te verhogen tot het minimumloon. De beweging Nieuw Links die zich aan het einde van de jaren zestig roert en een einde wil maken aan het regentendom en de compromissenpolitiek, noopt hem in 1971 om zijn lidmaatschap van de partij op te zeggen. Hij wordt geen lid van de nieuwopgerichte socialistisch partij van zijn zoon Willem Drees junior, de Democratisch-Socialisten '70. Hij blijft zich zo lang hij kan met de politiek bemoeien. Hij waarschuwt tegen de te grote toestroom van buitenlandse werknemers (gastarbeiders). Hij vindt dat de Eerste Kamer moet worden afgeschaft en Prinsjesdag is in zijn ogen maar malligheid. Door zijn toenemende doofheid en blindheid worden zijn dagen leger. 'In het algemeen is vooral de avond moeilijk op een doeltreffende manier te vullen,' zegt hij. Hij overlijdt op 14 mei 1988.

### Pieter Gerbrandy (1885-1961)

Gerbrandy volgt De Geer op als premier in ballingschap. De Geer heeft naar de smaak van koningin Wilhelmina en de andere ministers te slappe knieën. Gerbrandy is names de Anti-Revolutionaire Partij vlak voor de oorlog minister van Justitie geworden. Hij is in Londen minister van Justitie, van Koloniën en van Algemene Oorlogvoering, en ook minister-president. Hij weet na het wankelmoedige optreden van De Geer het Nederlands prestige bij de geallieerden te herstellen en weet het enthousiasme van de koningin, die krachtdadig wil regeren – zonder parlement – te beteugelen. Hij treedt af na de bevrijding van Nederland. Hij zit tot 1958 in de Kamer.

### Piet Lieftinck (1902-1989)

Lieftinck verblijft samen met de latere premier Drees in concentratiekamp Buchenwald. Na de oorlog wordt hij voor de Partij van de Arbeid minister van Financiën en geeft hij kundig leiding aan de sanering van de ontwrichte Nederlandse economie. Om de winst van de zwarte handel te blokkeren en om de verhouding tussen de hoeveelheid geld en het nationaal inkomen te herstellen worden de banktegoeden bevroren en krijgen alle Nederlanders 10 gulden – het tientje van Lieftinck. In 1948 wordt de Bankwet aangenomen, waardoor alle aandelen van de Nederlandsche Bank staatseigendom worden. Lieftinck werkt na zijn ministerschap voor de Wereldbank en als bewindvoerder van het Internationaal Monetair Fonds.

### Joop den Uyl (1919-1987)

Den Uyl leidt van 1973 tot 1977 het progressiefste kabinet van de twintigste eeuw. Onder zijn leiding haalt de Partij van de Arbeid zijn grootste verkiezingswinst ooit. Toch is hij door onhandige formatiebesprekingen slechts één termijn premier. Hij voert tijdens de oliecrisis de autoloze zondag in om op benzine te besparen. 'Nederland zal nooit meer hetzelfde zijn,' verklaart hij plechtig. Het olietekort valt achteraf mee. Hij loodst het koningshuis door een ernstige crisis nadat prins Bernhard steekpenningen van vliegtuigfabriek Lockheed heeft aangenomen. Tijdens zijn bewind gijzelen Zuid-Molukkers een trein; daarbij worden de machinist en twee passagiers gedood. In 1975 wordt Suriname onafhankelijk.

# Martinus Nijhoff (1894-1953)

Martinus Nijhoff is de vader van de moderne poëzie in Nederland. Met zijn kleine, briljante oeuvre van vier dichtbundels vervult hij een scharnierfunctie in de literatuur van de twintigste eeuw. Hij debuteert in 1916 met *De Wandelaar*. De bloeitijd van de Tachtigers is voorbij, maar de opvattingen van Willem Kloos en de zijnen ('poëzie is de allerindividueelste expressie van de allerindividueelste emotie') heeft weinig aan invloed ingeboet. De debutant zet zich met de eerste regel van het eerste gedicht al af tegen die traditie. 'Mijn eenzaam leven wandelt in de straten.' Geen ik-lyriek, maar distantie.

De turbulentie in de internationale kunstwereld eind jaren tien, waar de experimenten en nieuwe bewegingen elkaar voortdurend opvolgen, gaat niet geheel aan Nederland voorbij. Maar de echte avant-gardisten zijn niet de beste dichters. Nijhoff wil vernieuwen zonder de traditionele grammatica. en zinsbouw los te laten. In 1924 verschijnt zijn tweede bundel *Vormen*, die net als zijn debuut op veel onbegrip stuit. De dichter moet opboksen tegen het verwijt dat hij zijn persoonlijkheid niet uitdrukt in zijn poëzie. 'Een dichter schreit niet,' luidt het verweer van Nijhoff. Hij weigert consequent een gedicht te beschouwen als een voertuig van persoonlijke hartstocht, verdriet of angst. Het gaat Nijhoff erom het gedicht los te koppelen van zijn maker, en onpersoonlijke en afstandelijke poëzie te schrijven. Emoties moeten bij de lezer worden opgeroepen door de manier waarop de dichter schrijft, niet omdat de dichter ze voorkauwt. Poëzie schrijven is voor Nijhoff een kwestie van techniek, van ambacht; een gedicht is maakwerk, een zelfstandig object van taal. Tien jaar later bereikt hij met deze zienswijze een literair hoogtepunt, met de publicatie van *Nieuwe gedichten*. De bundel bevat klassieke gedichten als 'Het lied der dwaze bijen', 'Het kind en ik' en 'De moeder de vrouw'. In 1941 volgt *Het uur u*, een ander hoogtepunt in de Nederlandse poëzie.

In 'Het lied der dwaze bijen' komen de obsessies en de ambivalenties van de dichter ten volle uit. De bijen worden door 'een geur van hoger honing' uit hun woning gelokt. Die geur 'riep ons, ach roekelozen,/ naar raadselige rozen.' Wat het

doel is, blijft onzichtbaar. De bijen worden 'jubelend voortgedreven', naar 'het ontwijkend teken', tot ze stijgen en stijgen, en dan sterven. Hun nieuwsgierigheid bekopen ze met de dood. In de laatste regels voel je hoe koel Nijhoffs poëzie is, en toch hartverscheurend: 'het sneeuwt, wij zijn gestorven,/ het sneeuwt tussen de korven.'

Nijhoff beschrijft de tragische gang van mensen met een hoger doel in een lied van dode bijen, die aan den lijve ervaren waartoe hun streven leidt. Tegelijk symboliseert het gedicht de particuliere frustratie van de dichter: het ontwijkend teken, en de verleiding van niet meer dan de *geur* van hoger honing. De honing zelf blijft buiten beeld. Nijhoff ziet zijn illusies onder ogen en dat onderscheidt hem van collega-dichters die blijven zoeken naar een hogere werkelijkheid. Hij worstelt, maar het aardse wint, het aardse is zuiver. Die keuze wordt belichaamd door een lang gedicht uit de bundel, het weergaloze 'Awater', dat begint met: 'Wees hier aanwezig, allereerste geest,/Die over wateren van aanvang zweeft.'

Met die woorden begint een van de mooiste gedichten van de twintigste eeuw. Al een paar regels later keert het gedicht zich nadrukkelijk tegen eerdere poëzie als het over 'dit werk' zegt: 'Het wil niet, als geheel een vorige eeuw,/ puinhopen zien en zingen van mooi weer.' Het op zich eenvoudige plot van het gedicht begint in de tweede strofe, met: 'Ik heb een man gezien. Hij heeft geen naam./ Ik geef het ons aller vóórnaam bij elkaar.' De ik-figuur is op zoek naar een reisgenoot na de dood van zijn broer en besluit Awater te volgen. Awater werkt op een kantoor, maar blijkt in de avonduren een heel ander leven te leiden. Tijdens zijn tocht door de stad blijkt hij een groot artiest, als hij in een café een lied zingt. Hij vervolgt zijn weg naar het station, waar een heilsoldate staat. 'Wij leven heel ons leven fout,' zegt zij, en: 'Liefde wordt nooit vergeefs vertrouwd.' Awater kijkt om en lijkt de ik-figuur te herkennen, die er gauw vandoor gaat. De laatste strofe verplaatst het perspectief zich naar de klaarstaande trein, de ongenaakbare Oriënt Express, 'voor de illusie een reisgenoot te hebben is ze immuun'. Het gedicht eindigt met 'Zij zingt, zij tilt een knie, door stoom omstuwd./ Zij vertrekt op het voorgeschreven uur.'

Nijhoff is de grote twijfelaar. Steeds gaat het hem om een belofte van meer en beter, van een ander leven, waarvan we even een glimp zien. In 'Het uur u' veroorzaakt de verschijning van een vreemdeling in een straat visoenen van hemelse euforie. 'Maar het puur geluk dat men mocht/ smaken: één ademtocht/ duurde het, en werd verstoord.' Zo wreed is deze dichter over het eeuwig menselijk verlangen, een thema dat zijn poëzie van alle tijden maakt, en steeds laat hij in het midden of we vervolgens tot inzicht of bezinning komen.

Awater bevat de beroemdste poëticale dichtregel in de Nederlandse literatuur. 'Lees maar, er staat niet wat er staat.' Het is een aanwijzing voor de raadselen rond het gedicht en het oeuvre van Nijhoff. Het alledaagse taalgebruik van Nijhoff maakt het aantal vragen over zijn gedichten niet minder. Over wie de figuur van Awater is en waar hij voor staat is veel gespeculeerd, net als over de motieven van de ik-figuur, de rol van de heilsoldate en het slot, waarin zich een nieuw begin aankondigt. Het leidt na de oorlog tot een wassende de stroom interpretaties, die van 'Awater' het meest becommentarieerde Nederlandse gedicht maakt. Die meerduidigheid is precies wat Nijhoff zoekt. Hij wil de kritische en creatieve geest van de lezer aanspreken. Hoe open zijn poëzie is, wordt geïllustreerd door twee vuistdikke verzamelbundels met opstellen, over Awater en Het uur u. De Awater-studies onthullen onder meer dat het lied van Awater een sonnet van Petrarca. is en dat er vele verwijzingen naar andere schrijvers in het gedicht opgesloten zitten, zoals naar T.S Eliot, Joyce, Proust en Lawrence. Simon Vestdijk opperde ruim veertig suggesties voor de figuur van Awater, zoals 'de profeet, de boetgezant, de verlosser, de gangmaker, de mentor, het betere Ik, de demonisch losbrekende Ik'. Een sluitende verklaring voor het gedicht ontbreekt. Maar dat is óók een verklaring: de onkenbaarheid van de wereld, de ander, de realiteit, zichzelf, het gedicht.

Die onkenbaarheid kenmerkt ook de raadselachtige Nijhoff. Veel weten we niet van hem. Een biografie wordt node gemist. Nijhoff verbrandt zijn correspondentie en vraagt anderen hetzelfde te doen met zijn brieven. Hij is kleinzoon van de gelijknamige uitgever Martinus Nijhoff, zijn vader Wouter Nijhoff zet de uitgeverij voort. Hij trouwt in 1916 met Netty Wind, die hij kent van het Haags gymnasium waar ze beiden op school zaten. Hij krijgt in datzelfde jaar een zoon. Zijn vrouw geniet nog altijd bekendheid als A.H. Nijhoff, vanwege haar roman uit 1931: *Twee meisjes en ik*. Het echtpaar leeft al vanaf 1920 gescheiden, al wordt het huwelijk pas officieel in 1951 ontbonden. Zij verkeert onder meer in avant-gardistische kringen in Parijs en Nijhoff reist haar en zijn zoon voortdurend achterna.

In zijn eigen stukken was Nijhoff niet buitengewoon behulpzaam bij het doorgronden van zijn opvattingen en poëzie. Van 1919 tot en met 1927 is hij poëzierecensent, eerst van *Het Nieuws van den Dag* en dan, vanaf 1924 van NRC. Als redacteur van het literair tijdschrift *De Gids* publiceert hij essays. In 1926 verschijnt *Pen op papier*, een verzameling verhalend en beschouwend proza. Maar recensies en essays van zijn hand blinken niet uit door strakke redeneringen. Zeker in het begin van de jaren twintig laat hij zich kennen als een dichter die zoekende is, niet wetende hoe zijn dichterschap vorm te geven. Hij gelooft, schrijft hij in 1922, dat religie en filosofie 'hun ordenende kracht' hebben verloren. De kunst kan die functie overnemen en zelf 'een geestelijke kracht' zijn. Nijhoff staat tussen twee grote dichters uit zijn tijd in, J.C. Bloem en Adriaan Roland Holst. Het eeuwig metafysisch verlangen van Roland Holst is voor hem een doodlopende weg, de terugkerende ontgoocheling bij Bloem is hem te weinig.

Het is in die periode de iets jongere Marsman die wel een heldere, modernistische beginselverklaring weet te formuleren. Marsman ziet een nieuwe poëzie voor zich: 'Ze beeldt; ze redeneert niet; ze synthetiseert; ze analyseert niet.' Maar Marsman verliest zich in zijn kosmische bespiegelingen. Nijhoff oogt alleen maar traditioneler. Zijn toon is gedempt lyrisch; hij is een geraffineerd ambachtsman, die in toegankelijk taalgebruik een grote gelaagdheid bereikt. Marsman geldt in 1923 als het grote talent, met zijn *Verzen*. Nijhoff wordt wel erkend als belangrijk dichter, een jaar later, maar de literaire wereld omarmt hem niet. Hij gaat niet mee in het nieuwe elan en men vindt hem koel. Aan de titel *Vormen* wordt aanstoot genomen. In een recensie schrijft Marsman teleurgesteld te zijn in het 'dichterlijke ontdekkingsreizen' van zijn collega. Nijhoff schrijft terug dat Marsman de 'inwendige waaghalzerij' van zijn poëzie niet ziet, die ligt in het laten vallen van de romantiek. En hij bespot Marsman: 'Je begrijpt uitstekend "De wandelaar", na wederom acht jaar zal je "Vormen" ook wel anders zien dan nu.'

Zijn vooraanstaande plaats in de literaire wereld tot aan zijn dood in 1953 dankt Nijhoff niet alleen aan zijn dichterschap. Hij is tevens een uitnemend vertaler, van onder meer Shakespeare en Eliot. Vanwege zijn verdiensten is aan de jaarlijkse prijs voor vertalingen zijn naam verbonden.

## Herman Gorter (1864-1927)

Je bewondert Gorter om zijn *Mei*, je houdt van hem om zijn *Verzen*. Beide werken zijn hoogtepunten van de negentiende eeuw, die dankzij Gorter een minder bedompt aanzien heeft. Het epische *Mei* (1889) begint met de beroemde regel: 'Een nieuwe lente en een nieuw geluid' en verhaalt over de onbeantwoorde liefde van het meisje Mei voor de blinde god Balder. *Verzen* is een laaiende kermis van dartele, zintuiglijke klanken en beelden, geschreven in vrije verzen, waarmee Gorter liefde, geluk en schoonheid uitdrukt.

## Lucebert (1924-1995)

Lucebert, pseudoniem van Bert Swaanswijk, is de grootste vernieuwer van de Nederlandse poëzie in de twintigste eeuw. Met zijn radicale experimenteerdrift en avant-gardistische houding is hij de 'keizer' van *De Vijftigers*, een groep bevriende dichters. Lucebert geeft de Nederlandse literaire wereld na de oorlog de noodzakelijke schop onder de kont. Geïnspireerd door het surrealisme, dada, naïeve kunst, jazz komt hij tot zijn eigen compromisloze poëzie, die beeldend en vormenrijk is, maar ook vaak strijdbaar, geestig en geëngageerd.

## Mustafa Stitou (1974)

Van de jongste lichting dichters is Mustafa Stitou een buitengewoon talent. Hij debuteert jong met *Mijn gedichten*, dat wordt gevolgd door *Mijn vormen*. In 2004 verschijnt het overweldigende *Varkensroze ansichten*, waarin hij op ongedwongen, lichte toon de huidige samenleving beziet: de islam en het darwinisme, het oosten en het westen, arabieren en joden. Met superieure beheersing schetst hij tafereeltjes die zonder uitzondering tot nadenken stemmen. Hoogtepunt is een zowel hardvochtig als teder, en daardoor hartverscheurend gedicht over zijn vader, een Marokkaanse immigrant van de eerste generatie.

# Heiko Miskotte (1894-1976)

Zonder Heiko Miskotte zou de Nederlandse kerk er beslist anders uit hebben gezien. Hij is één van de oorspronkelijkste theologen die de Nederlandse kerkgeschiedenis heeft opgeleverd. Hij voorziet de kerk aan het begin van de twintigste eeuw, beheerst door de vaak sterk op de bescherming van het eigen erfgoed gerichte discussies, van een open venster naar de culturele bewegingen van die tijd. Terwijl velen de vruchten van de Verlichting zien als een ernstige bedreiging voor het geloof, vraagt Miskotte de aandacht voor het *tegoed* van de Verlichting. Hij neemt, en dat is uitzonderlijk binnen de kerk, filosofen als Friedrich Nietzsche, Jean-Paul Satre en Martin Heidegger serieus. Miskotte is degene die de theologie van de 'kerkvader' van de twintigste eeuw Karl Barth uit Zwitserland in Nederland introduceert. Miskotte maakt zichzelf onsterfelijk in de aandacht die hij vraagt voor het gesprek met grote joodse denkers en voor het eigene van het Oude Testament.

Kornelis Heiko Miskotte wordt op 23 september 1894 te Utrecht geboren als zoon van Hermannes Miskotte en Titia Alagonda Haan. Na het christelijk gymnasium doorlopen te hebben studeert hij van 1914 tot 1920 theologie in Utrecht. Toch boeit de moderne literatuur uit binnen- en buitenland hem meer dan het theologisch onderricht. Met name is het Henriette Roland Holst, aan wie hij later een publicatie wijdt getiteld *Messiaans verlangen*, die hem literair en sociaal sterk aanspreekt. In de eerste jaren van zijn predikantschap (1921-1925) is hij als 'rooie dominee' en antimilitarist verbonden aan de traditionele gemeente van Kortgene (Noord Beveland). Een indruk van die tijd is te vinden in een serie artikelen in zijn *Gemeenteblaadje*, later verschenen onder de titel *Als één die dient*. De artikelen gaan zijn gemeenteleden vaak veel te hoog, maar worden elders in het land door velen gelezen.

Op 10 september 1923 trouwt Miskotte met Cornelia Johanna Cladder, een vrouw die met haar warme betrokkenheid en mystieke geloofsleven voor hem tot grote steun is. Beslissend voor zijn theologische vorming is de kennismaking in 1923 met het eerste grote werk van Karl Barth, *Der Römerbrief*. Miskotte raakt diep onder de indruk van het door Barth geponeerde oneindig kwalitatieve onderscheid tussen

God en mens, dat een breuk betekent met het geestelijke klimaat in de jaren rond de Eerste Wereldoorlog, waarin 'God' functioneert als een verlengstuk van kerkelijke macht en als legitimatie van menselijk handelen. Het pleidooi van Barth voor de openbaring van God in Jezus Christus als heilzame kritiek op het totalitaire systeem van de religie (in de eerste plaats die van het christendom zelf), zal Miskottes denken zijn leven lang bepalen.

De eerste ontmoetingen met Barth in de jaren 1926-1928 leggen de basis voor een levenslange theologische en persoonlijke verbondenheid. In zijn tweede gemeente Meppel (1925-1930) verschijnen eerste publicaties over onder anderen Henriette Roland Holst en Thomas Mann. In 1930 baart hij opzien onder duizenden in het land door zijn radiopreek 'Geloof bij de gratie Gods', waarin hij een aanzet geeft aan het later ook door Barth uitgewerkte onderscheid tussen geloof en religie. In zijn Haarlemse periode (1930-1938) voltooit hij zijn dissertatie *Het wezen der joodse religie*, een werk dat voor intellectueel Nederland een volstrekt onbekende wereld opent. Naast de toen in kleine kring bekende namen Hermann Cohen en Franz Kafka passeren ook in deze studie Martin Buber, Franz Rosenzweig en Ernst Bloch de revue. Naast Barth is Miskotte degene die het werk van deze grote joodse denkers in Nederland introduceert. Zijn tweede hoofdwerk verschijnt kort na zijn vertrek uit Haarlem in 1939, getiteld *Edda en Thora. Een vergelijking van Germaanse en Israëlitische religie*. Het is een studie die Miskotte schrijft met het oog op de dreiging van het nazisme. In het Oude Testament hoort Miskotte een radicale kritiek op het heidendom, dat in deze jaren in het Germaanse levensgevoel opbloeit. Abel Herzberg noemt het in zijn *Kroniek der jodenvervolging*: '(…) dat boek dat tijdens de bezetting voor zovele joden een bron van kracht in alle kommer is geweest. ' Het boek verschijnt in oktober 1939 net op tijd. Het is direct uitverkocht en ook meteen door de Duitse bezetter verklaard tot verboden lectuur. Zijn Amsterdamse jaren (1938-1945) zijn met deze studie direct al gemarkeerd.

Veelbesproken is ook zijn studie *Bijbels ABC* dat een neerslag is van een studiekring die door hem in de eerste oorlogsjaren wordt gehouden in de Nieuwe Kerk op de Dam. Het kan worden beschouwd als een verzetsdocument tegen het nationaal-socialisme en tegelijk als de vrucht van een poging te komen tot een nieuw verstaan van de bijbelse teksten. De bijbel sluit niet aan bij de menselijke religie maar weerspreekt haar, zo is een van zijn ontdekkingen. Miskotte spreekt van het Oude Testament als antireligieuze getuigenis die de basis kan bieden voor een betere weerstand tegen de dreiging van totalitaire machten. Deze bijbelcursus wordt niet voor niets een verzetsbijeenkomst genoemd. Het *Bijbels ABC* is tot ver na de oorlog van grote invloed op de theologiebeoefening in Nederland. Voor theologen als F.H. Breukelman (1917-1993) vormde het de basis van een uitgebreide bijbeltheologische studie die in breed oecumenische kring school maakte.

In de oorlogsjaren is Miskotte een van de leidinggevende figuren van de illegale arbeid. In 1940 stelt hij namens de 'Lunterense kring' een brief op die het hervormd-kerkelijk verzet inluidt. Ook latere illegale getuigenissen worden vaak door hem ontworpen, maar zijn oorspronkelijke stijl is zo makkelijk te herkennen dat ze door anderen moeten worden bijgewerkt. De bij de bevrijding gehouden preek in de Nieuwe Kerk getiteld *Gods vijanden vergaan* is een beroemd document geworden uit die tijd.

Vriend en vijand schokt hij een maand later door zijn bijdrage aan een verklaring van zeven Amsterdamse predikanten, waarin gewag wordt gemaakt van de verbondenheid met de SDAP. Het markeert een beslissende stap in wat de Doorbraak is gaan heten. In de toelichting op deze verklaring, getiteld *Wat bezielt ze?*, die hij samen met dominee Buskes schrijft, wordt gebroken met het, in verband met de politiek, antithetische spreken van de kerk. Miskotte richt in diezelfde tijd het strijdbare blad (dat tot op heden bestaat) *In de Waagschaal* op, waarin deze Doorbraak op allerlei fronten wordt uitgewerkt en in gesprek gebracht. Ondanks de vele kritiek die Miskotte oogst in deze tijd wordt zijn kerkelijke en theologische leiderschap in brede kring erkend. Hij wordt benoemd tot hoogleraar te Leiden en houdt op 26 oktober 1945 zijn inaugurele rede *De praktische zin van de eenvoud Gods*.

Een jaar na de aanvang van zijn professoraat sterven zijn vrouw en zijn dochter Alma door de gevolgen van een voedselvergiftiging. Getekend door dit grote verlies schrijft hij zijn derde hoofdwerk: *Als de goden zwijgen. Over de zin van het Oude Testament*. Terwijl in kerk en theologie over het algemeen het Oude Testament enkel wordt gezien als een voorbereiding op het Nieuwe Testament, wijst Miskotte op het tegoed van het Oude Testament. Een diepgaande cultuuranalyse – waarin hij anticipeert op de God-is-dood-theologie –, die tien jaar later inzet vormt in dit boek de achtergrond van een uiteenzetting over oudtestamentische elementen als de eros, de politiek en de verborgenheid van God. Dit werk vindt ook in het buitenland veel weerklank. Ook wordt Miskotte in deze tijd initiatiefnemer van een nieuwe psalm-berijming en de ontwikkeling van een nieuw liedboek voor de kerken. Hierbij weet hij dichters te betrekken als Martinus Nijhoff, Muus Jacobse, Ad den Besten en J.W. Schulte Nordholt. Het nieuwe liedboek verschijnt in 1973 en wordt in kerkelijke kring met enthousiasme ontvangen.

In Oosterbeek, waar de werkconferenties ter voorbereiding van het liedboek plaatsvinden, ontmoet hij Jannie van Pienbroek, met wie hij in 1953 trouwt. In 1959 legt hij zijn ambt neer met een afscheidsrede onder een titel die in theologenkringen spreekwoordelijk is geworden: *De moderne dogmaticus als dilettant en dirigent.* De laatste periode van zijn leven (1959-1976) brengt hij door in de voormalige pastorie van Voorst, De olde Wheme. Ondanks zijn kwetsbare gezondheid zijn ook deze jaren vruchtbaar. Veel van zijn werk wordt heruitgegeven en vertaald. Hij ontvangt in 1964 het eredoctoraat van Glasgow en is er getuige van hoe een nieuwe generatie leer-lingen zijn werk voortzet.

Door te wijzen op de religiekritiek van de bijbel en aandacht te vragen voor het noodzakelijke gesprek met de cultuur heeft Miskotte de kerk wakker geschud uit haar naar binnen gerichte zelfgenoegzaamheid. Dit zal de kerk in de 21$^e$ eeuw blij-vend kritisch begeleiden.

### Johannes Jacobus Buskes (1899-1980)

Buskes komt uit een gereformeerd gezin en wordt predikant op Texel. Daar komt hij in conflict met zijn kerk door de 'kwestie Geelkerken'. Geelkerken wil ruimte hebben om zich af te vragen of het spreken van de slang in het paradijs wel gerekend mocht worden tot de 'zintuiglijk waarneembare werkelijkheden'. Buskes staat aan de kant van Geelkerken en wordt lid van de door hem opgerichte Gereformeerde Kerken in Hersteld Verband. Zijn hartstochtelijke links-politieke engagement en zijn uitgesproken antimilitarisme bezorgen hem het etiket van 'paradechristen'. Buskes is onder brede lagen van de bevolking een gevierd prediker die 's zondags volle kerken trekt.

### Harry Kuitert (1924)

Terwijl de Nederlandse kerk volop in beweging is, blijft Kuitert tot diep in de jaren '50 een massief gereformeerd theoloog. Na zijn werk als predikant in Zeeland, begint hij in 1965 als studentenpredikant in Amsterdam en hoogleraar ethiek aan de Vrije Universiteit. Kuitert stelt dat niet God de mens, maar de mens God gemaakt heeft. en dat alle spreken van boven eigenlijk van beneden komt. Dat wordt binnen zijn achterban als buitengewoon schokkend ervaren maar ook gezien als een bevrijding van het gereformeerde dogmatische juk. Zijn publicatie *Het algemeen betwijfeld christelijk geloof* in 1992 doet de Gereformeerde Kerk op haar grondvesten schudden.

### Huub Oosterhuis (1933)

Als dichter en theoloog heeft Huub Oosterhuis grote invloed op het rooms-katholieke leven van de lage landen. Met zijn liederen heeft hij de katholieke liturgie ingrijpend bepaald. Oosterhuis is een van de grote voormannen van de oecumenische beweging. In talloze dichtbundels toont hij zich een groot dichter en taalkunstenaar. Zijn liederen en essays getuigen van een grote maatschappelijke betrokkenheid en brengen hem met grote regelmaat in conflict met zijn kerk. Als uitgesproken socialist wil hij theoloog zijn. In die zin staat hij in de traditie van de theologie van Miskotte. In 2003 ontvangt hij van de vu een eredoctoraat voor zijn oeuvre.

# Jan Hendrik Oort (1900-1992)

Jan Hendrik Oort wordt op 28 april geboren in het Friese Franeker, de stad van de zeventiende-eeuwse amateursterrenkundige Eise Eisinga en zijn ingenieuze planetarium. Sinds 1781 is Eisinga's handgemaakte kopie van ons zonnestelsel het bestbewaarde geheim van Friesland; in de afgelopen 223 jaar trekt het museum gemiddeld twintig bezoekers per dag. Oort groeit niet op in Franeker, en of hij ooit nog eens terug is geweest om de mechanische planetenhemel van Eisinga te zien is niet bekend.

Zijn vader is arts. Het gezin Oort vertrekt in 1903 uit Franeker, omdat hij directeur wordt van de psychiatrische instelling in Oegstgeest.

Zijn zoon gaat naar school in Leiden en krijgt pianoles. Talen liggen hem niet, maar natuurkunde en wiskunde des te meer. In 1917 gaat Oort in Groningen natuurkunde studeren en maakt hij kennis met de eerste ideeën over de kwantummechanica, die natuurkundige verschijnselen beschrijft die niet door de klassieke mechanica. worden verklaard – spectraallijnen van lichtende atomen en golfgedrag van deeltjes. Erg spannend allemaal, vindt hij, maar bij lange na niet zo spannend als de astronomie. Oort besluit af te studeren bij de inspirerende hoogleraar sterrenkunde Jacobus Kapteyn, de ontdekker van een rode dwergster en grondlegger van het Nederlandse onderzoek naar de melkweg. Oort kan niet meer terug, hij is verknocht aan het onmetelijke. Na zijn kandidaatsexamen in 1919 doet hij in het team van Kapteyn onderzoek naar hogesnelheidssterren – sterren met hoge snelheden ten opzichte van de meeste andere sterren. De hogesnelheidssterren passen niet in Kapteyns model van de melkweg. In 1921 haalt Oort cum laude zijn doctoraal. Hij krijgt in 1922 een baan bij de *Yale Observatory* in de Verenigde Staten. Echt naar zijn zin heeft hij het niet en Nederlandse collega's halen hem over terug te komen.

In Leiden begint zijn carrière als astronoom. Hij gaat aan de slag bij Willem de Sitter, de directeur van de Leidse sterrenwacht. Hij promoveert in 1926 – nog wel in Groningen – bij Pieter van Rhijn, de opvolger van Kapteyn, op *The Stars of High Velocity*. Hij is niet helemaal tevreden over zijn promotie, want hij kan geen slui-

tende verklaring geven voor de beweging van zijn hogesnelheidssterren. Als hij doorstudeert, stuit hij dankzij de Zweedse astronoom en directeur van de sterrenwacht in Stockholm Bertil Linblad op het verschijnsel dat sterren een kortere omloopsnelheid hebben in het centrum van het melkwegstelsel - differentiële rotatie. Op basis hiervan schrijft hij twee artikelen, in 1927 en 1928, waarin hij de rotatie van de melkweg beschrijft. Hij bewijst dat het melkwegstelsel veel groter is dan altijd werd aangenomen en dat het traag om zijn as draait. Hij vestigt naam als sterrenkundige – zijn ster rijst.

In 1927 trouwt hij met Mieke Graadt van Roggen. Ze krijgen drie kinderen. In 1930 kan hij de *Willson Chair of Astronomy* van Harvard overnemen en in 1932 wordt hij gevraagd directeur te worden van de afdeling Sterrenkunde van *Columbia University*. Maar Oort gaat niet in op de aanbiedingen van de prestigieuze instituten; hij is liever in Nederland, want met zijn carrière gaat het prima. In 1934 is zijn baas De Sitter onverwachts overleden en de Deen Ejnar Hertzsprung wordt directeur van de sterrenwacht. Oort wordt gevraagd bijzonder hoogleraar te worden. Hij is vierendertig jaar en hij krijgt de verantwoordelijkheid voor een onderzoeksgroep.

Met veel enthousiasme zorgt Oort ervoor dat de Nederlandse astronomie weer een plek krijgt in de wereld. Oort bouwt de eerste radiotelescoop ter wereld, richt het eerste Europese astronomisch samenwerkingsverband op en legt de fundamenten voor het wereldwijde onderzoek naar kometen. Bij zijn officiële aanstelling in 1935 spreekt hij de rede: *De bouw der sterrenstelsels* uit, een onderwerp zonder grenzen over een allesomvattend heelal. De kennis over het heelal neemt in de jaren dertig snel toe door betere instrumenten, maar in 1935 kan Oort nog een rede over zo'n groot onderwerp houden. Inmiddels is de kennis over de sterren zo ver gevorderd en de materie zo complex dat weinig wetenschappers zich wagen aan allesomvattende verklaringen. De meeste ontdekkingen doet Oort overigens achter zijn bureau – op de sterrenwacht wordt het de meest ordelijke plaats in het heelal genoemd. Op papier berekent hij zijn theorieën. Pas in de jaren vijftig, bij een reis naar het zuidelijk halfrond, ziet hij voor het eerst de Melkweg schitteren.

In 1942, als de Tweede Wereldoorlog twee jaar duurt in Nederland, dient hij zijn ontslag als hoogleraar in. Oort trekt zich terug op de Veluwe, in De Potbrummel, een buitenhuisje in Hulshorst. Hiermee voorkomt hij dat hij in handen valt van de Duitse bezetters, die wetenschappers maar al graag voor de oorlogsindustrie aan het werk zetten. Het onderzoek van Oort gaat in de oorlogsjaren gewoon door, soms zelfs met geheime lezingen. Oort en zijn medewerkers beschrijven de zo belangrijk geachte waterstoflijn, een golflengte in het spectrum van straling uit de ruimte die op de aanwezigheid van waterstof duidt. Waterstof is het belangrijkste bestanddeel van sterren, en daarmee een aanknopingspunt in de speurtocht naar zonnestelsels. In 1951 vinden wetenschappers van Harvard op aanwijzing van Oort de waterstoflijn die nog steeds wordt gebruikt.

Oort wordt direct na de oorlog directeur van de Leidse sterrenwacht en hoogleraar sterrenkunde. In die positie is hij vrijer om zijn onderzoeksgebieden uit te breiden. Hij krijgt interesse voor kosmische radiostraling, een belangrijke bron van informatie over het ontstaan van het heelal en het gedrag van hemellichamen.

Wereldfaam verwerft Oort met een theorie over kometen. In 1950 formuleert hij de hypothese dat kometen in ons zonnestelsel een gemeenschappelijke oorsprong hebben. Op 1 mei 1951 houdt hij hierover de Halley-lezing in Oxford – vernoemd naar de komeet Halley. De titel van zijn verhaal is *Oorsprong en ontwikkeling van kometen*. 'Het lijkt moeilijk aan de conclusie te ontsnappen,' zegt hij, 'dat tenminste een groot deel, en misschien wel alle kometen die wij waarnemen, afkomstig zijn uit de grote zwerm die het zonnestelsel omringt.' De kometenwolk heeft zijn oorsprong in ons zonnestelsel, is Oorts theorie. Maar door aanvaringen met Uranus en Neptunus zijn ze buiten het zonnestelsel gekomen. Maar de zon trekt nog aan ze, en ook passerende sterren trekken de kometen soms weg en soms ons zonnestelsel in. Die zien wij dan voorbijkomen. Er zijn kometen die in het zonnestelsel komen en opbranden; er zijn er die een baan beschrijven, zoals de komeet Halley. Zijn theorie over dit verschijnsel wordt algemeen aanvaard en het verschijnsel krijgt de naam Oort-wolk. Andere sterrenstelsels hebben ook kometenwolken.

Zijn andere passie, de radioastronomie, blijft aandacht vragen. Oort richt de Stichting Radiostraling van Zon en Melkweg op. Samen met de Utrechtse sterrenwacht, de PTT en het natuurkundig laboratorium van Philips bouwt Oort in Kootwijk een onderzoekscentrum naar kosmische radiostraling. In 1954 heeft hij genoeg geld verzameld om in Dwingeloo een nieuwe radiotelescoop te laten bouwen. In 1956 wordt de vijfentwintig meter grote radiotelescoop in gebruik genomen. In 1970 opent Oort een samengestelde telescoop in Westerbork. Twaalf afzonderlijke radiotelescopen kunnen als een eenheid, gezamenlijk en continu het heelal afspeuren.

Voor het betere optische speurwerk moeten astronomen in Chili zijn: ook de verdienste van Oort. Daar staat een van de grootste optische telescopen ter wereld, La Silla: een product van de efficiënte samenwerking tussen Duitsland, Frankrijk, Zweden, Denemarken, België, Italië, Zwitserland en Nederland. Oort is de oprichter van dit European Southern Observatory, dat in 1962 van start gaat.

Oort blijft tot 1970 hoogleraar sterrenkunde en directeur van de Leidse sterrenwacht. Dan gaat hij met pensioen en moet hij vertrekken uit Sterrenwacht 5, het adres waar hij sinds 1935 woont. Oort en zijn vrouw verhuizen naar Oegstgeest, maar hij houdt een kantoor aan de sterrenwacht. Hij fietst nog geregeld naar Leiden. Zijn kleinzoon Marc Oort is daar inmiddels ook aan het werk als sterrenkundige. Na ruim vijftig jaar ononderbroken naar boven te hebben gekeken komt Oort meer en meer toe aan de aardse zaken: schilderen en schaatsen. Zodra het ijs dik genoeg was, gaf hij tijdens zijn actieve carrière de staf van de sterrenwacht al vrij om te kunnen schaatsen. Hij schaatste zelf tot 1981, als hij bewusteloos neervalt tijdens een schaatstocht op een van de meren buiten Leiden. Vanaf die dag zit de hoogleraar noodgedwongen veel thuis, maar hij heeft altijd nog het theoretisch onderzoek dat hij zo graag doet. Kansrijk onderzoek, waarvoor hij een neus heeft gehad.

In 1992 verhuist Oort met zijn vrouw naar een rusthuis. Hij valt in de badcel en overlijdt een paar dagen later, op 5 november, in het ziekenhuis. Oort bracht de sterrenkunde letterlijk lichtjaren vooruit, maar hij begreep ook dat je daar aardse investering voor moet doen. Nog even, en de grootste radiotelescoop ter wereld, Lofar, gaat van start: verspreid over de provincies Friesland, Groningen, Drenthe, Overijssel en Gelderland en een stuk van Duitsland komen 25.000 geschakelde antennes te staan. Dankzij de man die door het Amerikaanse tijdschrift LIFE in 1955 al tot de honderd belangrijkste mensen ter wereld werd gerekend, zijn radioastronomen uit de hele wereld straks nergens liever dan in Nederland.

### Nico Tinbergen (1907-1988)

Tinbergen studeert biologie in Leiden. Met de Duitser Karl von Frisch en de Oostenrijker Konrad Lorenz is hij de grondlegger van gedragsonderzoek bij dieren. In 1973 krijgen zij de Nobelprijs voor hun observaties van bijen, ganzen, graafwespen en stekelbaarzen. Tinbergen stelt dat de ethologie vier soorten verklaringen geeft voor gedrag: functie, oorzaak, ontwikkeling en ontstaan. Hij vertrekt uit Leiden uit onvrede over het wetenschappelijke klimaat. In Oxford maakt hij ethologie tot een serieuze wetenschap. Op de lijst van de Nobelprijswinnaars staat achter zijn naam dat hij van Britse oorsprong is, hoewel de aanleiding voor de prijs zijn vroegere Leidse werk is.

### Willem Johan Kolff (1911)

De arts Willem Johan Kolff begint in de oorlog een opleiding tot internist in Groningen. Na de oorlog ontwikkelt hij een externe kunstmatige nier om ureum en andere afvalstoffen uit het lichaam te verwijderen. Hij begint de ontwikkeling van de hart-longmachine. In Den Haag richt hij de eerste bloedbank van Europa op. In 1950 vertrekt Kolff naar Amerika. Daar werkt hij verder aan zijn hart-longmachine. Hij maakt nog een draagbare kunstnier, dat geeft dialysepatiënten een nieuwe vrijheid. In 1982 is Kolff betrokken bij de ontwikkeling van het eerste kunsthart dat in een mens werkt. Jaarlijks wordt de Prof. Kolff Prijs uitgereikt voor innovatief werk in de geneeskunde.

### Jacob Kistemaker (1917)

Kernfysicus. Stapt in Leiden over van sterrenkunde naar natuurkunde. Na zijn promotie in 1945 doet hij onderzoek naar kernfysica. Hij gaat bij Niels Bohr in de leer en begint bij zijn terugkeer met een installatie voor isotopenscheiding. In 1953 maakt Nederland zijn eerste monster lichtverrijkt uranium. Het is de eerste keer dat uranium wordt verrijkt buiten de Verenigde Staten. In de jaren zeventig kan Nederland dankzij Kistemakers werk zijn eigen kerncentrales openen, maar daar is maatschappelijk steeds minder draagvlak voor. Na zijn pensionering in 1982 leert Kistemaker Chinees om een antieke Chinese atlas van de sterrenhemel te kunnen uitgeven.

# Soekarno (1901-1970)

'*Indonesia Raja, Merdeka, Merdeka* – Groot Indonesië, Vrij, Vrij,' klinkt het op 17 augustus 1945 in de voortuin van het huis van Soekarno in Jakarta. Met hese stem leest de nationalistische leider, verzwakt door een malaria-aanval, de twee regels voor waarmee hij Indonesië onafhankelijk verklaart. Aan een bamboestok gaat de rood-witte vlag in top en de aanwezigen zingen het nieuwe volkslied. Twee dagen eerder is de Japanse bezetting geëindigd. Soekarno en zijn rechterhand Mohammad Hatta voelen er niets voor om meteen de onafhankelijkheid uit te roepen, maar het duo zwicht voor zware druk door radicale jongeren – *pemuda's.*

Soekarno wordt als Koesno op 6 juni 1901 in de Javaanse havenstad Soerabaja geboren. Volgens de koloniale ordening is hij een 'Nederlandsch onderdaan, geen Nederlander zijnde'. Koesno is de zoon van een schoolmeester, afkomstig uit de lagere Javaanse adel, en een Balinese tempeldanseres. Als Koesno tyfus krijgt, kruipt zijn vader onder het bed van zijn zoon om de kwade dampen die uit de onderwereld opstijgen tegen te houden. Na Koesno's genezing besluit zijn vader dat de wedergeboorte gepaard dient te gaan met een nieuwe naam: Soekarno, een verwijzing naar de moedige ridder Karno uit het wajangspel. Ook zijn moeder voorziet een grote toekomst, omdat hij bij dageraad is geboren.

Het milieu waarin Soekarno opgroeit, wordt niet alleen bepaald door mystiek en lokale tradities, maar vertoont ook sporen van de Ethische Politiek, die decennialang de kern is van het Nederlandse koloniale beleid. Volgens dit concept moet Nederlands-Indië als een kind tot zelfstandigheid worden opgevoed. Halverwege de negentiende eeuw heeft Nederland – met Batavia als bestuurscentrum – slechts enkele eilanden in handen. De immense archipel kan de heilzame werking van het Nederlands bestuur pas ondervinden als alle eilanden onder Nederlands gezag staan, luidt de redenering. Samen met strategische en economische overwegingen vormen 'zedelijke' argumenten de basis voor de verdere verovering van het eilandenrijk. Met grof geweld brengen militairen als Joannes van Heutsz en Hendrik Colijn gebieden als Atjeh en Lombok onder Nederlands gezag, waarna de economische openlegging en de 'opheffing' van

het volk kan worden gestart. Onderwijs is de ruggengraat van het beschavingsoffensief.

Ook de Javaanse schoolmeester wil een goede opleiding voor zijn zoon, en stuurt Soekarno naar de Europeesche Lager School (ELS), waar hij te midden van Hollandse kinderen een volledig Hollands lesprogramma volgt. Om de H.B.S in Soerabaja te kunnen volgen wordt Soekarno in de kost gedaan bij een vriend van zijn vader. Thuis bij Tjokroaminoto, leider van de eerste grote nationalistische massabeweging Sarekat Islam, maakt Soekarno kennis met vooraanstaande Indonesische nationalisten. Al tijdens zijn studie is hij actief in de nationalistische beweging.

Als hij is afgestudeerd als civiel ingenieur aan de technische hogeschool in Bandoeng, stort hij zich op de politiek. Soekarno behoort tot de non-coöperatieve nationalisten, die samenwerking met het gouvernement afwijzen. Fel hekelt hij de Hollandse superioriteitsideologie. Samen met andere nationalisten richt hij in 1927 de Indonesische Nationale Partij (PNI) op, die openlijk naar onafhankelijkheid streeft. In een mum van tijd groeit de charismatische Soekarno uit tot de belangrijkste nationalistische leider van Indonesië.

Hij blijkt een geboren redenaar. In zijn redevoeringen verbindt hij moeiteloos de Javaanse mythologie met de islam en met politieke concepten als nationalisme en marxisme. In zijn smetteloze pakken en uniformen heeft hij de allure van een grand seigneur. In het openbaar verschijnt hij nooit zonder zijn *pitji*, de zwarte fez die door gewone Indonesiërs wordt gedragen en uitgroeit tot het symbool van de nationalisten. De pitji heeft als bijkomend voordeel dat de ijdele Soekarno er langer door lijkt.

Het Nederlandse bestuur ziet in de 'agitator' en zijn partij een groeiend gevaar. Op 29 december 1929 wordt Soekarno van zijn bed gelicht. Na een showproces wordt hij veroordeeld tot vier jaar gevangenisstraf. Als hij op 31 december 1931 vervroegd vrijkomt, verklaart Soekarno zich 'als een kris die pas is schoongemaakt en scherper is dan tevoren' te voelen. Het volk is hem niet vergeten, zoals het gouvernement had gehoopt. Hij wordt als een vorst onthaald. Het duurt niet lang voordat hij opnieuw als een bedreiging voor de rust in de kolonie wordt beschouwd. Op 28 december 1933 valt het besluit hem te verbannen naar Flores (later volgt overplaatsing naar Sumatra). Nationalisten, zoals Hatta en Sjahrir, treft eenzelfde lot. Soekarno formuleert in ballingschap de *Pantja Sila*, de vijf grondslagen waarop de staat rust: nationalisme, humanisme, sociale rechtvaardigheid, democratie en geloof in één God. Tot op de dag van vandaag geldt de filosofie van de Vijf Zuilen als de staatsideologie van Indonesië.

Als Nederlands-Indië begin 1942 binnen enkele weken door Japan onder de voet wordt gelopen, besluit Soekarno met de nieuwe bezetter samen te werken in de veronderstelling dat de Japanners bereid zijn Indonesië snel onafhankelijkheid te verlenen. Nederlanders worden opgesloten in kampen. Van de geïnterneerden en krijgsgevangenen overleeft 15 tot 20 procent de oorlog niet. De Japanners willen van Indonesië leverancier van grondstoffen, werkkrachten en gewassen maken. Soekarno blijkt bereid zijn volk grote offers te laten brengen. Hij is voorstander van het ronselen van Indonesische dwangarbeiders (*romoesha's*) die door de Japanners te werk worden gesteld bij havens, mijnen, olie-installaties en de aanleg van infrastructuur zoals de beruchte Birma-spoorlijn. Honderdduizenden van hen komen om door geweld, honger, ziekte en uitputting.

Na de capitulatie van Japan denkt Nederland terug te komen als hoeder van de kolonie. Dat is een misvatting. De Indonesiërs zitten niet op de *belanda's* te wachten. In de chaos van het machtsvacuüm na het einde van de oorlog worden 3500 Nederlanders gedood door rampokkende nationalisten. Ook om orde op zaken te stellen en economische belangen veilig te stellen besluit Nederland tot militair ingrijpen. De 'politionele acties' – hele gebieden worden ingenomen, Soekarno wordt zelfs gevangengenomen en verbannen – hebben echter een averechts effect. De Veiligheidsraad van de Verenigde Naties uit scherpe kritiek op Nederland en eist een bestand. Tijdens de rondetafelconferentie, die in het najaar van 1949 in Nederland wordt gehouden, bereiken Nederlandse en Indonesische onderhandelaars overeenstemming. Indonesië wordt onafhankelijk - Republik Indonesia Serikat (RIS). Maar Nederland weet Nieuw-Guinea te behouden. Op 27 december 1949 ontvangt Hatta op het paleis op de Dam de soevereiniteit uit handen van koningin Juliana. De volgende dag wordt Soekarno, die in Indonesië is gebleven, door een uitzinnige menigte in Jakarta, zoals Batavia nu heet, verwelkomd. Vanaf het bordes van het gouverneurspaleis roept hij: 'Eens vrij, altijd vrij!'

De republiek kampt met opstanden. Al vóór de formele onafhankelijkheid is op West-Java een islamitische staat uitgeroepen – een beweging die zich uitbreidt naar andere eilanden. Op de Molukken wordt op 25 april 1950 de Republik Maluku Selatan (RMS) uitgeroepen. Slechts met veel geweld weet het nieuwe Indonesische leger de opstandige republiek op de knieën te brengen. In het voorjaar 1951 worden 12.500 Molukkers – grotendeels militairen met hun gezinnen - naar Nederland overgebracht.

Soekarno presenteert zich als prominent leider van de derde wereld. De relaties met Nederland worden er niet beter op als de onderhandelingen over Nieuw-Guinea vastlopen. Alle Nederlandse bedrijven worden genationaliseerd, waarmee 4 à 5 miljard gulden aan beleggingen verloren gaat. De laatste golf Nederlanders vertrekt uit de voormalige kolonie. In totaal reizen tussen 1945 en 1958 ongeveer 250.000 repatrianten naar Nederland – een land dat velen nog nooit gezien hebben. Soekarno zet alles op alles om Nieuw-Guinea te krijgen. De lange weg over Indonesië van Sabang tot Merauke – langer dan de Grote Postweg van Herman Daendels – moet er komen. Hij dreigt met militaire acties. Nederland zwicht en draagt Nieuw-Guinea in 1962 over aan de Verenigde Naties, die het binnen een paar maanden doorgeven aan Indonesië. Soekarno heeft zijn doel bereikt en bevindt zich op het hoogtepunt van zijn macht.

De parlementaire democratie heeft hij in 1959 al vervangen door de geleide democratie, waarin het staatshoofd het land als een wijze vader leidt. Soekarno is president, premier, opperbevelhebber en Groot Leider van de Revolutie. Het volk verarmt, maar Soekarno schroomt niet om de staatskas voor persoonlijke uitgaven te gebruiken. Indonesië krijgt de kenmerken van een politiestaat. Het volkscongres roept hem in 1963 uit tot president voor het leven. Na een mislukte staatsgreep in 1965 opent generaal Soeharto een communistenjacht, waarbij honderdduizenden Indonesiërs omkomen. Soekarno wordt in 1968 afgezet; Soeharto is nu president.

Soekarno wordt met een hoge bloeddruk en een nierkwaal opgenomen in een militair hospitaal in Jakarta, waar hij op 21 juni 1970 sterft. Even is onduidelijk wie van al zijn echtgenotes en minnaressen als de officiële weduwe van de promiscue Soekarno moet worden gepresenteerd. Dat maakt voor zijn populariteit niet uit: het volk koestert bewondering voor hun potente leider. Langs de route van de rouwstoet naar het graf in Blitar (Oost-Java), verzamelen zich miljoenen mensen om hun president de laatste eer te bewijzen. In 1979 worden de lichamen van Soekarno en zijn ouders overgeplaatst in een praalgraf en kan de heiligverklaring van de VADER DES VADERLANDS beginnen. Zijn oudste dochter Megawati verzilvert in 2001 de politieke erfenis van haar vader. Als president teert ze echter vooral op Soekarno's roem. In september 2004 wordt ze tijdens de eerste rechtstreekse presidentsverkiezingen verslagen door de hervormingsgezinde Susilo Bambang Yudhoyono, een gepensioneerde generaal.

### Jan 'Poncke' Princen (1925 - 2002)

Tijdens de politionele acties in Indonesië deserteert de Nederlandse dienst-
plichtige Princen. Hij vecht mee met de Indonesische nationalisten en wordt
Indonesiër. In 1955 neemt hij als lid van de militaire IPKI (Bond van Vechters
voor de Vrijheid van Indonesië) zitting in het Indonesische parlement. Hij
bekritiseert presidenten Soekarno en Soeharto en belandt vele malen in de
gevangenis. In Indonesië groeit Princen uit tot prominent mensenrechtenac-
tivist. In de jaren zeventig bezoekt hij Nederland. Na felle protesten van vete-
ranen die hem uitmaken voor landverrader, wordt hem in 1993 een visum
geweigerd. Een jaar later krijgt hij toch een visum.

### Henck Arron (1936 - 2000)

Na een carrière in het bankwezen stapt Henck Arron over op de politiek en
wordt voorzitter van de Nationale Partij Suriname (NPS). Onder zijn
premierschap wordt Suriname op 25 november 1975 onafhankelijk. De
bevolking emigreert massaal naar Nederland. De regering-Arron wordt al
snel van corruptie beschuldigd. Nog geen vijf jaar later plegen legerofficieren
onder leiding van Desi Bouterse in 1980 een staatsgreep. In 1987 zijn er weer
verkiezingen en Arron wordt vice-president in een burgerregering. Na de
'telefooncoup' waarmee het leger de regering in 1990 naar huis stuurt, treedt
Arron terug uit de actieve politiek.

### Gilberto 'Betico' Croes (1938 - 1986)

Als leider van de Movimiento Electoral di Pueblo (MEP) pleit Croes voor het
zelfbeschikkingsrecht van de Arubanen. Niet alleen op Aruba, maar ook
internationaal voert hij een lobby voor het 'heilige recht'. Als zijn MEP
ondanks een verkiezingsoverwinning niet in de regering komt, leggen acties
en stakingen in 1977 het eiland plat. Op de rondetafelconferentie in Den
Haag in maart 1983 wordt besloten tot een status aparte voor Aruba. Croes
verliest de slag om het premierschap. Op 31 december 1985, de dag voor de
status aparte van kracht wordt, krijgt hij een auto-ongeluk. Croes ontwaakt
niet meer uit zijn coma en sterft op 26 november 1986 in Nederland.

# Gerard Reve (1923)

'Het was nog donker, toen in de vroege morgen van de tweeëntwintigste december 1946 in onze stad, op de eerste verdieping van het huis Schilderskade 66, de held van deze geschiedenis, Frits van Egters, ontwaakte.' De roman *De avonden* is het officiële romandebuut van Simon van het Reve – die zich later Gerard Kornelis van het Reve en in 1973 Gerard Reve noemt. De kritiek reageert geschokt en noemt het boek een typisch document voor de naoorlogse jeugd. Maar *De avonden* is veel meer en wordt de belangrijkste Nederlandse roman van de twintigste eeuw.

Op tweede kerstdag 1946 zet Reve zijn voornemen om schrijver te worden op papier. Hij gaat op aanraden van zijn psychiater een lang verhaal schrijven. Het moet een novelle worden van honderd bladzijden in 'omtrent tien eenheden'. De titel weet hij ook al: *De kamerbewoners*, *Helden van onze tijd*, *Ziekenbezoek* of *De (winter)avonden*. Op 18 mei 1947 is het manuscript voltooid. Het is twee keer dikker geworden dan voorgenomen. In manuscript wordt het al voorgelegd aan de jury van de Reina Prinsen Geerligsprijs, een pas opgerichte literaire prijs voor debutanten. Meteen bij verschijning in november 1947 ontvangt Reve de Geerligsprijs voor zijn debuut. Het boek wordt door de jury gezien als de weerslag van geestelijke nood die de oorlog heeft veroorzaakt onder de jeugd. Dat is niet Reves opzet. De roman gaat over zijn persoonlijke geestelijke nood. Hij schrijft over zichzelf. Hij schrijft niet over Trojaanse helden zoals Maerlant, niet over de grafelijke twisten in Holland zoals Vondel of over het koloniale systeem in Nederlands-Indië zoals Multatuli; zijn hele schrijversloopbaan heeft hij zichzelf als belangrijkste onderwerp. '*De avonden* schreef ik, omdat ik dacht en overtuigd was, dat ik het moest schrijven; dat lijkt mij een geldige reden,' zegt Reve. In de eerste maanden na verschijning recenseren bijna alle kranten en tijdschriften *De avonden*. Schrijvers als Willem Frederik Hermans en Simon Vestdijk zien de grootheid van de roman. Godfried Bomans heeft moeite met de peilloze leegte waarin de hoofdpersoon Frits van Egters rondwaart en noemt het 'een schrikbarend boek'. In de na-oorlogse jaren is Nederland druk met de wederopbouw, schouders eronder. Daarin past het grauwe pessimisme van Reve niet.

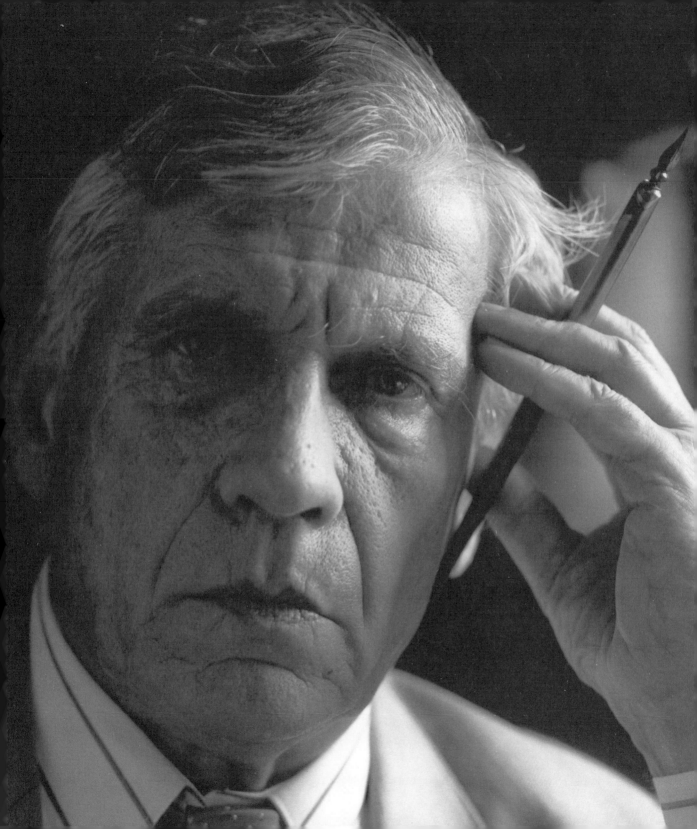

Naast eenzaamheid verraadt de debuutroman ook de fascinaties of angsten van de schrijver voor dood, ziekte en lichamelijke gebreken.

De held van de geschiedenis, Frits van Egters, probeert de laatste dagen van december op een wanhopige manier zijn avonden te vullen. Hij werkt op kantoor. Frits bekijkt zijn ouders met enig misprijzen. Hij stoort zich aan de wratten van zijn vader die voortdurend de radio uitzet. Hij ergert zich aan de kinderachtige uitroepen 'hoeiboei' van zijn moeder. En het ergert hem dat zij appelbessensap in plaats van wijn koopt om de oudejaarsavond te vieren. Maar hij houdt ook van zijn ouders. Hij bidt in de eerste uren van het nieuwe jaar, aan het einde van de roman: '"Eeuwige, enige, almachtige, onze God," zei hij zacht, "vestig uw blik op mijn ouders. Zie hen in hun nood. Wend uw blik niet af."' Na de prijsuitreiking geven Reves ouders een feestje, ook al zijn ze niet zo aardig door hun zoon geportretteerd.

Gerard (Kornelis van het) Reve wordt op 14 december 1923 in Amsterdam geboren. Zijn ouders Gerard van het Reve en Net Doornbusch zijn overtuigd communist. Zijn vader is actief in de partij en schrijft voor kranten en tijdschriften. Reve groeit op in Betondorp, een Amsterdamse buitenwijk. Het gezin verhuist in 1938 naar de Jozef Israëlskade – wat als Schilderskade in *De avonden* dienstdoet als decor. Reve dicht, geeft in eigen beheer een bundel uit en stapt van het gymnasium over naar de Grafische School. Hij doet een zelfmoordpoging en komt bij de psychiater terecht. Die adviseert hem te schrijven. Voordat zijn debuut verschijnt, heeft hij verschillende baantjes. Van 1945 tot 1947 werkt hij als rechtbankverslaggever voor *Het Parool*. Zijn vader is hoofdredacteur van de Twentse editie van *Het Parool*. Reve trouwt in 1948 met dichteres Hanny Michaelis. Ze blijven getrouwd tot 1959, een zeer modieuze scheiding van tafel en bed gaat aan de scheiding vooraf. Gerard Reve is homoseksueel.

In de jaren zestig verschijnen *Op weg naar het einde* in 1963 en *Nader tot u* in 1966. De bundels zijn aantekeningen en brieven, bevrijd van elke vormdwang. De hoofdstukken zijn herinneringen, gedachten en fantasieën. Over het revisme, waarbij jongens (offerdieren) ter onderwerping worden aangeboden. Zijn verbeelding kent geen grenzen. Hij mijmert over het boek der boeken, *Het Boek van Violet en Dood*, dat alle andere boeken, behalve de bijbel en het telefoonboek, overbodig zal maken. Als het uitkomt klinkt een muziek zoals nog nooit gehoord en belt God aan in de gedaante van een eenjarige muisgrijze Ezel 'en na een geweldige klauterpartij om de trap naar het slaapkamertje op te komen, zou ik Hem drie keer achter elkaar langdurig in Zijn Geheime Opening bezitten'. De Staatkundig Gereformeerde Partij en de Anti-Revolutionaire Partij nemen aanstoot aan de passage. Er worden Kamervragen gesteld en Reve moet voor de rechter verschijnen voor zijn godslasterlijk proza. De zaak gaat van de Amsterdamse rechtbank naar het Amsterdamse Gerechtshof en komt zelfs bij de Hoge Raad terecht. Reve voert zijn eigen verdediging. Mag je God wel als een lam voorstellen en niet als een ezel? In 1968 wordt hij vrijgesproken van alle aanklachten.

Reve is in de jaren zestig een bekende Nederlander. Dat helpt bij de verkoop van zijn boeken. De verkoop van *De avonden* is na twee jaar stil komen te liggen – en dood verklaard door de uitgever. Maar vanaf de jaren zestig wordt het een bestseller. Reve doet sketches op televisie, bij de VARA. Zijn homoseksualiteit is in de jaren zestig nog een novum en juist als steeds minder Nederlanders naar de kerk gaan, bekeert hij zich tot het Rooms Katholieke geloof.

Zijn collega-schrijvers hebben weinig begrip voor die stap. Jan Wolkers en Maarten 't Hart schrijven al jaren hun protestant-christelijke jeugd van zich af. Willem Frederik Hermans verschijnt in de jaren vijftig voor de rechter wegens belediging van het katholieke deel der natie. In zijn roman *Ik heb altijd gelijk* zegt zijn hoofdpersoon dat de katholieken Nederland kapot maken. 'Dat is het meest schunnige, belazerde, onderkruiperige, besodemieterde deel van ons volk!'Als Nederland katholiek wordt, is de Tachtigjarige oorlog voor niets geweest. Hermans wordt vrijgesproken. Reve haalt zich met zijn bekering de hoon op de hals van zijn hippe vakbroeders. Reve drukt zich op zijn beurt ook weinig vleiend uit over zijn collega's. Het zijn warhoofden, debielen en psychopaten. Hij gunt ze van harte een communistisch concentratiekamp. Met dichter Simon Vinkenoog komt het tot een handgemeen wegens diens opmerkingen over het katholieke geloof.

Dat staat een artistieke waardering van Reves oeuvre niet in de weg. Critici bespreken de roman in de jaren zestig opnieuw en herontdekken de kwaliteit ervan. De indolentie van Frits Egters is de indolentie van veel meer jonge adolescenten. Sinds *De avonden* storten steeds meer jonge schrijvers hun gevoelsleven op papier – maar nooit zo goed. Reve schrijft mooier dan wie ook in een bijna verdwenen plechtstatig Nederlands. In 1969 krijgt hij de P.C. Hooftprijs voor zijn oeuvre. Bij de prijsuitreiking op het Muiderslot zoent hij minister van Cultuur, Recreatie en Maatschappelijk Werk Marga Klompé – ook een nieuwtje in die tijd. Een paar maanden later viert Reve de prijs in de Allerheiligste Hartkerk in Amsterdam. De eredienst wordt opgeluisterd door de Zangeres zonder Naam, vertolkster van het levenslied. Hij krijgt driemaal een koninklijke onderscheiding: ridder, officier en later, in 1998, commandeur in de Orde van Oranje Nassau.

In 1974 neemt hij de wijk naar Frankrijk en in 1975 trekt Joop Schafthuizen, ook wel bekend als Matroos Vosch, bij hem in. Ze wonen in Frankrijk, Schiedam, weer in Frankrijk en daarna in België. In de jaren tachtig brengt Reve vooral brievenboeken uit, waaronder *Brieven aan Josine M.*, *Brieven aan Simon C.*, *Brieven aan Frans P.*, *Brieven aan Geschoolde Arbeiders* en *Brieven aan Ludo P.* In 1993 verschijnt eindelijk *Het Boek van Violet en Dood*, dat de pretenties van de schrijver niet waar maakt. In 1996 brengt de veiling van het manuscript van *De avonden* 160.000 gulden op, de minimumprijs van het veilinghuis Bubb Kuyper in Haarlem. Het Letterkundig Museum is nu eigenaar van de roman. Tegen Schafthuizen loopt een gerechtelijk onderzoek wegens pedofilie. Daarom krijgt Reve, aan wie in 2001 de Prijs der Nederlandse Letteren wordt toegekend, de prijs niet uitgereikt door de Belgische koning Albert. Maar de schrijver wil geen kwaad woord horen over de koning der Belgen. 'Dit heeft die man niet zelf besloten. Zo'n koning wordt helemaal afgeschermd, die zit opgesloten in zijn paleis.' Schafthuizen, die Reves zakelijke belangen behartigt, verzorgt hem in zijn laatste jaren. Schrijven lukt niet meer. In 2004 wordt hij met Alzheimer opgenomen in een Belgisch verpleeghuis.

*De avonden* is niet onopgemerkt gebleven: van de roman bestaan inmiddels een film, een toneel- en een stripversie.

### Hella Haasse (1918)

Na een korte carrière als toneelspeelster verschijnt in 1948 het boekenweek-geschenk *Oeroeg*. Het is een kort verhaal over Indië, waar Haasse zelf is geboren. Het wordt door bijna alle Nederlandse scholieren gelezen. Haasse schrijft vooral historische romans, zoals haar eerste grote roman, over Charles van Orléans; *Het woud der verwachting* en *De scharlaken stad* over Giovanni Borgia. Ze schrijft ook over de Nederlandse geschiedenis en heeft in 1992 veel succes met, opnieuw, een roman over Indië: *Heren van de thee*. Ze heeft bijna alle Nederlandse literaire prijzen gewonnen en ze is ook offi-cier in het (Franse) Légion d'Honneur.

### Willem Frederik Hermans (1921-1995)

Op basis van misverstand is alles mogelijk. Hermans schrijft vanuit een paar onwrikbare principes aan een omvangrijk oeuvre. Zijn boeken over de oorlog *De tranen der acacia's*, *De donkere kamer van Damocles* en *Het behouden huis* zijn aangrijpend. Maar niet om het heldendom van de hoofdrolspelers. Mensen zijn laf, gemeen en wreed. Zijn romans tonen een ontluisterde, chao-tische wereld. Hermans maakt regelmatig ruzie. Zo kant het gemeentebestuur van Amsterdam zich tegen een fototentoonstelling van de auteur wegens zijn bezoek aan Zuid-Afrika. De schrijver heeft toch al weinig op met Nederland. Hij woont en werkt een groot deel van zijn leven in Parijs.

### Arnon Grunberg (1971)

Grunberg debuteert in 1994 met *Blauwe maandagen*. De roman, een verwarrende zoektocht naar de liefde, is meteen een succes en wint de Anton Wachter-prijs voor het beste debuut. Onder het pseudoniem Marek van der Jagt wint hij met *De geschiedenis van mijn kaalheid* in 2000 opnieuw de Anton Wachter-prijs. Grunberg en Van der Jagt schrijven allebei een keer het boekenweekgeschenk. De schrijver woont en werkt in New York. Hij is een van de weinige succesvolle Nederlandse schrijvers die joodse thematiek in zijn boeken verwerkt.

# Albert Heijn (1927)

Albert Heijn levert als bestuursvoorzitter van het supermarktconcern Albert Heijn – later Ahold – een belangrijke bijdrage aan de verhoging van de Nederlandse levensstandaard in de tweede helft van de twintigste eeuw. Door zijn bedrijfsvoering steeds efficiënter te organiseren kan hij de prijzen van levensmiddelen verlagen. Daardoor besteden Nederlanders een steeds kleiner deel van hun inkomen aan voeding. Albert Heijn wordt nooit een prijsbeuker, omdat hij wil investeren in de modernisering van zijn winkels en de introductie van nieuwe levensmiddelen.

Albert Heijn wordt op 25 januari 1927 geboren als kleinzoon en naamgenoot van de man die veertig jaar eerder de basis heeft gelegd voor het kruideniersbedrijf Albert Heijn. Zijn grootvader nam geen genoegen met zijn kruidenierswinkeltje van twaalf vierkante meter in Oostzaan – dat er nog steeds staat. Na de opening van zijn eerste filiaal in Purmerend in 1895 volgden nog vijfenzeventig winkels. Alberts vader Jan en zijn oom Gerrit hebben het kruideniersbedrijf na de Eerste Wereldoorlog uitgebouwd tot een van de grootse winkelketens van Nederland. Vanaf 1911 produceert de onderneming eveneens zelf levensmiddelen. De Zaanstreek is de perfecte voedingsbodem geweest voor het kruideniersbedrijf. In de zeventiende eeuw heeft de streek zich ontwikkeld tot het eerste industriegebied van Nederland. De regio profiteerde van de economische bloei van de nabijgelegen handelsstad Amsterdam. Het vlakke land was uitermate geschikt voor molens, die werden gebruikt voor de verwerking van hout, papier en vooral agrarische producten. Dat vormde de basis voor een krachtige voedingsindustrie, die aan het einde van de negentiende eeuw geleidelijk overstapt op stoomkracht. Levensmiddelenfabrikanten als Verkade, Honig en Duyvis zijn belangrijke leveranciers van de winkels van Albert Heijn.

Zelf wil Albert Heijn eigenlijk helemaal niet in het familiebedrijf gaan werken. Maar omdat hij in het laatste jaar van de Tweede Wereldoorlog wordt getroffen door jeugdpolio, waarvan hij de gevolgen hem zijn hele leven blijft ondervinden, moet hij zijn gedroomde carrière bij de marine laten schieten. Heijn gaat in 1945 economie studeren aan de Gemeentelijke Universiteit in Amsterdam. Omdat blijkt dat hij meer

geïnteresseerd is in kostprijsberekeningen dan in academische vraagstukken, stapt hij twee jaar later over naar Nijenrode. Nadat hij daar in 1949 is afgestudeerd, volgt Heijn stages bij een eigen winkel in Amsterdam en buitenlandse winkelbedrijven in Londen en Zürich. Na zijn terugkeer in Nederland in 1951 trouwt hij, en begint hij op zijn vierentwintigste op het hoofdkantoor in Zaandam. Daar maakt hij een revolutie in de levensmiddelendetailhandel mee. Hij assisteert tijdens zijn eerste jaren bij de opening van de eerste zelfbedieningszaak van Albert Heijn in Schiedam: de opmaat voor de ombouw van alle traditionele kruidenierszaken tot goedkopere en efficiëntere zelfbedieningswinkels. In de jaren vijftig klimt Heijn op in het familiebedrijf, waarbij hij een steeds grotere verantwoordelijkheid krijgt voor de overgang naar zelfbediening. In 1971 sluit hij zijn laatste 'bedieningszaak'. Ook richt Heijn zich op de uitbreiding van het assortiment. Naast de traditionele droge kruidenierswaren gaan de winkels van Albert Heijn ook verse producten als groente en vlees verkopen. De moderne supermarkt is geboren. Albert Heijn opent zijn eerste supermarkt in 1955 in Rotterdam. De verruiming van het assortiment is een afspiegeling van het bloeiende maatschappelijke en economische klimaat in Nederland. Vanaf begin jaren vijftig is er langzaam een einde gekomen aan het gebrek en de grauwheid van de naoorlogse periode.

Heijn wordt in 1962 benoemd tot de bestuursvoorzitter in een periode die bepalend is voor de ontwikkeling van het grootwinkelbedrijf. Hij is dan vijfendertig. Zijn vier jaar jongere broer Gerrit-Jan komt naast hem in de raad van bestuur. Samen zetten ze zwaar in op de modernisering en uitbreiding van de supermarkten. Om die te betalen verkopen de broers een deel van de productiebedrijven. Tijdens de eerste tien jaar van Heijns bewind als topman neemt de welvaart in Nederland verder toe. Albert Heijn profiteert van de economische groei, maar draagt er tevens aan bij. Zo stimuleert de kruideniertycoon via een spaarprogramma de aankoop van moderne keukenapparatuur door zijn klanten. Begin jaren zestig vinden op die manier 145.000 koelkasten via Albert Heijn hun weg naar Nederlandse huishoudens. Daarnaast laat Heijn zijn klanten kennis maken met honderden nieuwe levensmiddelen. Hij ontdoet wijn van het snobistische imago en brengt exotische producten als kiwi's, avocado's en mango's de huiskamer binnen. 'Wij wilden de klant voorgaan op het pad van toenemende welvaart,' schrijft Heijn in zijn memoires.

Heijns investeringen in de modernisering zijn mogelijk doordat het familiebedrijf in 1948 naar de beurs is gebracht. De familie bezit aanvankelijk nog een meerderheidsbelang. Omdat er steeds meer kapitaal bijeen wordt gebracht via de uitgifte van nieuwe aandelen, slinkt het belang echter steeds verder. Begin jaren zestig verliest de familie de meerderheid. Heijn vindt dat geen bezwaar. Sterker nog: hij verklaart het succes van de onderneming deels uit de financiering ervan. In zijn memoires wijst de ondernemer erop dat de Zaanstreek van oudsher door de afwezigheid van adel geen grote maatschappelijke verschillen kent. Hijzelf speelt in zijn jeugd zowel met kinderen uit ondernemers- als uit arbeidersgezinnen. Die egalitaire maatschappij weerspiegelt zich in de financiering van plaatselijke bedrijven: ondernemers financieren hun bedrijf door andere ondernemers erin te laten investeren.

Heijn ervaart niet alleen zakelijke voorspoed. De oliecrisis in 1973 is het begin van een omslag in het economische klimaat. Nederland raakt in de ban van de stijgende lonen, inflatie en een groeiende werkloosheid. Het Nederlandse bedrijfsleven moet saneren, en Albert Heijn doet mee. Zoals veel ondernemers in die periode probeert Heijn zich te wapenen tegen de malaise door middel van diversificatie. Zo zet hij een joint venture op met de Amerikaanse hamburgerketen McDonald's, begint een keten slijterijen en bedenkt de hypermarkt Miro. Om het onderscheid met zijn supermarkten aan te geven plaatst hij in 1973 boven Albert Heijn de houdstermaatschappij Ahold. Slechts weinig van de nevenactiviteiten zijn succesvol. De slechte economische omstandigheden dwingen Heijn veel uitstapjes voortijdig te beëindigen.

De jaren zeventig brengen Heijn ook andere problemen. Consumenten worden kritischer. Ze uiten hun ongenoegen als Albert Heijn koffie uit Angola verkoopt of de prijzen laat stijgen. Sommigen houden het steeds machtiger supermarktconcern verantwoordelijk voor het feit dat duizenden kleine kruideniers de deuren moeten sluiten door de opkomst van de moderne supermarkt. De als zeer opvliegend bekendstaande Heijn kan zich razend maken over dergelijke kritiek. In een interview verklaart hij fijntjes: 'Koffie scheppen uit een grote zak is enig, maar wel te duur.' Goede levensmiddelen moeten efficiënt en goedkoop aan de man worden gebracht. Hij acht een goedgeorganiseerde levensmiddelendistributie van levensbelang.

Heijn verbetert de efficiëntie van het winkelbedrijf door via zijn eigen concern en brancheorganisaties te ijveren voor technologische vernieuwingen als de streepjescode en het elektronisch betalen. Mede daardoor blijft het percentage van het inkomen dat de Nederlander uitgeeft aan voeding dalen. Heijn wil nooit een prijsbeuker worden; dan kan hij immers niet meer de voortrekkersrol spelen bij de introductie van nieuwe technieken en producten. Met zijn winkels wil Heijn het leven van mensen niet alleen goedkoper maken, maar ook rijker. Omdat Heijn binnen de Nederlandse grenzen niet veel meer kan groeien, richt hij zijn vizier in 1976 op het buitenland. Dat jaar zet hij een Spaanse winkelketen op. Een jaar later volgt de overname van de Amerikaanse keten BiLo. Het is de eerste in een lange reeks buitenlandse overnames, vooral in de VS. Daarmee blaast Ahold een behoorlijke partij mee in de globalisering van het bedrijfsleven.

Als Heijn in 1989 aftreedt als bestuursvoorzitter, laat hij een gezonde onderneming achter. Onder zijn voorzitterschap is de omzet vervijftigvoudigd, van 350 miljoen gulden naar 17,7 miljard. Dat is een van de grootste omzetstijgingen onder één bestuursvoorzitter in de geschiedenis van het Nederlandse bedrijfsleven.

Na zijn aftreden komt er snel een einde aan de betrokkenheid van de familie bij Ahold. Heijns broer en medebestuurder Gerrit-Jan, die het bedrijf aanvankelijk nog enkele jaren had moeten leiden, wordt in 1987 ontvoerd en vermoord. De kinderen hebben andere ambities of zijn ongeschikt. In 1993 verkoopt de familie haar belang in Ahold voor 360 miljoen gulden. Heijn koopt op persoonlijke titel nog wel een pluk aandelen en blijft tot 1997 als commissaris toezicht houden.

Heijn trekt zich met zijn vierde vrouw Monique terug op hun Engelse landgoed Pudleston Court. Daar exploiteren zij als *lord* en *lady* Pudleston nog een aantal lokale winkeltjes en restaurants. In 1997 publiceert Heijn memoires, waarin hij gevoelige onderwerpen als familieruzies, scheidingen, de moord op zijn broer, de zelfmoord van zijn tweede vrouw en het vroegtijdige overlijden van zijn derde vrouw niet uit de weg gaat. Ook met deze openhartige levensgeschiedenis onderscheidt hij zich van de ondernemers van zijn tijd.

Onder Heijns opvolgers Pierre Everaert en Cees van der Hoeven gaat Ahold verder met de explosieve groei. Het bedrijf, dat in 1877 was begonnen in een kleine winkel in Oostzaan, groeit uit tot een van de grootste supermarktconcerns van de wereld en de trots van Nederland. Begin 2003 maakt een megafraude een ruw einde aan het succesverhaal. Vanuit Engeland laat Heijn weten zich als aandeelhouder 'zwaar verneukt' te voelen. Met de keuze voor Van der Hoeven als bestuursvoorzitter, die het bedrijf naar de rand van de afgrond brengt, waarvoor Heijn in 1993 als commissaris medeverantwoordelijk is geweest, heeft hij op de valreep een van de grootste fouten uit zijn carrière gemaakt.

### Anton Philips (1874-1951)

Succesvol Nederlands grootindustrieel. Philips gaat in 1894 werken bij het gloeilampenfabriekje dat zijn vader Frederik en broer Gerard drie jaar eerder hebben opgericht. Als verkoopdirecteur weet hij ondanks felle concurrentie grote nationale en internationale orders binnen te slepen, waarmee de positie van Philips wordt gevestigd. Door de zuigkracht van Philips ontwikkelt de vestigingsplaats Eindhoven zich van een dorpse tot grootsteedse gemeente. Philips richt zich na 1918 ook op andere producten, zoals röntgenbuizen, radio's en scheerapparaten. Als Anton Philips in 1951 overlijdt, is het elektronicaconcern met 34.000 werknemers een van de grootste werkgevers van Nederland. Daarnaast telt Philips 65.000 werknemers in het buitenland.

### Frits Fentener van Vlissingen (1882-1962)

Succesvolste grootindustrieel van Nederland tussen de twee wereldoorlogen. Fentener van Vlissingen begint zijn loopbaan bij de steenkolenhandel SHV, die in 1896 mede door zijn vader is opgericht. Als een van de directeuren-grootaandeelhouders vergaart hij een groot kapitaal. Daarnaast is hij als mede-initiatiefnemer, investeerder, bestuurder of commissaris betrokken bij de oprichting van een indrukwekkend aantal innovatieve Nederlandse bedrijven. Hij speelt onder meer een rol bij de oprichting van de Algemene Kunstzijde Unie (nu: Akzo Nobel), Hoogovens, de vliegtuigfabrieken van Fokker en de luchtvaartmaatschappij KLM. Daarmee is hij een van de belangrijkste figuren van de Nederlandse industrie in het eerste deel van de twintigste eeuw.

### Alfred Heineken (1923-2002)

Ondernemer en maker van een van de bekendste Nederlandse begrippen, naast Johan Cruijff en tulpen, ter wereld. Heineken slaagt er na de oorlog in om de controle over de brouwerij die zijn grootvader Gerard Adriaan in 1863 is begonnen weer in handen te krijgen. Dankzij zijn aandacht voor marketing, nationale en internationale overnames en export naar de Verenigde Staten weet hij de onderneming uit te bouwen tot een van de grootste brouwerijen ter wereld. Ondanks grote investeringen weet hij de controle over Heineken, via een ingenieuze houdstermaatschappij, in eigen hand te houden. Na zijn overlijden erft zijn dochter Charlene de Carvalho-Heineken het belang in het miljardenconcern.

# Anne Frank (1929-1945)

Op 4 augustus 1944 stopt tussen tien uur en halfelf 's ochtends een auto voor een kantoorpand op de Prinsengracht 263 in Amsterdam. Een Duitser in uniform en enkele mannen in burger stappen uit. Ze lopen het kantoorpand binnen en gaan naar boven. Ze weten waar ze moeten zijn. Ze lopen naar de boekenkast. Daarachter zit de geheime deur van het Achterhuis waar Anne Frank, haar zus, haar vader, haar moeder en nog vier onderduikers zich al twee jaar schuil houden voor de Duitse vervolging. Ze zijn verraden. Met getrokken pistool stappen de invallers de ruimte binnen en keren de boel ondersteboven, op zoek naar waardevolle spullen. Ze gooien ook een tas leeg, waaruit de dagboeken van Anne Frank op de grond vallen. Als de onderduikers zijn weggevoerd, raapt Miep Gies, een van de medewerksters op het kantoor die is achtergebleven, de schriftjes op. Ze geeft ze na de oorlog aan de vader van Anne Frank.

Anne Frank komt in februari 1934 in Amsterdam wonen: 'Daar we volbloed-Joden zijn, emigreerden we in 1933 naar Nederland,' schrijft Anne in haar dagboek. Ze wordt op 12 juni 1929 geboren in Frankfurt. Ze heeft nog een oudere zus, Margot, en haar moeder heet Edith Holländer, haar vader Otto Frank. Hij is al in de jaren twintig in Amsterdam om een dependance te openen van het familiebedrijf dat zich vooral bezighoudt met effecten- en deviezenhandel. In de jaren na de Eerste Wereldoorlog verkeert de Duitse economie in een deplorabele staat. In Amsterdam hoopt Otto Frank een oplossing voor de financiële nood te vinden. Maar Franks bedrijf wordt na een jaar al geliquideerd.

De Nationaal-Socialistische Duitse Arbeiderspartij (NSDAP), van Adolf Hitler, wint eind jaren twintig aan populariteit. In het ontregelde Duitsland houdt Hitler zijn gehoor een stralende toekomst voor. De joden hebben volgens hem de schuld van alle ellende. Zijn partij wint, maar krijgt nooit een meerderheid in het parlement. Dankzij terreur en intimidatie trekt hij begin 1933 in het parlement de macht naar zich toe. In maart 1933 wint de NSDAP de gemeenteraadsverkiezingen in Frankfurt. De joodse burgemeester van de stad moet aftreden. In april versperren SA-bendes (Sturmabteilung) de toegang tot joodse warenhuizen, bedrijven, advocaten- en artsenpraktijken.

Otto Frank wil weg uit Duitsland. Hij hoort dat een firma die geleermiddel verkoopt – dat wordt gebruikt als bindmiddel voor jam – een agentschap in Amsterdam wil openen. Otto Frank reist in 1933 naar Amsterdam om de Opekta Maatschappij op te richten. Aan het einde van dat jaar, in december, betrekt de familie Frank de tweede etage op Merwedeplein 37, in de Amsterdamse nieuwbouwwijk Rivierenbuurt. Anne komt in februari 1934 naar Amsterdam.

Anne gaat naar een Montessorischool, haar zus gaat naar een openbare basis-school. De familie van Anne Frank is net op tijd. De Nederlandse regering is ongerust over het aantal Duitse (joodse) vluchtelingen. In het begin van de jaren dertig zijn dat er zo'n vierduizend, als de oorlog begint in 1940 vijftienduizend. Te veel joden, zo redeneert de overheid, wakkert het anti-semitisme aan. Duitsers hebben geen visumplicht voor Nederland, maar in 1934 besluit de overheid de grenzen te sluiten voor economische vluchtelingen. Door de wetswijziging kunnen na 1934 alleen nog vluchtelingen blijven die voor hun leven moeten vrezen. De Nederlandse ambassade in Berlijn laat weten dat joden in Duitsland niet in levensgevaar verkeren, wel moeten ze rekening houden met 'maatschappelijke ruïnering'. Maar dat is dus geen reden om iemand asiel te verlenen.

De vluchtelingenstroom houdt aan. Tussen 1933 en 1938 komen er 25.000 joodse vluchtelingen naar Nederland. Een deel van hen is op doorreis. Ook Annes vader denkt erover om verder te emigreren. Hij blijft, omdat hij hoopt dat de neutraliteit van Nederland wordt gewaarborgd. In Nederland is hij als ondernemer zelfstandig en dat zou veranderen als hij emigreert. Tussen 1938 en 1940 geraken nog eens zevenduizend joodse vluchtelingen over de grens. Ze worden in interneringskampen opgesloten om te voorkomen dat ze in de Nederlandse samenleving integreren. Als er op de Veluwe een kamp wordt gepland, protesteert koningin Wilhelmina. Het komt te dicht bij haar paleis Het Loo, bij Apeldoorn, te liggen en dat is ongewenst, schrijft ze aan de minister van Binnenlandse Zaken.

In september 1939 valt Duitsland buurland Polen binnen en begint de Tweede Wereldoorlog. Nederland hoopt neutraal te blijven, maar dat is ijdele hoop, want op 10 mei 1940 begint 'Operatie Geel'. Binnen een paar dagen loopt het Duitse leger Nederland onder de voet. Nederland capituleert en de regering en de koningin vertrekken naar Groot-Brittannië. Onder de Duitse bezetting beginnen ook in Neder-land de maatregelen waar de familie Frank tien jaar eerder voor is gevlucht. Anne

Frank schrijft in haar dagboek dat 'Jodenwet op Jodenwet volgt'. 'Joden moeten een Jodenster dragen; Joden moeten hun fietsen afgeven; Joden mogen niet in de tram; Joden mogen in geen auto, ook niet in een particuliere; Joden mogen alleen van 3-5 boodschappen doen, behalve in Joodse winkels waar Joods locaal op staat (...). Zo ging ons leventje door en we mochten dit niet en dat niet. Jopie zei altijd tegen me: "Ik durf niets meer te doen, want ik ben bang dat het niet mag." Onze vrijheid werd dus zeer beknot, maar het is nog uit te houden.'

Anne Frank en haar familie proberen net als de meeste Nederlanders door te gaan met hun leven. Anne richt met haar vriendinnen een pingpong-club op die ze 'de kleine beer minus twee' noemen. Na het pingpongen gaan ze ijs eten. Voor haar verjaardag op 12 juni 1942 krijgt ze een dagboek met een rood-wit geruit kaft en op de eerste blad- zijde schrijft ze dat ze hoopt alles aan het dagboek toe te kunnen vertrouwen.

Na een jaar bezetting begint in Nederland de deportatie van de joden naar vernietigingskampen. Eind februari 1941 zijn de eerste razzia's. Van de meer dan honderdduizend joden die zijn weggevoerd, keren er na de oorlog vijfduizend terug. Voor de oorlog wonen er bijna honderdvijftigduizend joden in Nederland. In totaal brengen de Duitsers in de vernietigingskampen zes miljoen joden uit heel Europa om.

Ook de familie van Anne Frank krijgt op 8 juli 1942 een oproep. 'Ik schrok ontzettend, een oproep, iedereen weet wat dat betekent, concentratiekampen en eenzame cellen zag ik al in m'n geest opdoemen.' De zomer is warm begonnen, gelukkig is het wat afgekoeld, schrijft ze in haar dagboek. Op 9 juli lopen ze 's ochtendsvroeg door de stromende regen naar hun onderduikadres. 'De arbeiders die vroeg naar hun werk gingen keken ons medelijdend na; op hun gezicht was duidelijk de spijt af te lezen dat ze ons generlei voertuig aan konden bieden, de opzichtige gele ster sprak voor zichzelf.'

Anne Frank beschrijft in haar dagboeken nauwgezet hoe het leven van de onder- duikers verloopt. Ze zitten in een geheime ruimte naast een kantoor. Anne beschrijft de 'duikregels'. Overdag moeten ze stil zijn. Ze mogen geen water gebruiken, want de watertoevoer maakt lawaai. Ze moeten zuinig zijn met stroom en soms mogen ze hele- maal geen stroom gebruiken omdat de rekening opvallend hoog is. In het Achterhuis wordt geruzied, gekibbeld. Anne schrijft het allemaal op. Ze is verliefd op Peter die ook in het Achterhuis is ondergedoken en ze klaagt over haar moeder – die heeft 'geen karakter'. Ze kijkt door de gordijnen naar buiten en bespiedt de buren met een verrekijker. Ze wil schrijfster worden, misschien wel filmster. Op zwaarmoedige momenten ziet ze de wereld ten onder gaan. Maar meestal is ze vrolijk en bijdehand. In de laatste weken schrijft ze, als een echte puber, over haar verborgen kant die niemand kent. Ze is eigenlijk iemand anders. 'Ik ben een bundeltje tegenspraak,' schrijft ze in een van de laatste passages. Ze is vrolijk en flirterig, maar er is ook een lieve kant.

Ze verheugt zich al op het vooruitzicht weer in de schoolbanken te zitten. De berichten van het front zijn gunstig. In juni 1944 zijn geallieerde troepen geland in Normandië. Ze trekken in een enorme vaart door Frankrijk en België. Het kan niet lang duren voordat Nederland is bevrijd.

Maar voordat Amerikaanse, Canadese, Engelse en Poolse soldaten de Rijn bereiken, wordt Anne Frank opgepakt. Na hun arrestatie worden Anne Frank, haar familie en de familie Pels naar het Huis van Bewaring op de Weteringschans in Amsterdam gebracht. Op 8 augustus reizen ze naar het *Judendurchgangslager* Wester-bork in Drenthe. Op 3 september worden de familie Frank en de familie Pels met de trein naar Auschwitz in Polen vervoerd. Ze komen twee dagen later 's nachts aan. Reichführer Heinrich Himmler, die de leiding heeft over de vernietigingskampen, geeft op 2 november bevel te stoppen met het vergassen van de geïnterneerden. In het oosten komt het Russische leger steeds dichterbij en Himmler wil de sporen van de massamoord uitwissen. Op 28 november heeft de laatste vergassing plaats in Auschwitz. De moeder van Anne Frank overlijdt op 6 januari. Otto Frank blijft alleen achter. Anne is met Margot in november of oktober 1944 al naar Bergen-Belsen gebracht. Eind februari of begin mei 1945 overlijden ze tijdens een typhus-epidemie in het kamp. Otto Frank wordt op 27 januari door de Russische troepen bevrijd. Hij is de enige van de acht onderduikers in het Achterhuis die overleeft.

Hoewel Anne Frank haar dagboekaantekeningen niet geschikt vindt voor publi-catie, gaat haar vader ermee langs de uitgevers. In 1947 worden dagboekfragmenten voor het eerst uitgebracht als *Het achterhuis*. Sindsdien zijn er wereldwijd in 55 talen meer dan twintig miljoen exemplaren van verkocht. Het is het best verkochte boek uit de Nederlandse literatuur. Otto Frank wordt op 22 december 1949 genaturaliseerd tot Nederlander. Aanvankelijk is de Nederlandse regering van plan de statenloze joden die in 1941 hun Duitse staatsburgerschap zijn verloren terug te sturen naar Duitsland. Minister Willem Drees voorkomt de uitvoer van dit harkerige voornemen. Het Achter-huis aan de Prinsengracht 263 trekt elk jaar meer dan een half miljoen bezoekers.

### Gerrit Jan van der Veen (1902-1944)

Beeldend kunstenaar. In de oorlog weigert Van der Veen lid te worden van de verplichte kunstenaarsvakbond, de Kultuurkamer. Hij gaat bij het verzet en richt in Amsterdam de Persoonsbewijs Centrale op, waar op grote schaal persoonsbewijzen worden vervalst. Om arrestaties te voorkomen blaast hij met een verzetsgroep het bevolkingsregister op. Die aanslag slaagt gedeeltelijk. Enkele leden van de groep worden opgepakt. Bij een poging ze te bevrijden raakt hij gewond aan zijn been. Hij ontkomt, maar wordt twee weken later alsnog opgepakt en doodgeschoten. Na de oorlog wordt de Euterpestraat, waar de Duitse Sicherheitsdienst zat, herdoopt in Gerrit van der Veenstraat.

### Henk van Randwijck (1909-1966)

Dichter, schrijver en leraar in de Amsterdamse Jordaan. Wordt socialist en is in de Tweede Wereldoorlog bij de ondergrondse en drijvende kracht bij verzetskrant *Vrij Nederland*. Zijn schuilnaam is Sjoerd van Vliet. Hij is een van de meest gezochte Nederlanders en wordt ook een paar keer opgepakt. Steeds weet hij zich vrij te pleiten. Na de oorlog wordt hij gevraagd als minister en als burgemeester van Amsterdam. Dat gaat niet door. Hij schrijft in *Vrij Nederland* fel tegen de politionele acties. Dat is, na de oorlog, landverraad. Op het Weteringplantsoen in Amsterdam staan van hem de dichtregels: 'Een volk dat voor tirannen zwicht/ zal meer dan lijf en goed verliezen/ dan dooft het licht.'

### Reina Prinsen Geerligs (1922-1943)

Lid van de Nederlandse Jeugdbond voor Natuurstudie. Zij raakt nog op de middelbare school in Amsterdam betrokken bij het werk van de grotendeels uit communisten bestaande verzetsgroep CS-6, en neemt deel aan liquidaties van gevaarlijke collaborateurs. Ze wordt in juni 1943 gearresteerd en in november van dat jaar met twee andere jonge vrouwen van haar groep, Truus van Lier en Nel Hissink-van den Brink, doodgeschoten in het concentratiekamp Sachsenhausen. Haar ouders stellen na de oorlog van het geld, dat ze hebben gespaard om hun dochter te laten studeren, de literaire Reina Prinsen Geerligsprijs in. Simon van het Reve is de eerste die hem wint met *De avonden*.

# Wim Duisenberg (1935)

Wim Duisenberg viert oudejaarsavond 2001-2002 met een intiem etentje met vrienden in de Provence op het moment dat Nederland zijn gulden inwisselt voor de euro. Diezelfde nacht trekt minister van Financiën Gerrit Zalm de eerste eurobiljetten tijdens een feestelijke manifestatie in Maastricht uit een pinautomaat. Op die biljetten, de tastbare en dagelijks gebruikte symbolen voor het succesvolle Europese eenwordingsproces, staat de handtekening van Duisenberg.

Duisenberg is als eerste president van de Europese Centrale Bank verantwoordelijk voor de succesvolle invoering van de gemeenschappelijke munt in de elf landen van de Economische en Monetaire Unie. Daarmee begeleidt hij een van de belangrijkste stappen van Nederland op weg naar een volledige samensmelting met Europa. Duisenberg is ervan overtuigd dat de introductie van de euro niet slechts economische voordelen biedt. Het ultieme doel van die verregaande Europese integratie is, zoals hij het in een lezing in maart 1998 zegt, 'Europa zodanig in te richten dat de grote conflicten van deze eeuw, twee wereldoorlogen, in de toekomst niet meer voorkomen'.

Wim Duisenberg wordt op 9 juli 1935 in het Friese Heerenveen geboren als zoon van een opzichter bij een waterleidingbedrijf. Zijn ouders zijn doopsgezind en stemmen Sociaal-Democratische Arbeiders Partij (later Partij van de Arbeid), maar religie noch politiek wordt thuis hevig beleden. Tussen 1954 en 1961 studeert Duisenberg economie aan de Universiteit van Groningen, en gaat er daarna aan de slag als wetenschappelijk medewerker. Eind 1965 promoveert hij op de economische gevolgen van ontwapening. Na zijn promotie werkt hij achtereenvolgens drie jaar bij het Internationaal Monetair Fonds (IMF) in Washington, twee jaar voor De Nederlandsche Bank (DNB) en twee jaar als hoogleraar economie aan de Universiteit van Amsterdam.

In 1972 komt Duisenbergs doorbraak. In de aanloop naar de verkiezingen van november dat jaar vraagt PvdA-voorman Joop den Uyl de hoogleraar als mogelijk minister van Financiën. Duisenberg is dan al dertien jaar lid van de PvdA. Een halfjaar later treedt hij toe tot het eerste kabinet-Den Uyl, het progessiefste en meest linkse kabinet van de twintigste eeuw. Hij is zevenendertig jaar. Een jaar later neemt de Euro-

pese versie van *Time Magazine* de jonge minister op in zijn lijst van honderdvijftig 'leiders van morgen'.

Duisenbergs ministerschap is geen onverdeeld succes. Het kabinet waarvan hij deel uitmaakt, legt de basis voor het financiële wanbeleid van de jaren zeventig. Als onervaren minister van Financiën kan de econoom aanvankelijk weinig tegengas geven tegen minister-president Den Uyl, die de economische teruggang zonder succes te lijf gaat met grotere overheidsbestedingen. Hij ziet Den Uyls visie op economie als volledig achterhaald. Later verzet Duisenberg zich heviger tegen Den Uyls bestedings-drift, maar zonder veel effect. Na de vorming van het kabinet-Van Agt-Wiegel in 1977 komt Duisenberg in de Tweede Kamer. Een halfjaar later stapt de ambitieuze econoom over van de politiek naar de hoofddirectie van Rabobank.

Drie jaar bij de coöperatieve bank blijken het begin van een carrière in het bank-wezen. In 1981 wordt hij directielid bij De Nederlandsche Bank. Een jaar later volgt hij president Jelle Zijlstra op. Duisenberg beschikt over kwaliteiten die hem bijzonder geschikt maken voor de positie van president van de Centrale Bank. Door zijn erva-ring als minister laat hij zich niet intimideren door de politiek. Zo kan hij de onaf-hankelijkheid van de Centrale Bank goed bewaken. Dankzij zijn ervaring bij het Internationaal Monetair Fonds en de Rabobank is Duisenberg bekend met internatio-nale monetaire vraagstukken, de Centrale Bank zelf en de commerciële banken waarop De Nederlandsche Bank toezicht houdt. Duisenberg treedt als bankpresident aan in een moeilijke periode. Onder het kabinet-Van Agt (1977-1981) waren de over-heidsuitgaven niet gesaneerd en was de economie verder verslechterd. Als gevolg van de malaise krijgt de banksector begin jaren tachtig harde klappen te verduren. Duisen-bergs poging om de commerciële banken de noodlijdende Tilburgsche Hypotheek-bank te laten redden mislukt.

Behalve voor toezicht op de banken wordt Duisenberg verantwoordelijk voor het monetaire beleid van de bank. Hij bestrijdt de inflatie in Nederland door te voor-komen dat de geldhoeveelheid te veel toeneemt en door de bestedingen te sturen via het renteniveau. De besluitvorming is relatief eenvoudig, omdat het beleid van De Nederlandsche Bank onder Duisenberg vrijwel volledig is gekoppeld aan dat van de Duitse Centrale Bank. Regelmatig wordt de Nederlandse centraal bankier laatdunkend aangeduid als een filiaalchef van de Bundesbank, maar de koppeling is effectief. Onder Duisenberg geniet de gulden de reputatie van een keiharde valutum. Duisenbergs reputatie als hoeder van de gulden wordt geholpen door de verbetering van de econo-mische omstandigheden in de loop van de jaren tachtig. Bij het Akkoord van Wasse-naar uit 1982 verruilen werknemers loonstijging voor arbeidstijdverkorting. Dat tempert de werking van de loon-prijsspiraal en de binnenlandse inflatie en verbetert de internationale concurrentiepositie.

Bij het grote publiek wordt de bankpresident bekend als societyfiguur. Na zijn scheiding, eind 1983, figureert hij regelmatig in de kolommen van het Stan Huygens Journaal, de societyrubriek van *De Telegraaf*. Bij De Nederlandsche Bank wordt dit niet altijd gewaardeerd. Duisenbergs imago staat op gespannen voet met de typische uitstraling van een centraal bankier: saai en oerdegelijk. Duisenberg trekt zich er niet veel van aan. Ook na zijn tweede huwelijk, in 1987, met de zeven jaar jongere Gretta Bedier de Prairie, blijft hij een graag geziene gast op feesten en partijen.

Eind jaren tachtig komt het proces van Europese eenwording, dat was begonnen met de oprichting van de Europese Gemeenschap voor Kolen en Staal in 1952, plotse-ling in een stoomversnelling. In 1988 onderzoekt een commissie van de centralebank-presidenten van Europa onder leiding van president van de Europese Commissie Jacques Delors hoe een monetaire unie tot stand kan komen. Duisenberg twijfelt aanvankelijk aan de slagingskans. Als hij in 1993 wordt gepolst voor het voorzitter-schap van het Europees Monetair Instituut (EMI), de voorloper van een op te richten Europese Centrale Bank, weigert hij. Maar als de voorbereidingen voortduren, kantelt zijn overtuiging. Zijn kandidatuur heft een belangrijke barrière op voor de succesvolle totstandkoming van de Europese Centrale Bank. De Duitse politiek leiders zijn bereid om hun ijzersterke *Deutschmark* op te geven, opdat hun land verder wordt ingebed in Europa, maar bij het Duitse publiek bestaat een groot wantrouwen ten aanzien van de Europese partners. Vooral het soepele monetaire- en begrotingsbeleid van de zuide-lijke Europese lidstaten boezemt hun de vrees in dat zij hun sterke munt zullen inwis-selen voor een boterzachte euro.

Met de benoeming van Duisenberg, die internationaal bekendstaat als trouwe volger van het strakke Duitse monetaire beleid, wordt iets van die angst weggenomen. Daarnaast speelt de introductie van het stabiliteitspact in 1997, waarin de eurodeelne-mers zich vastleggen op een prudent begrotingsbeleid, een doorslaggevende rol. Duits-land kan de eerste president van de Europese Centrale Bank niet zelf leveren, omdat dat de schijn zal wekken dat de Economische en Monetaire Unie in feite een Duitse monetaire unie is. Extra voordeel van Duisenberg is dat hij geen ambitie heeft om de volledige termijn van acht jaar te vervullen. Dat verschaft vooral de Fransen het uitzicht op een snelle invulling van de portefeuille. Ten slotte stelt hij zich diplomatiek op tegen de Italianen, die door monetaire haviken in de noordelijke lidstaten worden verdacht van financiële trucs om aan de criteria voor deelname aan de euro te voldoen. Duisenberg is, kortom, voor alle partijen acceptabel, en dat is in het klimaat van onderling wantrouwen een hele prestatie.

In juli 1997 vertrekt Duisenberg van het Amsterdamse Frederiksplein naar Frankfurt als president van het Europees Monetair Instituut, dat een jaar later wordt omgedoopt tot de Europese Centrale Bank. Als eerste Europese centralebankpresident maakt hij begin 1999 mee hoe elf landen van de Economische en Monetaire Unie hun wisselkoersen aaneenklinken en de euro op de financiële markten invoeren. Drie jaar later verruilen de elf landen hun nationale valuta voor de euromunten en –biljetten. De invoering van de euro onder Duisenberg verloopt niet vlekkeloos. Zo daalt de nieuwe valuta ten opzichte van de dollar aanvankelijk sterk in waarde. Pas in 2002 krabbelt de euro weer op. Ook gaat de invoering van de munt, tegen de belofte van de ECB in, gepaard met een verhoging van de prijzen. Ondanks de reputatieschade die dat oplevert, houdt de euro het vertrouwen van de 300 miljoen inwoners van België, Duitsland, Finland, Frankrijk, Ierland, Italië, Luxemburg, Nederland, Oostenrijk, Portugal en Spanje. Zonder de geloofwaardigheid die Duisenberg de munt verschaft, had de monetaire eenwording van Europa een kleinere kans van slagen gehad.

Duisenberg neemt na vijfenhalf jaar als topman van de ECB in oktober 2003 afscheid. Op de valreep bewijst hij de Fransen, die hem eerder onder druk hadden gezet om al na vier jaar af te treden, nog een dienst: door enkele maanden langer aan te blijven dan bedoeld, kan een justitieel onderzoek naar zijn beoogd opvolger Jean-Claude Trichet worden afgerond. Dat maakt de weg vrij voor een vlekkeloze opvolging door de Fransman. Duisenberg bevestigt er op de valreep nog eens zijn betrokkenheid bij het Europese belang mee. Dat die betrokkenheid wordt erkend en gewaardeerd door zowel noordelijke als zuidelijke eurolanden blijkt uit de hoge onderscheidingen die hij in het laatste jaar van zijn presidentschap ontvangt. Niet alleen de Duitsers en de Oostenrijkers decoreren hem wegens zijn verdiensten bij de invoering van de gemeenschappelijke Europese munt, maar ook de Italianen en de Portugezen. De Fransen hadden hem al in 1998 geridderd tot Commandeur de la Legion d'Honneur.

### Sicco Mansholt (1908-1995)

Organisator van de naoorlogse voedselvoorziening in Nederland. Mansholt begint zijn loopbaan als theeplanter en boer. Na de oorlog zit hij namens de Partij van de Arbeid als minister van Landbouw in zes kabinetten. In 1958 wordt hij een van de eerste commissarissen en vice-voorzitter van de Europese Commissie. Als Commissaris voor Landbouw is hij verantwoordelijk voor de hervorming van het Europese landbouwbeleid. Begin jaren zeventig komt hij onder de invloed van de Club van Rome. 'De mens is het grootste gevaar voor een evenwicht op aarde,' waarschuwt hij. Na zijn pensionering treedt hij op als voorvechter van een krimp-economie.

### Joseph Luns (1911-2002)

Gezicht van Nederland in de wereld tijdens de Koude Oorlog. Luns is tussen 1952 tot 1971 voor de Katholieke Volks Partij (KVP) minister van Buitenlandse Zaken. Hoewel hij in die periode met de Verenigde Staten in botsing komt door zijn Nieuw-Guinea-beleid, zijn zijn beleid en houding zeer pro-Amerikaans. Luns staat ook bekend als een hartstochtelijke voorstander van Europese eenwording. Daarbij neemt hij stelling tegenover een federaal Europa zoals dat de Franse president Charles de Gaulle voor ogen staat. Luns is voorstander van een supranationaal Europa. Van 1972 tot 1985 is hij secretaris-generaal van de Noord-Atlantische Verdrags Organisatie (NAVO) in Brussel – en stapt hij uit de KVP.

### Max van der Stoel (1924)

Internationaal voorvechter voor mensenrechten en minderheden. Van der Stoel vraagt als Kamerlid van de PvdA eind jaren zestig, begin jaren zeventig internationaal aandacht voor de schending van de mensenrechten in bijvoorbeeld Griekenland en Tsjecho-Slowakije. Van 1973-1977 en 1981-1982 is hij minister van Buitenlandse Zaken. Hij wordt bekend als 'de man met het vingertje', dat Nederland gidsland in de wereld wil maken. Later treedt hij meer op als stil diplomaat. In 1983 wordt Van der Stoel drie jaar hoofd van de Nederlandse vertegenwoordiging bij de Verenigde Naties in New York en twee jaar voorzitter van de Veiligheidsraad. Van 1993 tot 2001 is hij de eerste Hoge Commissaris voor de Minderheden van de Organisatie voor Veiligheid en Samenwerking in Europa (OVSE).

# Paul Verhoeven (1938)

Openingscene. Een zwetende arts, bezorgde blikken, verlossend gehuil. Bijna gaat het mis bij de geboorte van Paul Verhoeven op 18 juli 1938. Hoofdonderwijzer Wim Verhoeven en hoedenmaakster Nel koesteren een diepe kinderwens. De bevalling is echter zo zwaar dat Paul enig kind blijft. Tijdens de Tweede Wereldoorlog beleeft het gezin hachelijke momenten in Den Haag waar geallieerden onnauwkeurige bombardementen uitvoeren op Duitse v-wapens. Paul beleeft de bezetting als een spannend jongensboek. 'Met ultieme *special effects*.'

Na de oorlog ontluikt zijn liefde voor het witte doek. Zijn lievelingsfilm is *War of the Worlds*, een science-fictionfilm die hij samen met zijn vader tien keer bekijkt. Zijn ouders zorgen dat hun oogappel het beste onderwijs geniet dat voorhanden is. Na het gymnasium mag Paul op zijn zeventiende een jaar naar Frankrijk, waar hij zich vermaakt met een geleende 16 mm-camera. Het beroemde *Institute des Hautes Etude Cinematographiques* in Parijs lonkt, maar na ampel beraad gaat Verhoeven wiskunde en fysica studeren in Leiden. In zijn vrije tijd blijft zijn liefde voor de camera groeien. In 1958 schrijft Verhoeven zich in voor een tweede studie aan de prille Filmacademie in Amsterdam. Deze lichting filmstudenten groeit uit tot grote vernieuwers van de Nederlandse film. Eigenlijk verveelt Verhoeven zich met het lesmateriaal. Nederland heeft op dat moment al populaire filmmakers voortgebracht. Joris Ivens bijvoorbeeld, die doorwrochte documentaires over de zegeningen van het communisme maakt. Of Anton Koolhaas die met veel liefde de Hollandse waterwerken in beeld brengt. En natuurlijk Bert Haanstra die in 1959 een onverwachte hit scoort met *Fanfare* over een orkest uit Giethoorn. Verhoeven heeft weinig op met het nuffige, provinciale sentiment van deze rolprenten.

Minerva, het roemruchte Leids studentencorps, wijst Verhoeven aan voor de vervaardiging van een jubileumfilm. *Een Hagedis Teveel* heet zijn 35 minuten durende debuut uit 1960. Verhoeven sluit vriendschap met Jan van Mastricht die zijn vaste scenarist wordt. In 1964 studeert Verhoeven af met een scriptie over de relativiteitstheorie. Zijn film *Feest*, in hip nouvelle-vague, oogst lof en hij leert zijn toekomstige

vrouw Martine kennen. Verhoeven gaat in dienst en monstert aan bij de filmdienst van de Koninklijke Marine. Daar mag Verhoeven voor honderdduizend gulden – een vermogen in die tijd – een promotiefilm maken, in full-colour. *Het Korps Mariniers* bevat amfibische landingen met explosies en mitrailleurs. Verhoeven monteert de beelden tot snelle en dynamische handelingen en is apetrots. Zijn eerste actiefilm. Maar na die film valt Verhoeven in een zwart gat en hij komt niet aan de bak. Andere regisseurs gaan aan de haal met zijn ideeën. Verhoeven ziet zich min of meer noodgedwongen, veroordeeld tot het maken van tv-programma's. Het blijkt een lot uit de loterij. Na een VPRO-documentaire over Mussert maakt Verhoeven een jeugdserie voor de NOS. *Floris* heet de serie en het gaat over een ridder. Het script komt van Gerard Soeteman, een volstrekt onbekende vertaler, die zich rap ontpopt tot trouwe bondgenoot. Slechts twaalf afleveringen zijn er gemaakt, maar de avonturen van Floris van Rosemondt (Rutger Hauer) en fakir Sindala trekken soms wel vijf miljoen kijkers. Met dit succes kan Verhoeven terugkeren naar zijn oude liefde: het witte doek.

Het is de tijd van de seksuele revolutie. Phil Bloom leest op 9 oktober 1967 bloot een krant in tv-programma *Hoepla*. In de jaren daarna breekt een nieuwe generatie filmregisseurs door met gewaagde films. Pim de La Parra (*Obsessions*) en Wim Verstappen (*Blue Movie*) grossieren in bloot en het publiek smult. In 1971 laat Fons Rademakers in *Mira* aan 2,5 miljoen bezoekers de borsten zien van Willeke van Ammelrooy. Datzelfde bezoekersaantal trekt Verhoeven met *Wat zien ik*, een aaneenschakeling hoerenverhaaltjes van Albert Mol. Of al deze 'oh-la-lafilms' nou bijdragen aan het vrijzinnige klimaat of daar een gevolg van zijn, is nog steeds onderwerp van discussie. Bloot en porno raken ingeburgerd. Om te provoceren moeten cineasten met méér op de proppen komen dan functioneel naakt.

Ondertussen heeft Verhoeven een nieuwe kompaan ontmoet. Producent Rob Houwer verblijft tijdens de sixties in Duitsland en sluit zich daar aan bij linkse filmvernieuwers. Houwer beseft echter dat er geld nodig is om goede films te maken. Houwer is een producent die constant schippert tussen artistiek verantwoord en commercieel succesvol. In 1973 is het in beide opzichten raak. Verhoeven en Houwer maken *Turks Fruit* (1973), naar een roman van Jan Wolkers. Houwer troggelt de auteur de rechten af voor 17.500 euro. Verhoeven en Soeteman strippen de dialogen en 'pingpongen' het scenario over en weer. Wat overblijft na deze creatieve sessies is een film vol visuele symboliek – spuitende ruitenwissers verwijzen naar een orgasme – en de shockerende verbeelding van liefdesverdriet en ziekte. Veel seks, maar nu staan de naaktscènes in dienst van het verhaal. Rutger Hauer en Monique van de Ven (die later trouwt met cameraman Jan de Bont) spelen de hoofdrollen. *Turks Fruit* wordt met 3,3 miljoen bezoekers de succesvolste Nederlandse speelfilm aller tijden. Op de montagetafel schroeft Verhoeven de vaart op. In *Turks Fruit* zitten twaalfhonderd shots van gemiddeld zes seconden. En dat voor een boekverfilming.

Het 'team' Verhoeven stort zich hierna op *Keetje Tippel*, maar dat wordt door ruzies op de set een fiasco. In 1977 slaat Verhoeven terug met *De Soldaat van Oranje*. Een spionagedrama over het *Englandspiel* tijdens de Tweede Wereldoorlog rond verzetsheld Erik Hazelhoff Roelfzema, net als Verhoeven een oud-corpslid. Tussen alle actie door provoceert Verhoeven opnieuw. Hij rekent af met het idee dat Nederlanders in de oorlog goed óf fout waren. De grenzen vervagen. De Leidse ontgroening is fascistoïde. De sympathieke Alex meldt zich aan bij de ss, maar blijft aardig. Het doorbreken van taboes ontaardt echter in de volgende film. 'Keihard & romantisch', luidt de ondertitel van *Spetters*. Voor deze film breekt Verhoeven met Houwer. Producer is nu Joop van den Ende. Een gedreven producent die later een grote rol speelt in de opmars van commerciële televisie en verantwoordelijk is voor de opleving van de musical in Nederland. Bij *Spetters* kan de onervaren Van den Ende niet voorkomen dat de kosten alle perken te buiten gaan. Erger is dat het seksuele geweld en de homo-haat volstrekt verkeerd vallen. Recensenten branden de film af en actiegroepen demonstreren voor de bioscopen. Bovendien krijgt Verhoeven het heftiger dan ooit aan de stok met het Productiefonds. Ondanks zijn succes moet hij daar nog steeds bedelen om subsidies. Maar het fonds heeft het niet op de sensatiezoeker. Ze willen dat hij het script van *Spetters* herschrijft. Nadat ze hun goedkeuring voor een herschreven versie hebben gegeven, draait Verhoeven gewoon zijn eerste versie. Zijn grootste vijand is Jan Blokker, de latere voorzitter van het Productiefonds. Als Verhoeven in 2004 de Bert Haanstra-Oeuvreprijs ontvangt, bedankt Verhoeven hem. 'Zonder Jan Blokker was ik nooit naar Amerika gegaan.'

Die stap waagt Verhoeven na *de Vierde Man* in 1983: een degelijke thriller, opvallend ingetogen, die weinig publiek trekt. Zijn internationale carrière begint met een Amerikaanse vingeroefening. Verhoeven regisseert een tv-aflevering van *The Hitchhiker*, een thrillerreeks. Daarna brengt hij *Flesh & Blood* uit, een rauwe oorlogsfilm over middeleeuwse huurlingen. Het grote succes volgt in 1987 met *Robocop*, een actiethriller over een robot die een eigen leven gaat leiden. Het wordt een *blockbuster* en de carrière van Verhoeven neemt een geweldige vlucht. Grote filmsterren willen graag met hem werken, geld is geen probleem en scripts liggen voor het oprapen. *Total Recall* (1990) levert Verhoeven een Oscar op voor de special effects, maar het is vooral de erotische thriller *Basic Instinct* (1992) die indruk maakt. Vanaf het eerste moment heerst er een hype rond deze film. Dat begint al met homo-activisten die in San Francisco continu de opnames verstoren. Na vertoning praten bezoekers met rode konen over de schaamteloze blik op het kruis van Sharon Stone tijdens een legendarische verhoorscène. De cinematografische kwaliteit ontgaat velen. Verhoeven leent grif stijlelementen van Alfred Hitchcock. Verhoeven citeert sowieso graag. In *Starship Troopers* (1998) is Verhoeven schatplichtig aan Leni Riefenstahl, de favoriete regisseuse van Hitler. De parades van de Amerikaanse ruimtemariniers lijken op de stampende Nazi-troepen in *Triumph des Willens*. Maar Verhoeven heeft zeker een eigen, invloedrijke stijl ontwikkeld. Bovendien verandert de cineast van chroniqueur in een trendsetter. Een voorspeller bijna. In *Starship Troopers* uit 1997 trekken '*embedded*' verslaggevers op met de troepen die insecten tot kadavers schieten. Hun aandacht gaat alleen uit naar de gebeeldhouwde mariniers. Van de vijand is weinig meer bekend dan dat het gewelddadige monsters zijn. Het beeld lijkt te absurd om waar te zijn en sommige kritieken zijn dan ook genadeloos. Maar in de Tweede Golfoorlog, pas vijf jaar later, blijkt ineens hoe raak de visie van Verhoeven is.

In het kielzog van Verhoeven bloeien ondertussen in Californië zijn Nederlandse protégees op. Acteur Rutger Hauer krijgt rollen in grote Hollywood-producties. Meestal als boef, dat wel. Cameraman Jan de Bont gaat regisseren en maakt met *Speed* een vaardige thriller die miljoenen oplevert. Maar in het harde filmklimaat sneuvelen reputaties even snel. Als Verhoeven met *Showgirls* (1995) een zeperd maakt, zijn de rapen gaar. Verhoeven geeft echter weinig om alle antipathie. De man cultiveert zijn omstreden status. Zo neemt Verhoeven hoogstpersoonlijk de Raspberry Award, de 'Oscar' voor de slechtste film van het jaar, in ontvangst: een unicum. Nooit is het stil rond Verhoeven. Na zijn laatste film, de technothriller *Hollow Man* in 2000, gonst het van geruchten over controversiële films met Hitler en Jezus in de hoofdrol. Maar Verhoeven keert eerst huiswaarts.

### Mies Bouwman (1929)

Presentatrice en ideale schoonmoeder. Ze verschijnt al in 1951 op tv. Begint bij de KRO maar moet verkassen na een affaire met een getrouwde cameraman. Grote roem volgt bij de AVRO. Tijdens de legendarische liefdadigheidsactie Open Het Dorp in 1962 praat Bouwman het voor die tijd absurde bedrag van tien miljoen gulden bij elkaar. Ze breekt radicaal met haar smetteloze imago door deel te nemen aan de VARA-satire van *Zo is het toevallig ook nog eens een keer*. Maakt later alles weer goed met praatprogramma *Mies En Scène* en *Een Van De Acht*. Komt na zware ziekte ijzersterk terug met *In de Hoofdrol*. Ze schrijft in 2002 het goed ontvangen kinderboek *Rambamboelie*.

### John de Mol (1955)

De Mol begint als kabelsjouwer bij *Studio Sport* en werkt zich op tot tycoon. Hij is de spil van een mediadynastie. Vader John, ex-zanger, adviseert, zus Linda presenteert en zoon Johnny acteert. Hij maakt furore in de jaren tachtig met de productie *Medisch Centrum West*. Hij sluit in 1993 een alliantie met producer Joop van den Ende, die in 1990 is begonnen met *Goede Tijden, Slechte Tijden*, de eerste dagelijkse soap. Het tv-conglomeraat Endemol verzint *Big Brother*, dat wordt uitgezonden in 26 landen en 2 miljard kijkers trekt. In 2000 betaalt een Spaans mediabedrijf 12 miljard voor Endemol. De Mol broedt op een sportzender als wraak voor zijn enige fiasco: de oprichting van zender Sport 7 in 1996.

### Tijs Verwest (1969)

Oftewel DJ Tiësto. Uitzondering op de regel dat Nederlandse popmuziek internationaal weinig betekent. Golden Earring (*Radar Love*) en Shocking Blue (*Venus*) scoren wereldhits, maar zijn geen muzikale vernieuwers. Dat verandert in 1988 als elektronische dansmuziek populair wordt. Bakermat van de house-muziek is Chicago. Nederlanders spelen hier echter een grote rol. Een wereldpubliek omarmt de trance van Tijs uit Breda, die door gezaghebbende Britse DJ *Magazine* twee keer wordt uitgeroepen tot 's werelds beste discjockey. Heeft eigen platenlabels, een studio, draait in alle hippe clubs en luistert het huwelijksfeest van Willem-Alexander en Máxima en de Olympische Spelen op met muzikale mixes.

# Louis Andriessen (1939)

Het klinkt als een open deur, maar Louis Andriessen is groot componist, omdat hij zulke goede muziekstukken maakt. Al op jonge leeftijd beschouwt hij de moderne componist, grootmeester van de moderne muziek, Igor Stravinsky als zijn god. Andriessen wil niet tot een school behoren, maar ondertussen is hij een voorbeeld voor veel componisten in Nederland en daarbuiten. Bij Andriessen moet alles vandaag weer anders dan gisteren.

Louis Andriessen wordt op 6 juni 1939 in Utrecht geboren. Zijn vader Hendrik Andriessen is vooraanstaand componist en conservatoriumdirecteur – en een fantastische vader, van wie hij leert wat hij mee kan nemen naar een nieuwere tijd. Als Hendrik Andriessen in de jaren vijftig ziek wordt, krijgt Louis les van zijn (veel) oudere broer Jurriaan, eveneens een briljant componist. Louis Andriessen beweert nergens meer op te steken dan bij zijn broer Jurriaan – hoewel hij later nog zeer vruchtbaar les krijgt van coryfeeën als Nederlander Kees van Baaren aan het Koninklijk Conservatorium in Den Haag en van Italiaan Luciano Berio in Milaan en Berlijn.

In navolging van Stravinsky rekent Andriessen zichzelf tot de anti-romantici. Een muziekstuk moet zijn als een stoel: functioneel, goed om in te zitten. Romantiek in het bijzonder, en buitenmuzikaal getrut in het algemeen, is uit den boze. Zo heeft Andriessen een hekel aan de gevierde Oostenrijkse laatromanticus Gustav Mahler, omdat die te meeslepend is. 'Hij trekt steeds op de verkeerde manier aan je arm,' zegt Andriessen.

Die houding heeft met zijn vader te maken, die rond 1933 tijdens een analyseles op het Amsterdams conservatorium zegt: 'Ik vind Mahler geweldig hoor, maar zijn symfonieën zijn, naar mijn bescheiden mening, toch eigenlijk frivole zusjes vergeleken bij die van Bruckner.' Door snobs wordt Anton Bruckner alom als de bleke voorafschaduwing van zijn landgenoot gezien. Hendrik Andriessen is francofiel bij uitstek, hetgeen aanstekelijk werkt op zoon Louis, die nog steeds alles wantrouwt wat er met name in het Duitse taalgebied sinds de nog relatief onschul-

dige negentiende-eeuws vroegromanticus Franz Schubert is gecomponeerd. Voor een in deftige kringen onderschat Frans 'impressionistisch' componist als Maurice Ravel, wil Louis Andriessen graag een lans breken. Volgens hem heeft Ravel, natuurlijk in tegenstelling tot wat de mainstream musicologen beweren, vooral in de periode van 1900 tot 1910 meer met harmonie en tonaliteit gedaan dan Debussy. 'Je kunt tegenwoordig de televisie niet aanzetten,' stelt Andriessen vast, 'of je hoort muziek die gejat is van Ravel uit 1910, wanneer twee mensen met elkaar in bed liggen of een cowboy door de woestijn sukkelt. Ravel is een berekenend componist, een notenschrijver die genoeg heeft aan het muziekpapier, waarop hij niet per se zijn gevoel ontlaadt.

Dat niet wil zeggen dat Ravelbewonderaar Andriessen nooit van het papier opkijkt, de maatschappij in. 'In het algemeen moeten we accepteren dat muziek graag omringd wordt door andere dingen. Muziek voelt zich thuis in de discotheek, de kerk, het theater,' zegt hij. Niet voor niks voltooit hij in 1969 met Reinbert de Leeuw, Misha Mengelberg, Peter Schat en Jan van Vlijmen – vier medeleerlingen bij Kees van Baaren – en de schrijvers Harry Mulisch en Hugo Claus de opera *Reconstructie*. Het is niet alleen muziektheater, het moet in de formulering van Hugo Claus ook 'een moraliteit' zijn, een politiek manifest. Het revolutionaire charisma van Ché Guevara wordt in stelling gebracht tegen met name de oorlog die de Verenigde Staten voeren in Vietnam. *Reconstructie* haalt veel van stal en de compositie is tijdens het schrijven over veel schijven gegaan en dat is wel te horen. Maar het is een project van historisch belang, zeker waar het de artistieke ontwikkeling van Louis Andriessen betreft. Zo zit er popmuziek in deze opera. Andriessen heeft altijd al de grenzen tussen hoge en lage kunst willen overschrijden: 'Ik ben solidair met mensen die denken dat Boulez niet beter is dan Miles Davis.' Pierre Boulez is het grootste serialistische brein van de twintigste eeuw, componist van schitterende, zeer complexe muziekstukken. Miles Davis is een van de geniaalste jazztrompettisten van de twintigste eeuw. Typerend is hoe de achttiende-eeuwse componist Wolfgang Mozart in *Reconstructie* om de hoek komt kijken. Uit zijn Weens klassieke stijl worden geïsoleerde elementen meegenomen, om speciaal effect te sorteren. Het theaterorkest is in vieren gedeeld, met vier aparte dirigenten. De opdeling is ook aan Mozart verwant, die componeert immers ook zomaar een *Notturno* voor vier orkestjes en laat in *Don Giovanni*, waar het libretto van *Reconstructie* tot op zekere hoogte om draait, Giovanni's huiskapel op de bühne spelen in een uitgekiende wisselwerking met het moeder-ensemble in de orkestbak. Natuurlijk hangt tevens de moderniteit van het idee in de lucht: Karlheinz Stockhausen doet al in 1958 met zijn *Gruppen* – met drie orkesten op drie afzonderlijke podia met eigen dirigenten – stof opwaaien.

Het ontstaan van *Reconstructie* is niet los te zien van De Notenkraker, de actie-groep waar Andriessen deel van uitmaakt. Gewapend met knijpkikkers kraaien Andriessen, Schat en vele anderen het oproer in het Amsterdamse Concertgebouw, als Bernard Haitink daar met het Concertgebouworkest een concert probeert te geven. Ze weigeren te accepteren dat het eliteorkest de modernistische Italiaanse dirigent en componist Bruno Maderna *niet* als tweede man bij het orkest naast Haitink benoemt. Oudemuziekspecialist en blokfluitspelend bendelid Frans Brüggen roept tijdens de schermutselingen dat 'elke noot van vóór 1820, door dit Concertgebouworkest gespeeld, is gelogen'. De actievoerders proberen het orkest van de veilige, nietszeggende middenweg af te krijgen. Het is de hoogste tijd, vinden zij. Ze formeren zelf nieuwe ensembles. Frans Brüggen richt het Orchestra of the 18th Century op. Ook Andriessen richt prikkelige bandjes op zoals een Orkest van de losse snaren om in 1977 de *Symfonie van de losse snaren* mee te vertolken. Ook zijn veelbetekenende *Hoketus* – naar een spectaculair hikeffect uit de Middeleeuwen – is zowel een compositie als een ensemble. De standvastigste, weerbarstigste, meest eigenwijze trap naar de gezapigheid geeft Andriessen via het straatorkest De Volhar-ding, een rauwe verzameling knoestig spelende musici, die radicaal inblazen tegen conservatisme, academisme en establishment. Het liefst richt hij vandaag nog een Verschrikkelijk Orkest van de Eenentwintigste Eeuw op om al was het maar één keer *Le Sacre du Printemps* van zijn god Stravinsky goed te spelen, want 'dat ding gaat over volksmuziek', en al die zwartgelakte symfonieorkesten laten Stravinsky naar Brahms ruiken, vooral in de versieringen.

Andriessen houdt ook niet van vettig glimmende operastemmen. Jazzzange-ressen zoekt hij: 'Actrices die noten kunnen lezen en tellen. Ze willen uit hun hoofd zingen, niet van blad.' Ondertussen experimenteert hij met seriële stukken, die hij lang niet zo ingewikkeld inkleedt als de Engelsman Brian Ferneyhough: 'Voor wie hem niet kent: zijn muziek klinkt alsof je vijf stukken van Schönberg tegelijkertijd speelt, met nog wat extra stemmen.' Hij verzint ook grafische partituren als *Souve-*

*nirs d'enfance* en *Blokken*, hanteert in *In Memoriam* collagetechnieken, maakt citatenmuziek met *Anachromie I* en *II*, past elektronische geluiden toe in *Il Duce* en maakt theater met *Mattheus Passie* en *Orpheus*.

In Andriessens oeuvre is de *minimal*-invloed uit de Verenigde Staten – het gebruik van openliggende patronen, die heel geleidelijk muteren – krachtdadiger en creatiever terechtgekomen dan bij wie ook. De Amerikaan John Adams bijvoorbeeld, een man in een vergelijkbare muziekhistorische positie, lijkt wollig, braaf en zoet te componeren voor wie Andriessens explosieve concepten gewend is. Het mooie van Louis Andriessen is, dat hij bij het klimmen der jaren weliswaar steeds substantiëler en op steeds pretentieuzere onderwerpen componeert, maar daarbij nergens zijn anarchisme, eclecticisme, minimalisme en zeer nuchtere vakmanschap verloochent. Met *De Staat* (1976) zet Andriessen een eerste totempaal in het muzikale landschap, daarna volgen *Mausoleum* (1979), *De Tijd* (1981), *De Snelheid* (1983) en de omvangrijke vierdelige muziektheatercompositie *De Materie* (1989). Andriessen peilt hier de diepste mysteriën van de menselijke geest, maar werkt tegelijk muzikale oereffecten uit.

In 1999 schrijven Andriessen en de Engelse cineast, videokunstenaar en eroticaspecialist Peter Greenaway – die vaker vruchtbaar samenwerken – een operahit: *Writing to Vermeer*. Andriessen laat de muzikale taal van Sweelinck nadrukkelijk een rol spelen in de opera. Dramatisch gesproken biedt de schilder Vermeer weinig aanknopingspunten en briefscènes zijn ook niet bij voorbaat opwindend, maar Andriessen en Greenaway weten voor hun opera te profiteren van de politieke gebeurtenissen die speelden, zoals de lynchpartij van de gebroeders Johan en Cornelis de Witt. Ze krijgen het bovendien voor elkaar het thema van de eeuwige Hollandse strijd tegen het water in de opera te verwerken, namelijk wanneer het huishouden van Vermeer van het toneel wordt gespoeld.

### Willem Mengelberg (1821-1951)

Dirigent Mengelberg stuwt het Amsterdamse Concertgebouworkest met een ijzeren repertoire naar de internationale top. Toch toont hij redelijk veel belangstelling voor nieuwe muziek – loopt zich het vuur uit de sloffen voor Mahler, ziet Richard Strauss *Ein Heldenleben* uit 1899 aan hem en het orkest opdragen en dirigeert de wereldpremière van Bartóks *Tweede vioolconcert* uit 1939. Het verzoek van de avontuurlijke symfonicus Vermeulen om zijn *Eerste symfonie* uit te voeren weigert hij echter, en op het verzoek om diens *Tweede* reageert Mengelberg niet eens. In de oorlogsjaren blijft Mengelberg willig voor de Nazi's optreden, ook als hij zijn orkest moet 'ariseren'.

### Matthijs Vermeulen (1888 - 1967)

'Leve Sousa,' roept Matthijs Vermeulen op een zondagmiddag in 1918 getergd door het Amsterdamse Concertgebouw, als daar de *ZuiderZee-symfonie* van Cornelis Dopper juist is verklonken. John Philip Sousa is marsencomponist, Dopper een braaf academicus, die desondanks op het hoogste podium van het Concertgebouw zijn *Zevende symfonie* staat te dirigeren. En Vermeulen? Dat is de geniale toondichter, die zijn *Eerste symfonie* daar nooit zal horen. En ook niet de zes weerbarstige volgende exemplaren, die hij na 1918 schrijft. Vandaag is Vermeulen in ieder geval op cd van kaft tot kaft te beluisteren. Morgen zal hij een *household* name zijn.

### Aafje Heynis (1924)

Alt Aafje Heynis is de bijzonderste zangeres van Nederland. Ze is het best thuis te brengen in een Engels rijtje, tussen alt Kathleen Ferrier die in 1953 overlijdt en mezzo-sopraan Janet Baker – bij kenners is ze net zo geliefd. Opera is niet haar métier. In het oratoriumrepertoire is ze werkelijk thuis. Het meest fascineert ze in muziek als de *Altrapsodie* van Brahms en de *Tweede symfonie* van Mahler.

# Johan Cruijff (1947)

De beste voetballer van Nederland wordt geboren op 25 april 1947 in Betondorp in Amsterdam. Hendrik Johannes (Jopie) Cruijff is de zoon van groenteboer Manus Cruijff. Op het pleintje aan De Brink is zijn trapveldje inmiddels verdwenen, maar het ouderlijk huis aan de Akkerstraat 32 ligt er nog precies zo bij als toen. In dat blokken-huis hoort Jopie op 25 april 1957, op zijn tiende verjaardag, dat hij mag komen voet-ballen bij de club aan de overkant van de grote weg: Ajax. Het stadion, De Meer, ligt om de hoek, en een selectiewedstrijd is niet nodig, want Cruijff is al jaren kind aan huis bij Ajax. Hij kent de terreinknecht, oom Henk, (zijn latere stiefvader) al goed. Zijn vader bezorgt fruitmanden bij geblesseerde spelers. Manus overlijdt in 1959 aan een hartkwaal. De gebeurtenis maakt diepe indruk. Datzelfde jaar bezwijkt de twaalfjarige Johan bijna aan een bloeding nadat zijn amandelen zijn geknipt. Jaren later, in 1991, redt een Spaanse cardioloog met een dubbele bypass zijn leven. Hartproblemen zitten in de familie en Cruijff is nog steeds als de dood voor een attaque.

Dergelijke beslommeringen spelen hem als jong talent geen parten. De iele middenvoor etaleert een verfrissende techniek. Tot dan zijn spitsen bonkige types. Stormrammen als Coen Dillen – nog steeds in bezit van het doelpuntenrecord in de eredivisie – joekelen de lederen monsters tegen de touwen. Maar Cruijff (en in zijn kielzog aanvallers als Johnny Rep en Rob Rensenbrink) speelt anders. Noodge-dwongen, want het ontbreekt hem aan fysieke kracht. Cruijff kan nog geen cornerbal voor de doelmond krijgen. Het tengere ventje compenseert dit gebrek met flitsende acties. Als kwikzilver glipt Cruijff tussen verdedigers door en hij spot met voetbalcon-venties. Elke pupil leert om een boogbal eerst 'dood te maken', zo niet Cruijff; die plukt de bal uit de lucht en loopt in één vloeiende beweging keihard door. Ook trapt hij ballen met de buitenkant van de voet – een gruwel voor trainers, want een bal dient met de binnenkant of de wreef getrapt te worden. Het is alsof er technologisch supe-rieure wapens verschijnen in een vastgeroeste loopgravenoorlog.

Sinds de introductie van het voetbal door de Haarlemse sportadept Pim Mulier in 1879 groeit het spel uit tot volkssport nummer één. Maar tot lang na de oorlog is

het kneuterigheid troef. De verzuilde samenleving is hier debet aan. Socialisten zijn tegen betaald voetbal; protestanten willen niet dat er wordt gespeeld op zondag. Voetbal speelt zich af in een kleine kring. Bovendien is het spel traag: loodzware ballen, slechte velden en belabberde schoenen met stalen neuzen. Het clubvoetbal stelt internationaal niets voor. Het Nederlands elftal is een voetbaldwerg. Tot de jaren vijftig spelen alleen amateurs in de selectie. Dissidenten als Bep Bakhuys en Faas Wilkes kiezen voor een profbestaan in het buitenland en mogen prompt niet meer meedoen. Er moet een ramp aan te pas komen om het tij te keren. In 1953 spelen de verketterde profs mee in een benefietwedstrijd voor de Watersnoodramp. Holland wint met 2-1 van grootmacht Frankrijk. Die winst opent velen de ogen en op 14 augustus 1954 vindt de eerste profwedstrijd plaats tussen Alkmaar en Venlo.

Tien jaar later, op 15 november 1964, debuteert Cruijff in het eerste van Ajax, uit tegen het Groningse GVAV. De wedstrijd gaat met 3-1 verloren, maar zoals zoveel legendarische Ajacieden scoort Johan tijdens zijn debuut. Kranten komen superlatieven te kort, maar verhaspelen zijn lastige achternaam. Pas veel later volstaan simpele cijfers om het fenomeen te duiden. Cruijff draagt rugnummer 14 voor het eerst op 30 oktober 1970. Na een liesblessure blijkt zijn oude nummer (9) vergeven aan Gerrie Mühren. Ajax wint die dag van PSV en de extreem bijgelovige voetballer blijft zijn nummer trouw. In dat seizoen sleept Ajax de Europacup I in de wacht, de eerste van drie op een rij. Tijdens de huldiging na de finale tegen Panathinaikos knoopt Cruijff op het bordes van Soestdijk een gesprekje aan met koningin Juliana over belastingtarieven voor topsporters. Hare Majesteit verwijst hem naar de minister van Financiën. Het voorval is tekenend voor Cruijff, die vanaf zijn eerste contract hoge salariseisen stelt. Het publiek en ook de voetbalbestuurders zijn niet gewend aan die houding en noemen hem een dwarsligger. Zijn venijnigheid neemt toe als Cruijff zich laat bijstaan door zijn schoonvader, de marktkoopman Cor Coster. Cruijff trouwt met diens dochter Danny. Ze krijgen drie kinderen.

Het imago van geldwolf achtervolgt Cruijff een voetballeven lang. En altijd is er gedoe, ook in Oranje. Cruijff is de eerste international die een rode kaart krijgt. In 1967 stuurt scheidsrechter Glöckner hem uit het veld. De KNVB schorst hem en de liefde van Cruijff voor Oranje bekoelt. Regelmatig zegt hij af. Het blijft kwakkelen met het Nederlands elftal, ook omdat clubs weigeren hun vedettes af te staan. Tegen België wordt meestal nog gewonnen, maar van de Duitsers slechts één keer: in 1956 met de

Friese legende Abe Lenstra. Maar dat was een uitschieter. Als Oranje zich plaatst voor het wereldkampioenschap in Duitsland, is het vertrouwen van het Nederlandse voetbalpubliek echter laag. Cruijff is inmiddels uitgegroeid tot een volksheld in Barcelona. Hij voetbalt daar sinds 1973 en is binnengehaald als 'de Verlosser' (*el Salvador*). In ruim een week tijd geeft hij het Catalaanse volk zijn eigenwaarde terug. Het is februari 1974; Spanje gaat gebukt onder dictator Franco. Alleen in voetbalstadions wapperen *socios* uit Catalonië en Baskenland ongestraft met eigen banieren, maar veel te juichen valt er niet. Tot de komst van de Johannen (Johan Neeskens, die ook het rood-blauwe shirt droeg, stond bekend als Johan Segundo, nummer twee) naar Barcelona was de suprematie van Real Madrid ongekend, maar als Cruijff in 1973 zijn entree maakt in Camp Nou verandert dat. Zijn lange haren en rebelse uitspraken vloeken met het fascistische ideaalbeeld van een sporter. Groot is de vreugde in Barcelona als Cruijf op 9 februari 1974 zijn derde kind vernoemt naar een Catalaanse beschermheilige. Het kind wordt geboren op een voetballoze maandag; artsen kunnen dat inmiddels plannen. Jordi is een verboden naam. De ambtenaar van de burgerlijke stand stelt Jorge voor, maar Cruijff drukt door. Onbewust, verklaart hij later. Cruijff is niet op de hoogte van de brisante lading, maar dat is hem ruimschoots vergeven. De mythe wordt compleet op 17 februari als Barça met 0-5 de uitwedstrijd wint tegen het gehate Real Madrid. Cruijff gaat sindsdien door het leven als *el Salvador*, de verlosser.

Barcelona en Oranje bevinden zich in 1974 in hetzelfde schuitje. Beide teams zijn behept met een Calimero-complex en bedreven in verliezen. Daaraan komt een eind met Cruijff aan het roer. Barcelona wordt kampioen en het Nederlands elftal speelt verbluffend goed op het WK. Beide teams staan onder leiding van Rinus Michels, Cruijffs tactische voetbalpartner. Samen vernieuwen ze het voetbal. Totaalvoetbal is het modewoord. Tijdens het wereldkampioenschap komt er bovendien voor het eerst een oranjekoorts op gang, aarzelend, alsof het volk het niet gelooft. Maar het is waar: Nederland kan voetballen en Cruijff is de beste van allemaal. Om de wedstrijden van Oranje goed te kunnen volgen, gaat Nederland in die zomer massaal over op de kleurentelevisie; de meeste huishoudens waren tot dan toe tevreden met een zwart-wittoestel. Het oranjevirus neemt sinds 1974 overdreven vormen aan. Sinds Cruijff vinden 'we' onszelf de beste – ook al winnen we niet. Sinds Cruijff moet Holland aanvallen. Noeste verdedigers bereiken in Nederland hooguit de status van cultfiguur. Sinds Cruijff is de grootste angst van de voetbalfans dat Nederland nooit wereldkampioen wordt. De traumatische finale, op 7 juli tegen West-Duitsland, drukt zwaar op het collectieve geheugen.

Na een carrière bij Ajax en Barcelona gaat Cruijff voor veel geld naar de Verenigde Staten. Naar de LA Aztecs (1979), en de Washington Diplomats (1980-1981). Hij speelt nog even bij Levante in Spanje (1980-1981), weer bij bij Ajax (1981-1983) én bij Feyenoord (1983-1984). Daarna gaat hij coachen. De liefde voor dat vak openbaart zich in 1980. Als toeschouwer daalt Cruijff af naar de dug-out en neemt druk gesticulerend plaats naast Leo Beenhakker. FC Twente staat met 1-3 voor, maar na de interventie wint Ajax met 5-3. Als trainer zweert Cruijff bij het aanvallende 4-3-3-systeem. Hij boekt successen bij Ajax en Barcelona, maar verliest door zijn intuïtieve, frivole spelstijl ook veel finales. Onder zijn hoede komt de tweede gouden voetbalgeneratie tot wasdom: Ronald Koeman, Frank Rijkaard en Marco van Basten winnen samen met Ruud Gullit (ploeggenoot van Cruijff bij Feyenoord) alle denkbare cups. Behalve het WK.

Dat moet, zo wil de mythe, gebeuren met Cruijff als bondscoach. Maar de kans dat dit ooit gebeurt, is verwaarloosbaar. Zijn status, zijn gezondheid en zijn gezinsleven spelen Cruijff parten. Cruijff geeft drie keer niet thuis op invitaties om als speler (1978) of als coach (1990 en 1994) opnieuw aan een WK mee te doen. Wel speelt de clubloze Cruijff in de luwte een grote rol bij alle drie zijn grote liefdes: Ajax, Barcelona én Oranje. Op zoek naar een nieuwe bondscoach reist KNVB-voorzitter Kessler in de zomer van 2004 éérst af naar Barcelona. Cruijff helpt de een na beste voetballer van Nederland, Marco van Basten, in het zadel. 'Marco lijkt op mij. Hij is de enige in wie ik mij kan herkennen,' zegt Cruijff. Nu zijn voeten rusten, is praten zijn handelsmerk. Cruijff verrijkt de Nederlandse taal met kromspraak. 'Elk nadeel heb zijn voordeel', wordt vaak geciteerd. 'Toeval is logisch' is mooier. Zijn verbale handicap laat ook sporen na in het Spaanse vocabulaire. Daar introduceerde de Verlosser 'op een gegeven moment' de niet bestaande term *un momento dado*. Toen Cruijff niet op het Spaanse woord voor 'zwaluw' kon komen, meldde hij dat één duif nog geen zomer maakt. Dat die uitdrukking daadwerkelijk bestaat, lijdt voor Cruijff geen twijfel, want zijn betweterigheid is onverbeterlijk. Door die halsstarrigheid kent Cruijff een fikse schare criticasters, die wijzen op de ontbrekende WK-titel en zijn vluchtgedrag. Ook ongekende persoonsverheerlijking valt niet altijd even goed. Hoe omstreden het orakel uit Barcelona ook mag zijn: unanieme overeenstemming bestaat er over zijn status als voetballer: de beste van het land. En ver daarbuiten.

### Max Euwe (1901-1981)

Schakende leraar. Haalt als amateur de wereldtop. De onbekende Euwe verslaat Aljechin in 1935 en wordt wereldkampioen zonder daar een cent aan te verdienen. Blijft nóg gewoner dan Fanny Blankers-Koen. Hij verliest in 1937 de wereldtitel weer aan Aljechin, maar blijft tot op hoge leeftijd schaken. Zijn wiskundig inzicht leent hij vanaf de jaren vijftig aan de computerindustrie. Hij brengt structuur aan in de schaakwereld en is voorzitter van de wereldschaakbond ten tijde van de tumultueuze match tussen Fisher en Spasski in 1972. Hij schrijft talrijke schaakboeken die uitblinken in helder taalgebruik en over hele wereld zijn vertaald. *Oom Jan leert zijn neefje schaken* is veruit het bekendste werk.

### Anton Geesink (1934)

Judoka Geesink wint als eerste niet-Japanner goud in 1964. De Utrechter neemt in Tokio de Japanse favoriet Kaminaga in de houdgreep. Rekent zo als sportman af met oorlogstrauma's van Nederlandse slachtoffers van de Japanse bezetting van Indië. Hij dwingt groot respect af bij de geslagen gastheren door jubelende vaderlanders van de gewijde judomat te weren. Drager van de een na hoogste gordel (zwarte band met de tiende dan) in deze vechtsport. Maakte na zijn sportcarrière naam als bobo binnen het Internationaal Olympisch Comité. Overleeft IOC-strafzitting na malversaties over corruptie rond toewijzingen speelsteden met een berisping.

### Fanny Blankers-Koen (1918-2004)

De Rotterdamse atlete, moeder van twee kinderen, wint vier medailles op de Olympische Spelen van 1948 in Londen. De aansprekendste afstand, de 100-meter sprint, legt ze af in 11,9 seconden. Ze kan goed springen en kogelstoten (twee keer Nederlands kampioen). Ze vestigt twaalf wereldrecords en wordt ook vijf keer Europees kampioen. Haar prestaties op de Spelen in Londen geven vrouwensport een zet in de rug. Heeft geen makkelijk karakter, maar loopt zelden of nooit naast haar schoenen. Dat is een deugd die Hollanders op waarde schatten; ze krijgt van de buren een fiets cadeau. In Hengelo zijn een stadion en een internationale atletiekwedstrijd naar haar vernoemd. In 1999 wordt de 'vliegende huisvrouw' in Monte Carlo uitgeroepen tot Atlete van het Millennium.

# Pim Fortuyn (1948 - 2002)

In het pamflet *De puinhopen van acht jaar Paars* beschrijft politicus Pim Fortuyn in tien hoofdstukken wat er mis is in Nederland. De zorg, het onderwijs, het openbaar bestuur, de ruimtelijke ordening, de veiligheid en het vreemdelingenbeleid – in één woord: een puinhoop. Die boodschap slaat aan bij steeds meer kiezers, maar Fortuyn jaagt er ook een groot aantal mee tegen zich in het harnas. Op 14 maart 2002, tijdens de grootste persconferentie ooit in het Tweede-Kamergebouw, wordt Fortuyn door tegenstanders bekogeld met taarten gevuld met uitwerpselen.

Aan het einde van de twintigste eeuw is de rol van de traditionele rivalen in de politiek in Nederland uitgespeeld. De Kerk speelt dankzij de ontzuiling geen enkele rol meer. In 1994 treedt met minister-president Wim Kok van de Partij van de Arbeid sinds 1945 het eerste kabinet aan waaraan geen christelijke partij meedoet. Het 'paarse' kabinet is een combinatie van de PvdA, VVD en D66. Het Huis van Oranje heeft met het aantreden van Juliana in 1948 weinig concrete resultaten in de politiek geboekt. Door schandalen taant de invloed van het koningshuis.

Onder het mom van het zogenoemde poldermodel is iedereen het met elkaar eens. Over maatschapplijke problemen verschijnen dikke rapporten, maar ze worden niet opgelost. Economisch gaat het erg goed dankzij de computer- en internetindustrie. Maar er is geen enkele reden voor zelfgenoegzaamheid. In de zorg, in ziekenhuizen, worden de wachtlijsten langer, oude stadswijken verpauperen en een groeiend aantal immigranten zet de verzorgingsstaat onder druk. In tien jaar tijd zijn er bijna een miljoen buitenlanders in Nederland komen wonen die vaak aanspraak maken op de sociale zekerheid. Pim Fortuyn stelt dergelijke problemen al jaren aan de orde in zijn columns in *Elsevier*, het grootste opinieweekblad van Nederland. Op het moment dat hij in november 2001 lijsttrekker wordt van Leefbaar Nederland groeit zijn gehoor. Zijn gefulmineer tegen de puinhopen van Paars vallen in vruchtbare aarde. Binnen een paar maanden campagne voeren stevent hij al af op het premierschap.

Pim Fortuyn wordt op 19 februari 1948 geboren in Velsen. Zijn vader is vertegenwoordiger in enveloppen. Hij heeft drie broers, van wie er een jong overlijdt, en

twee zussen. Fortuyn gaat naar de H.B.S in Haarlem. Daar wordt hij lid van de toneel-
vereniging, de leerlingenraad en de debatingclub, en hij schrijft voor de schoolkrant.
Hij wil studeren, maar dat betekent dat er thuis zuiniger moet worden geleefd. Tijdens
een familieberaad, waarbij het gezin zijn verzoek bespreekt, krijgt hij toestemming. Hij
gaat in Amsterdam sociologie studeren. Intussen breken de enige echte studentenpro-
testen ooit uit aan de Nederlandse universiteiten. Fortuyn neemt deel aan de vergade-
ringen en zit in verschillende actiecomités. In 1971 haalt hij zijn doctoraal sociologie
en vertrekt hij naar Groningen, waar hij docent sociologie wordt. In Groningen wil hij
ook promoveren, maar zijn proefschrift voldoet volgens zijn promotor Ger Harmsen
niet. De hoogleraar vindt zijn geschrift marxistische propaganda en geen wetenschap.
In 1980 promoveert Fortuyn alsnog.

Fortuyn ziet zijn wens om hoogleraar te worden in Groningen niet in vervulling
gaan. Hij vestigt zich in Rotterdam en begint er een adviesbureau voor politieke, strategische en economische adviezen: Fortuyn en Partners. Hij schrijft een rapport over
de haven in Rotterdam en in 1989 wordt hij directeur van de OV-studentenkaart BV.
Studenten moeten net als militairen gratis met het openbaar vervoer kunnen reizen,
vindt hij. Hij drukt de kaart erdoor bij de Nederlandse Spoorwegen, die overbelasting
van het spoorwegnet vrezen. Vlak voordat de kaart wordt ingevoerd, stapt hij met een
conflict op. Het is niet de eerste en ook niet de laatste keer dat een ruzie ervoor zorgt
dat hij een opdracht niet tot het einde volbrengt. In Rotterdam krijgt hij in 1990 een
aanstelling als (bijzonder) hoogleraar arbeidsverhoudingen in de publieke sector aan
de Erasmus Universiteit. Hij heeft een frisse kijk op de samenleving, maar de universiteit is niet gelukkig met Fortuyn.  Hij publiceert in de jaren negentig het ene na het
andere manifest over wat er mis is in Nederland, schrijft columns en treedt op in fora
en tijdens debatten. Maar het aantal studenten wordt jaarlijks minder. In 1996 is zijn
wetenschappelijke loopbaan voorbij.

Fortuyn heeft bij verschillende politieke partijen, zoals de communistische partij,
onderdak gezocht, maar past nergens in. In 2001 wordt hij gevraagd door Leefbaar
Nederland. Die partij is opgericht naar aanleiding van het succes van lokale Leefbaar-
partijen als Leefbaar Utrecht en Leefbaar Hilversum, die zich tegen de regenteske
gemakzucht van lokale politici keren. Fortuyn wordt in november 2001 lijsttrekker. In
februari 2002 staat de partij op tweeëntwintig zetels, maar wordt overspeeld door
Fortuyn. Hij voegt zich niet naar de partijdiscipline en dat is vooral Jan Nagel, een van

de oprichters, die zelf eigenlijk lijsttrekker had willen worden, tegen het zere been. Ook uit Fortuyn zich naar de smaak van de partijleden te veel en te heftig over het immigratievraagstuk. Hij mag niet meer zeggen dat Nederland vol is, maar doet dat toch. In *de Volkskrant* van zaterdag 9 februari 2002 zegt hij dat de grenzen dicht moeten voor moslims en dat hij artikel 1 van de grondwet wil afschaffen: 'Allen die zich in Nederland bevinden, worden in gelijke gevallen gelijk behandeld.' Leefbaar Nederland breekt met Fortuyn. De week daarop heeft hij zijn eigen partij: Lijst Pim Fortuyn (LPF).

Hij heeft nog tot mei om campagne te voeren, want dan zijn de landelijke verkiezingen. Eerst komen op 6 maart de gemeenteraadsverkiezingn. Fortuyn blijft in zijn woonplaats lijsttrekker van Leefbaar Rotterdam. Hij wordt bedreigd en op straat uitgescholden, maar Leefbaar Rotterdam breekt de hegemonie van de PvdA in de Rotterdamse gemeenteraad. In het nachtelijke lijsttrekkersdebat op televisie veegt Fortuyn de vloer aan met Ad Melkert van de PvdA. Melkert ziet zijn ambitie om premier te worden gedwarsboomd door Fortuyn en hij is een slechte verliezer. De discussies over en met Fortuyn hebben weinig meer met politiek te maken – bijvoorbeeld als Melkert zegt dat hij over zijn nek gaat van zijn opponent. Voor de populariteit van Fortuyn maakt het niet uit. Hij is elke dag op televisie en op de radio, en wat hij ook doet of zegt en hoe journalisten ook hun best doen hem in de hoek te drijven, hij wint in de peilingen steeds meer zetels. 'Ik zeg wat ik denk en ik doe wat ik zeg,' zegt Fortuyn. Een groot deel van het zoekende electoraat, dat bijna al zijn belangstelling voor politiek had verloren, ziet in hem de redding van Nederland, een man van het volk. Dat hij zich door een chauffeur in een Daimler laat rondrijden, thuis een butler heeft en een uitbundig homoseksueel seksleven heeft, doet daar niets aan af.

De LPF móet de verkiezingen wel gaan winnen. Maar in de laatste week van de campagne wordt Fortuyn na een radio-interview in Hilversum doodgeschoten door milieu- en dierenrechtenactivist Volkert van der Graaf uit Harderwijk. Politie en overheid hebben ondanks alle incidenten nooit aanleiding gezien serieus na te denken over de beveiliging van Fortuyn.

De lijsttrekker wordt op 9 mei onder massale belangstelling begraven. De lijkwagen wordt onderweg bedolven met bloemen. De LPF haalt op 15 mei 26 zetels; de PvdA zakt van 45 naar 23 zetels. Het confessionele CDA maakt een comeback en stijgt van naar 29 naar 43 zetels. Het kabinet CDA, LPF en VVD valt door intern geruzie bij de LPF.

# Illustratieverantwoording

AFF Basel CH/AFS Amsterdam NL: Anne Frank; ANP, Den Haag: Heijn, Kistemaker, Verhoeven; Archiefdienst voor Kennemerland, Haarlem: Dirk I en Dirk II; Maria Austria/MAI, Amsterdam: Drees; Bruno Press, Zutphen: Andriessen; A. Blotelingh, Hooft; Marc Bolsius: Oosterhuis; Centrum voor Kunsthistorische Documentatie, Radboud Universiteit Nijmegen: Bosch, Buys Ballot, Van der Capellen tot den Pol, Gaius Julius Civilis, Coen, Erasmus, De Groot, Huygens, Liudger, Van Maerlant, Van Oranje, Rembrandt, De Ruyter, Spinoza, Sweelinck, Thorbecke, Vondel, Willem I, De Witt; Michel Claus/AVC Vrije Universiteit: Kuitert; Mariana Cook: Kolff; J.D. Cool: Piet Heyn; De Hanuké: Van Heutsz; Drents Museum, Assen: Meisje van Yde; François Gérard: Lodewijk Napoleon; Van Gogh Museum Enterprises BV, Amsterdam: Van Gogh; Arend Hendriks: Menno Simons; Historisch Centrum Overijssel, Zwolle: Stork; Paul Huf/MAI, Amsterdam: Fortuyn; Arnold Kaldenbach: Schimmelpenninck; Friso Keuris/Hollandse Hoogte, Amsterdam: Grunberg, Haasse, Hermans, Reve, Stitou; W. Knuttel: Huizinga; Abraham Koninck: C. Kruseman: Van den Bosch; Barentsz; J.E. Marcus: Van Hogendorp; H.W. Mesdag: Van Houten; M.J. van Miereveld: Prins Maurits, Tromp; Nico Naeff: Mansholt; Jinke Obbema: Poncke Princen; Paulus Pontius: Frederik Hendrik; Rijksmuseum, Amsterdam: Daendels, Oldenbarnevelt; Jan van Scorel: Paus Adrianus; Michel Seuphor/Haags Gemeentemuseum: Mondriaan; Spaarnestad fotoarchief, Haarlem: Berlage, Bouwman, Cruijff, Duisenberg, Lely, Multatuli, Nijhoff, Oort, Sukarno, Troelstra; B. Taurel: Koning Willem II; Aram Vos: H.K.H. Juliana; WFA, Den Haag: DJ Tiësto, John de Mol; Z.K.H. de Prins van Oranje/RVD, H.K.H. Prinses Catharina-Amalia

De afbeelding in het hoofdstuk over Gerulf (p.29) is van de graven Dirk I en Dirk II